VESTÍGIO

GREENPEACE

A marca FSC é a garantia de que a madeira utilizada na fabricação do papel deste livro provém de florestas de origem controlada e que foram gerenciadas de maneira ambientalmente correta, socialmente justa e economicamente viável.

O Greenpeace — entidade ambientalista sem fins lucrativos —, em sua campanha pela proteção das florestas no mundo todo, recomenda às editoras e autores que utilizem papel certificado pelo FSC.

PATRICIA CORNWELL

VESTÍGIO

Tradução:
CLAUDIO CARINA
OTACÍLIO NUNES

1ª reimpressão

COMPANHIA DAS LETRAS

Copyright © 2004 by Cornwell Enterprises, Inc.

Título original:
Trace

Projeto gráfico de capa:
João Baptista da Costa Aguiar

Foto de capa:
Henk Nieman

Preparação:
Leny Cordeiro

Revisão:
Valquíria Della Pozza
Ana Maria Barbosa

Dados Internacionais de Catalogação na Publicação (CIP)
(Câmara Brasileira do Livro, SP, Brasil)

Cornwell, Patricia
Vestígio / Patricia Cornwell ; tradução Claudio Carina,
Otacílio Nunes. — São Paulo : Companhia das Letras, 2008.

Título original: Trace.
ISBN 978-85-359-1181-7

1. Ficção policial e de mistério (Literatura norte-
americana) I. Título.

08-00430   CDD-813.0872

Índice para catálogo sistemático:
1. Ficção policial e de mistério : Literatura norte-ameri-
cana 813.0872

2008

Todos os direitos desta edição reservados à
EDITORA SCHWARCZ LTDA.
Rua Bandeira Paulista, 702, cj. 32
04532-002 — São Paulo — SP
Telefone: (11) 3707-3500
Fax: (11) 3707-3501
www.companhiadasletras.com.br

Para Ruth e Billy Graham,
Não conheço ninguém como vocês, e amo vocês.

Agradeço a Julia Cameron pela orientação ao longo do
Caminho do Artista.

Para Charlie e Marty
e Irene.

Todos vocês tornaram este livro possível.

1

Escavadeiras amarelas revolvem terra e pedra em um velho quarteirão da cidade que viu mais morte do que a maioria das guerras modernas, e Kay Scarpetta desacelera até quase parar seu utilitário esportivo alugado. Abalada pela destruição à sua frente, ela encara as máquinas cor de mostarda atacarem violentamente o seu passado.

"Alguém devia ter me contado", diz.

A intenção dela nessa cinzenta manhã de dezembro era bastante inocente. Só queria entregar-se um pouco à nostalgia e passar de carro por seu antigo edifício, e nem lhe passava pela cabeça que estivesse prestes a ser demolido. Alguém poderia ter contado a ela. A atitude educada e gentil teria sido mencionar o assunto, pelo menos dizer: "Ah, a propósito, aquele edifício onde você trabalhava quando era jovem e cheia de esperança e sonhos, e acreditava no amor, bem, aquele velho edifício, do qual você ainda sente falta e pelo qual tem um sentimento forte, está sendo demolido".

Uma escavadeira cambaleia, sua lâmina levantada para o ataque, e a barulhenta violência mecânica parece um aviso, um alerta de perigo. Eu devia ter ouvido, ela pensa enquanto olha para o concreto rachado e lascado. A frente de seu antigo edifício já perdeu metade da face. Quando lhe pediram que voltasse a Richmond, ela devia ter dado atenção a seus sentimentos.

"Tenho aqui um caso no qual espero que você me ajude", explicou o dr. Joel Marcus, o atual legista-chefe da

Virgínia, o homem que tomou o lugar dela. Isso aconteceu ontem à tarde, quando ele lhe telefonou e ela ignorou os próprios sentimentos.

"Claro, doutor Marcus", disse a ele pelo telefone enquanto se movimentava pela cozinha de sua casa no sul da Flórida. "Como posso lhe ser útil?"

"Uma garota de catorze anos foi encontrada morta na cama. Aconteceu há duas semanas, por volta do meio-dia. Ela estava gripada."

Scarpetta devia ter perguntado ao dr. Marcus qual o motivo de estar ligando para ela. Por que ela? Mas não deu atenção a seus sentimentos. "Ela havia voltado da escola?", disse ela.

"Sim."

"Sozinha?" Ela agitou uma mistura de bourbon, mel e azeite, o fone encaixado debaixo do queixo.

"Sim."

"Quem a encontrou e qual é a causa da morte?" Derramou a marinada sobre um bife de filé dentro de um saco plástico para refrigeração.

"A mãe a encontrou. Não há nenhuma causa óbvia de morte", disse ele. "Nada suspeito, a não ser o fato de os laudos, ou a falta deles, apontarem que ela não devia estar morta."

Scarpetta pôs o saco plástico com a carne e a marinada na geladeira e abriu a gaveta de batatas, depois fechou, mudando de idéia. Ela faria um pão de trigo integral em vez de batatas. Não conseguia ficar parada, muito menos se sentar; estava nervosa e fazendo muito esforço para não demonstrar. Por que ele estava ligando para ela? Ela devia ter perguntado.

"Quem vivia na casa com ela?", perguntou Scarpetta.

"Prefiro tratar dos detalhes com você pessoalmente", respondeu o dr. Marcus. "Trata-se de uma situação muito delicada."

No início Scarpetta quase disse que estava de saída para uma viagem de duas semanas a Aspen, mas essas pa-

8

lavras não foram pronunciadas e já não são verdadeiras. Ela não vai a Aspen. Planejava ir, fizera isso durante meses, mas não ia e não vai. Não conseguiria mentir sobre isso, então usou a desculpa profissional de que não podia ir a Richmond porque está no meio da revisão de um caso difícil, uma morte muito obscura por enforcamento que a família se recusa a aceitar como suicídio.

"Qual a complicação com o enforcamento?", perguntou o dr. Marcus, e quanto mais ele falava, menos ela o ouvia. "É racial?"

"Ele subiu em uma árvore, pôs uma corda em volta do pescoço e algemou as mãos atrás das costas de forma que não pudesse mudar de idéia", respondeu ela, abrindo a porta de um armário de sua cozinha brilhante e alegre. "Quando ele desceu do galho e caiu, fraturou sua vértebra C-2 e a corda empurrou seu couro cabeludo para trás, distorcendo o rosto; então ele parecia estar fazendo uma careta, como se sentisse dor. Tente explicar isso e as algemas à família dele no Mississippi, no interiorzão do Mississippi, onde a dissimulação é normal e os gays, não."

"Nunca fui ao Mississippi", disse o dr. Marcus com desinteresse, e talvez o que ele realmente quisesse dizer era que não se preocupava com o enforcamento nem com qualquer tragédia que não tivesse impacto direto sobre sua vida, mas não foi isso o que ela ouviu, porque não estava ouvindo.

"Eu gostaria de ajudá-lo", disse-lhe ela enquanto abria uma nova garrafa de azeite extravirgem, embora não fosse necessário abri-la naquele exato minuto. "Mas provavelmente não é uma boa idéia eu me envolver em nenhum de seus casos."

Ela estava com raiva, mas negava que estivesse enquanto se movia por sua cozinha grande e bem equipada, com eletrodomésticos de aço inoxidável, balcões com tampo de granito e grandes vistas brilhantes da Hidrovia Intracosteira. Estava com raiva por causa de Aspen, mas negava isso. Estava apenas com raiva, e não queria ser grosseira e lembrar ao dr. Marcus que fora demitida do mesmo emprego de que ele agora desfruta, razão pela qual deixou a Virgínia sem nenhum plano de voltar um dia. Mas um longo silêncio dele a obrigou a continuar e dizer que não deixara Richmond em condições amigáveis e certamente ele devia saber disso.

"Kay, isso foi há muito tempo", retrucou ele, e ela foi profissional e respeitosa o suficiente para chamá-lo de dr. Marcus, e lá estava ele chamando-a de Kay. Ela teve um sobressalto ao perceber que ficara muito ofendida por ele chamá-la de Kay, mas disse a si mesma que ele era amistoso e informal, ao passo que ela era suscetível e exageradamente sensível, e talvez estivesse com ciúme dele e quisesse que ele fracassasse, acusando-se assim da pior mesquinhez de todas. Era compreensível que ele a chamasse de Kay em vez de dra. Scarpetta, pensou, recusando-se a dar atenção a seus sentimentos.

"Temos uma nova governadora", continuou ele. "É provável que nem saiba quem você é."

Agora ele estava sugerindo que Scarpetta é tão desimportante e malsucedida que a governadora nunca ouviu falar nela. O dr. Marcus a estava insultando. Bobagem, contrapôs a si mesma.

"A atenção de nossa nova governadora está monopolizada pelo enorme déficit orçamentário do estado e todos os potenciais alvos terroristas que temos aqui na Virgínia..."

Scarpetta se repreendeu pela reação negativa ao homem que a sucedera. Ele só queria ajuda em um caso difícil, e por que não deveria procurá-la? Não é incomum que presidentes demitidos de grandes empresas sejam chamados depois parar dar conselhos e consultoria. E ela não vai a Aspen, lembrou-se.

"... usinas de energia nuclear, numerosas bases militares, a academia do FBI, um campo de treinamento da CIA que não é lá muito secreto, o Federal Reserve. Você não vai ter nenhum problema com a governadora, Kay. Ela é ambiciosa demais, realmente, focada demais em suas aspirações de chegar a Washington, verdade seja dita, para se preocupar com o que está acontecendo em meu gabinete." O dr. Marcus continuou em seu afável sotaque sulista, tentando demover Scarpetta da idéia de que sua volta à cidade depois de ter sido expulsa dela cinco anos antes causaria controvérsia ou sequer seria percebida. Não estava nem um pouco convencida disso, mas pensava em Aspen. Pensava em Benton, no fato de ele estar em Aspen sem ela. Ela dispõe de tempo, pensava, então podia assumir outro caso porque de repente tem mais tempo.

Scarpetta dá lentamente a volta no quarteirão onde esteve sediada num estágio anterior de sua vida que agora parece acabado. Lufadas de poeira são levadas pelo vento enquanto máquinas atacam a carcaça de seu velho edifício qual gigantescos insetos amarelos. Lâminas de metal e caçambas retinem e baqueiam contra o concreto e o barro. Caminhões e máquinas de movimentação de terra rolam e dão solavancos. Pneus são esmagados e cintas de aço se rompem.

"Bem", diz Scarpetta, "fico contente de ver isso. Mas alguém devia ter me contado."

Pete Marino, seu carona, olha em silêncio para o retalhamento do prédio atarracado e encardido na fronteira do setor bancário.

"Fico contente por você também estar vendo, capitão", acrescenta ela, embora ele não seja mais capitão, mas, quando o trata assim, o que não é muito freqüente, ela está sendo gentil com ele.

"Exatamente o que o doutor mandou", murmura ele em tom sarcástico, que é o que ele mais usa, como um dó central em um piano. "E você está certa. Alguém devia ter lhe contado, e esse alguém é o prodígio inescrupuloso que tomou seu lugar. Ele implora para que você voe para cá quando você não põe os pés em Richmond há cinco anos, nem se dá ao trabalho de lhe contar que o velho lugar está sendo demolido."

"Tenho certeza de que isso não passou pela cabeça dele", diz ela.

11

"Que sujeitinho escroto", reage Marino. "Já estou com ódio dele."

Esta manhã Marino é uma estudada mistura ameaçadora de mensagens embaladas em calça cargo preta, botas de policial pretas, um casaco impermeável preto e um boné de beisebol com a sigla LAPD, do Departamento de Polícia de Los Angeles. A Scarpetta, parece evidente sua determinação de se mostrar um intruso valentão de cidade grande, porque ele ainda está ressentido com as pessoas dessa cidadezinha teimosa que o maltrataram, desrespeitaram-no ou mandaram nele quando ele era detetive aqui. Raramente lhe ocorre que, quando foi advertido por escrito, suspenso, transferido ou rebaixado, em geral fez por merecer, e que, quando as pessoas são grosseiras com ele, costumam estar reagindo a uma provocação dele.

Ao olhar para Marino encolhido no banco, usando óculos escuros, Scarpetta pensa que ele é meio bobinho, e sabe que ele odeia tudo que tenha alguma relação com celebridade, especialmente a indústria do entretenimento e as pessoas, inclusive policiais, que querem porque querem fazer parte dela. O boné foi um presente metido de sua sobrinha, Lucy, que acaba de abrir um escritório em Los Angeles, ou Lost Angeles, como Marino chama a cidade. Portanto, aí está Marino, voltando a sua cidade perdida, Richmond, e ele coreografou sua aparência de visitante para parecer ser exatamente o que não é.

"Sei", diz ele pensativo, num tom grave. "Bom, Aspen não foi uma boa idéia. Imagino que Benton esteja puto da vida."

"Na verdade, ele está trabalhando em um caso", diz ela. "Então, um atraso de alguns dias provavelmente vai ser bom."

"Alguns dias o cacete. Nada nunca leva alguns dias. Aposto que você não vai conseguir ir a Aspen. Em que caso ele está trabalhando?"

"Ele não disse, e eu não perguntei", responde ela, e é só isso que pretende dizer, porque não quer falar sobre Benton.

Marino olha pela janela e fica calado um momento, e ela quase pode ouvi-lo pensar sobre seu relacionamento com Benton Wesley, e sabe que Marino imagina coisas a respeito deles, provavelmente o tempo todo e de forma indecorosa. De algum modo ele sabe que ela tem estado distante de Benton, distante fisicamente, desde que reataram, e se sente com raiva e humilhada por Marino ter detectado uma coisa dessas. Se existe alguém capaz de imaginar isso, é Marino.

"Bom, essa história de Aspen é uma baita decepção", diz Marino. "Se fosse comigo, me deixaria muito puto."

"Olhe bem", diz Scarpetta, referindo-se ao edifício que está sendo derrubado bem diante deles. "Olhe agora enquanto estamos aqui", diz ela, porque não quer falar sobre Aspen ou Benton, nem sobre o motivo de não estar lá com ele ou como poderia ser ou não ser. Quando Benton sumiu todos aqueles anos, uma parte dela se foi. Quando ele voltou, ela não voltou inteira, e não sabe por quê.

"Bom, imagino que eles devem demolir o lugar logo", diz Marino, olhando pela janela. "Suponho que seja por causa da Amtrak. Acho que ouvi alguma coisa sobre isso, sobre a necessidade de outro estacionamento aqui por causa da abertura da estação Main Street. Esqueci quem me contou. Faz muito tempo."

"Teria sido bom se você tivesse me contado", diz ela.

"Faz muito tempo. Não me lembro nem de quem me falou."

"Seria bom eu ficar sabendo de uma informação como essa."

Ele olha para ela. "Não a culpo por estar irritada. Eu lhe disse para não vir para cá. Agora olhe o que encontramos. Não faz nem uma hora que estamos aqui, e veja isso. Nosso velho edifício está sendo esmagado por uma bola de demolição. Para mim, isso é um mau sinal. Você está andando a uns três quilômetros por hora. Seria bom acelerar um pouco."

"Eu não estou irritada", responde ela. "Mas gosto de

13

ficar sabendo o que acontece." Ela dirige bem devagar, de olhos fixos em seu velho edifício.

"Escute o que estou dizendo, isso é um mau sinal", diz ele, encarando-a, depois volta a olhar pela janela.

Scarpetta não acelera enquanto assiste à destruição, e a verdade a invade lentamente, à mesma velocidade em que ela dá a volta no quarteirão. O antigo gabinete do legista-chefe e a Divisão de Laboratórios de Ciência Forense estão muito perto de se tornar um estacionamento para a restaurada estação ferroviária Main Street, que nunca viu um trem durante a década em que ela e Marino trabalharam e moraram aqui. A enorme estação gótica é feita de pedra da cor de sangue batido e ficou adormecida muitos anos, até que, com apenas alguns espasmos dolorosos, foi transformada em lojas, que logo faliram, e depois em repartições públicas, que logo fecharam. Sua elevada torre de relógio era uma constante no horizonte, vigiando as curvas e as passagens de nível para trens da rodovia I-95, um rosto branco fantasmagórico com mãos filigranadas congelados no tempo.

Richmond mudou na ausência de Scarpetta. A estação Main Street foi ressuscitada e agora é um entroncamento da Amtrak. O relógio funciona. São oito e dezesseis. Ele nunca funcionou durante todos aqueles anos em que seguia Scarpetta em seus espelhos enquanto ela dirigia de um lado para outro para cuidar dos mortos. A vida na Virgínia prosseguiu e ninguém se preocupou em contar a ela.

"Não sei o que esperava", diz ela, olhando através da janela. "Talvez derrubassem as paredes internas, ou usassem como armazém, arquivo, depósito de móveis fora de uso... Mas não esperava que o demolissem."

"A verdade é que tinham de demoli-lo", opina Marino.

"Não sei por quê, nunca pensei que fariam isso."

"Não é exatamente uma das maravilhas arquitetônicas do mundo", diz ele, de repente parecendo hostil em relação ao velho edifício. "Uma merda de pedaço de concreto dos anos 70. Pense em todas as pessoas assassinadas

14

que estiveram ali. Pessoas com aids, moradores de rua com gangrena. Mulheres e crianças estupradas, estranguladas e esfaqueadas. Malucos que pularam de edifícios e na frente de trens. Não há um único tipo de caso que não tenha estado ali. Sem falar em todos aqueles corpos borrachentos cor-de-rosa nas cubas de chão da Divisão de Anatomia. Aquilo me arrepiava mais do que qualquer outra coisa. Lembra como eles os tiravam daquelas cubas com correntes e ganchos presos nas orelhas? Todos nus e cor-de-rosa como os Três Porquinhos, as pernas puxadas para cima." Para demonstrar, ele ergue os joelhos, cobertos de calça cargo preta, na direção do retrovisor.

"Não faz muito tempo, você não conseguia erguer as pernas desse jeito", diz ela. "Não faz nem três meses, você mal podia dobrar as pernas."

"Sei."

"Falo sério. Eu andava pensando em lhe dizer alguma coisa sobre como você está conseguindo entrar em forma."

"Até um cachorro consegue levantar a perna, doutora", brinca ele, seu humor evidentemente melhorado por causa do elogio, e ela se sente mal por não tê-lo elogiado antes. "Supondo que o cachorro em questão seja macho."

"De verdade. Estou impressionada." Durante anos ela pensou que os atrozes hábitos de saúde dele acabariam por matá-lo, e, quando ele finalmente faz um esforço, ela passa meses sem elogiá-lo. É preciso que seu velho edifício seja demolido para que ela lhe diga algo agradável. "Desculpe não ter mencionado isso", acrescenta. "Mas espero que você não esteja comendo só proteínas e gordura."

"Agora sou um cara da Flórida", diz ele, animado. "Mas só quanto à Dieta de South Beach, pois não ando por South Beach. Lá só tem veado."

"Que coisa horrível de dizer", retruca ela, que odeia quando ele fala desse jeito, e esse é o motivo por que ele o faz.

"Lembra-se do forno ali?", Marino continua suas reminiscências. "Você sempre sabia quando eles estavam queimando corpos lá, porque a fumaça saía pela chaminé." Ele aponta para uma chaminé de crematório preta em cima do velho edifício danificado. "Quando eu via a velha fumaça saindo, não achava lá muito bom estar dirigindo aqui e respirar aquele ar."

Scarpetta desliza, passando pela parte de trás do edifício, que ainda está intacta e tem o mesmo aspecto da última vez em que ela o viu. O estacionamento está vazio, a não ser por um grande trator amarelo estacionado quase exatamente onde ela costumava estacionar quando era chefe, logo à direita da enorme porta fechada da baia. Por um instante, ela ouve o rangido e a queixa dessa porta subindo ou descendo quando os grandes botões verdes e vermelhos na parte interna eram pressionados. Ouve vozes, carros fúnebres e ambulâncias troando, portas se abrindo e se fechando com força, e as batidas e tinidos de pernas e rodas de marcas enquanto corpos cobertos eram rolados para cima e para baixo pela rampa, os mortos entrando e saindo, de noite, noite e dia, chegando e indo embora.

"Dê uma boa olhada", diz a Marino.

"Já fiz isso na primeira vez que você deu a volta no quarteirão", responde ele. "O plano é ficar andando em círculos o dia inteiro?"

"Nós vamos dar duas voltas. Dê uma boa olhada."

Virando à esquerda na Main Street, ela dirige um pouco mais rápido em volta do local da demolição, pensando que logo ele parecerá o toco em carne viva de um amputado. Quando volta a avistar o estacionamento de trás, percebe um homem de calça verde-oliva e casaco preto parado perto do grande trator amarelo, fazendo alguma coisa no motor. Ela pode ver que ele está com um problema no trator, e gostaria que ele não ficasse na frente do enorme pneu traseiro, fazendo seja lá o que for com o motor.

"Acho melhor você deixar o boné no carro", diz a Marino.

"O quê?", pergunta Marino, e seu grande rosto queimado de sol a observa.

"Você ouviu. Um pequeno conselho de amigo para seu próprio bem", diz Scarpetta enquanto o trator e o homem recuam atrás dela e desaparecem.

"Você sempre diz que é um conselho de amigo e para meu próprio bem", responde ele. "E nunca é." Ele tira o boné do LAPD e o observa pensativo, sua careca brilhando de suor. A escassa quantidade de cabelo grisalho que a natureza tem a generosidade de lhe conceder sumiu por decisão dele.

"Você nunca me contou por que começou a raspar a cabeça", diz ela.

"Você nunca perguntou."

"Estou fazendo isso agora." Ela vira para o norte, afastando-se do edifício na direção da rua Broad e agora no limite de velocidade permitido.

"É a onda do momento", responde Marino. "O lance é: se você não tem cabelo, pode muito bem se livrar dele."

"Acho que faz sentido", diz ela. "Tanto quanto qualquer outra coisa."

2

Edgar Allan Pogue olha para seus dedos dos pés nus enquanto relaxa em sua cadeira de jardim. Sorri e imagina a reação das pessoas se descobrissem que ele agora tem uma casa em Hollywood. Uma segunda casa, ele faz questão de se lembrar. Ele, Edgar Allan Pogue, tem uma segunda casa para onde pode vir em busca de sol, diversão e privacidade.

Ninguém vai perguntar qual Hollywood. À menção de Hollywood, o que logo vem à mente é o grande letreiro branco de Hollywood na colina, mansões protegidas por muros, carros esporte conversíveis, e os belos e abençoados, os deuses. Nunca passaria pela cabeça de ninguém que a Hollywood de Edgar Allan Pogue fica em Broward County, cerca de uma hora de carro ao norte de Miami, e não atrai os ricos e famosos. Ele vai contar a seu médico, pensa com uma ponta de dor. Está certo, o médico será o primeiro a saber, e da próxima vez ele não vai escapar da vacina contra gripe, pensa Pogue, com um pouco de medo. Nenhum médico privaria seu paciente de Hollywood de uma vacina contra gripe, por mais que houvesse escassez dela, Pogue decide, com uma ponta de raiva.

"Olhe, mãezinha querida, estamos aqui. Estamos aqui de verdade. Não é um sonho", diz Pogue na voz ininteligível de alguém que tem na boca um objeto que atrapalha o movimento dos lábios e da língua.

Seus dentes alvos e alinhados agarram com mais força ainda um lápis de madeira.

"E você pensou que esse dia nunca chegaria", fala em

torno do lápis, enquanto uma bolha de saliva goteja de seu lábio inferior e escorre até o queixo.

Você não vai ser nada, Edgar Allan. Fracasso, fracasso, fracasso. Ele fala em torno do lápis, imitando a voz bêbada, mal-humorada e ininteligível da mãe. Você é uma sopa rala, Edgar Allan, é isso que você é. Derrotado, derrotado, derrotado.

Sua cadeira de jardim está bem no meio da sala abafada e fedorenta, e o apartamento de um quarto não fica exatamente no meio do segundo andar de unidades de frente para a rua Garfield, assim batizada em homenagem ao presidente americano e que corre de leste para oeste entre o Hollywood Boulevard e a Sheridan. O complexo de dois andares em estuque amarelo-claro é chamado Garfield Court por razões desconhecidas, além das óbvias, de propaganda enganosa. Não há área descoberta, nem sequer uma lâmina de grama, apenas um estacionamento e três palmeiras espigadas com copas dilaceradas que fazem Pogue pensar nas asas esfarrapadas das borboletas que, quando criança, ele prendia com alfinetes em papelão.

Falta vitalidade à árvore. Seu problema é esse.

"Pare, mãe. Pare já. É muito cruel falar assim."

Quando alugou sua segunda casa, há duas semanas, Pogue não discutiu o preço, embora novecentos e cinqüenta dólares por mês seja ultrajante comparado com o que teria conseguido com essa quantia em Richmond, supondo que ele pagasse aluguel em Richmond. Mas acomodações adequadas não são fáceis de encontrar aqui, e ele não sabia por onde começar quando finalmente chegou a Broward County depois de dirigir dezesseis horas e, sentindo-se exausto mas alegre, começou a circular, orientando-se, procurando um lugar e sem vontade de descansar em um quarto de motel, nem mesmo por uma noite. Seu velho Buick branco estava lotado com seus pertences, e ele não queria correr o risco de algum delinqüente juvenil quebrar as janelas do carro e roubar seu aparelho de videocassete e sua TV, sem mencionar as roupas, os produtos de toalete, o laptop e a peruca, a cadeira de jardim, o abajur, roupas de cama, livros, papel, lápis e garrafas de tinta vermelha, branca e azul para retocar seu adorado taco de beisebol infantil, e alguns outros pertences de importância vital, inclusive várias velhas amigas.

"Eu estava apavorado, mãe", Pogue reconta a história em um esforço de distraí-la de seus resmungos bêbados. "Para aliviar as circunstâncias era preciso que eu saísse de nossa adorável cidadezinha sulista imediatamente, embora não para sempre, com certeza não. Agora que eu tenho uma segunda casa, é claro que vou ficar indo e voltando de Hollywood a Richmond. Você e eu sempre sonhamos com Hollywood, e, como colonos em um vagão de trem, partimos em busca de nossos destinos, não foi?"

Suas palavras funcionam. Ele desviou a atenção dela para uma rota cênica que evita a sopa rala e a falta de vitalidade.

"Só que não me senti muito feliz no começo, quando, por algum motivo, peguei a rua 24 Norte e acabei em um bairro miserável e desolado chamado Liberia, onde havia um caminhão de sorvete."

Ele fala com a ponta do lápis na boca como se fosse uma piteira. O lápis substitui a fumaça, não que ele se preocupe com o mal que o fumo faça à saúde ou ache que seja um mau hábito, mas é uma despesa. Pogue curte charutos. E curte poucas coisas mais, mas precisa ter seus Indios e Cubitas e A Fuentes, e acima de tudo Cohibas, o mágico contrabando de Cuba. Ele é louco por Cohibas e sabe como consegui-los, e faz toda a diferença quando a fumaça cubana chega a seus pulmões doentes. O que acaba com os pulmões são as impurezas, mas o tabaco puro de Cuba cura.

"Já pensou? Um caminhão de sorvete tocando seu jingle doce e inocente e umas criancinhas pretas se aproximando com moedas para comprar guloseimas, e lá estamos nós no meio de um gueto, uma zona de guerra, e o sol baixou. Aposto que há um monte de tiros à noite em

Liberia. É claro que saí de lá e milagrosamente acabei chegando a uma parte melhor da cidade. Eu a trouxe para Hollywood sã e salva, não foi, mãe?"

Seja como for, ele se viu na rua Garfield, passando devagar por casinhas térreas de estuque com cercas de ferro batido, venezianas, abrigos para carro e pedacinhos de gramado que não poderiam acomodar uma piscina, encantadoras casinhas provavelmente construídas nos anos 50 e 60 que mexeram com ele porque sobreviveram a décadas de horrendos furacões, mudanças demográficas repentinas e aumentos incessantes dos impostos sobre propriedade que expulsam moradores antigos e os substituem por recém-chegados que talvez não falem nem tentem falar inglês. No entanto o bairro sobreviveu. E depois, bem no momento em que ele pensava tudo isso, o conjunto de apartamentos preencheu seu pára-brisa como uma visão.

Na frente do edifício há uma placa num poste onde se lê GARFIELD COURT e o número do telefone, e Pogue reagiu à visão entrando no estacionamento e anotando o número, depois foi até um posto de gasolina e usou o telefone público. Sim, havia um vazio, e em menos de uma hora ele teve seu primeiro e felizmente único encontro com Benjamin P. Shupe, o proprietário.

Não posso fazer isso, não posso. Shupe não parava de dizer isso, sentado do outro lado da mesa diante de Pogue no andar de baixo do escritório, que era quente, abafado e contaminado pelo cheiro ofensivo da colônia sufocante de Shupe. Se quiser ar-condicionado, tem que comprar um para instalar na janela. Isso é por sua conta. Mas é a melhor época do ano, o que chamam de temporada. Quem precisa de ar-condicionado?

Benjamin P. Shupe ostentava dentaduras brancas que fizeram Pogue pensar em azulejos de banheiro. O todo-poderoso da favela, coberto de ouro, batia na mesa com o indicador gordo e exibia um anel cravejado de diamantes. E você tem sorte. Todo mundo quer estar aqui nesta época do ano. Tenho dez pessoas esperando para pegar este apartamento. Shupe, o rei da favela, gesticulava de forma a destacar seu Rolex de ouro, sem perceber que os óculos escuros de Pogue não tinham grau e que seu desgrenhado cabelo comprido encaracolado era uma peruca. Daqui a dois dias serão vinte pessoas. Na verdade, eu não devia deixar você ficar com o apartamento por esse preço.

Pogue pagou em dinheiro. Não foi necessário depósito nem outro tipo de garantia, nenhuma pergunta nem prova de identidade foi pedida ou desejada. Em três semanas ele tem de pagar de novo em dinheiro pelo mês de janeiro, se decidir manter sua segunda casa durante a alta estação de Hollywood. Mas é um pouco cedo para ele saber o que vai fazer no Ano-Novo.

"Ao trabalho, ao trabalho", murmura, folheando a revista para diretores de funerária que se abre em uma coleção de urnas e relíquias, e põe a revista sobre as coxas e estuda fotografias coloridas que conhece de cor. Sua urna favorita continua a ser o caixão de estanho em forma de pilha de livros finos com uma pena de escrever no alto, e ele fantasia que os livros são volumes antigos de Edgar Allan Poe, cujo nome herdou, e se pergunta quantas centenas de dólares custaria esse elegante caixão de estanho, se ele estivesse a fim de ligar para o número a cobrar.

"Eu devia ligar e fazer o pedido", diz ele de brincadeira. "Eu devia fazer isso, não é, mãe?" Ele a provoca como se tivesse um telefone e pudesse ligar imediatamente. "Ah, você ia gostar, não ia?" Ele toca na fotografia da urna. "Você gostaria da urna de Edgar Allan, não é? Bem, sabe de uma coisa? Só quando houver algo para comemorar, e neste exato momento meu trabalho não está saindo como planejado, mãe. Ah, sim, você me ouviu muito bem. Um pequeno contratempo."

Sopa rala, é isso que você é.

"Não, mãezinha querida. Não tem nada a ver com sopa rala." Ele sacode a cabeça, folheando a revista. "Vamos começar de novo. Estamos em Hollywood. Não é agradável?"

Ele pensa na mansão em estuque cor de salmão à beira da água ao norte, não muito longe daqui, e é tomado por uma barafunda de emoções. Havia encontrado a mansão, como planejara. Estava dentro da mansão, como planejara. E tudo saíra errado, e agora não havia nada a comemorar.

"Raciocínio errado, raciocínio errado." Ele bate com dois dedos na testa, do modo como a mãe costumava fazer. "Não era para acontecer daquele jeito. O que fazer, o que fazer. O peixinho que foi embora." Seus dedos nadam pelo ar. "E deixou o peixe grande." Seus braços nadam pelo ar. "O peixinho foi para algum lugar, não sei aonde, mas eu não ligo, não ligo mesmo. Porque o Peixe Grande ainda está lá, e eu afugentei o peixinho e o Peixe Grande não pode estar feliz com isso. Não pode. Logo vai haver algo para comemorar."

Foi embora? Como aconteceu essa estupidez? Você não pegou o peixinho e vai pegar o peixão? Você é uma sopa muito rala. Como pode ser meu filho?

"Não fale assim, mãe. É muito grosseiro", diz ele com a cabeça inclinada sobre a revista para diretores de funerária.

Ela o olha com um olhar que poderia cravar uma placa em uma árvore, e o pai dele tinha um apelido para o famigerado olhar dela. O olho cabeludo, era assim que ele chamava. Edgar Allan Pogue nunca imaginou por que um olhar tão assustador como o de sua mãe é chamado de olho cabeludo. Olhos não têm cabelo. Ele nunca viu nem ouviu falar de um que tenha, e se tivesse ele saberia. Não há muita coisa que ele não saiba. Põe a revista no chão, levanta-se da cadeira de jardim amarela e branca e pega o taco de beisebol infantil no canto onde o mantém encostado. As persianas fechadas bloqueiam totalmente a entrada da luz do sol pela única janela da sala, deixando-o em uma acolhedora escuridão ligeiramente moderada por um abajur no chão.

"Vejamos. O que vamos fazer hoje?", continua, mur-

murando com o lápis na boca, falando alto para uma lata de biscoitos embaixo da cadeira de jardim e agarrando o taco, verificando suas estrelas e listras vermelhas, brancas e azuis que ele retocou, vamos dizer, exatamente cento e onze vezes. Ele lustra carinhosamente o taco com um guardanapo branco e esfrega as mãos com o guardanapo, esfrega sem parar. "Vamos fazer algo especial hoje. Acho que é hora de dar uma saída."

Arrastando-se até uma parede, ele tira o lápis da boca e o segura com uma das mãos, o taco na outra, empinando a cabeça, olhando com os olhos apertados para os primeiros estágios de um grande esboço na chapa de papelão encardida pintada de bege. Suavemente, encosta a ponta de chumbo rombuda em um olho arregalado e engrossa as pestanas. O lápis está úmido e preso entre as pontas do indicador e do polegar enquanto ele desenha.

"Aí está." Ele recua, empinando de novo a cabeça, admirando o grande olho que o mira e a curva de uma bochecha, o taco de criança na outra mão, movendo-se em espasmos.

"Por acaso eu lhe disse como está bonita hoje? Está com uma linda cor nas bochechas, muito corada e rosada, como se tivesse ficado exposta ao sol."

Enfia o lápis atrás da orelha e põe a mão diante do rosto, abrindo os dedos, inclinando e dobrando, olhando para cada junta, prega, cicatriz e linha, e para as delicadas arestas nas unhazinhas arredondadas. Massageia o ar, observando os belos músculos se moverem enquanto se imagina esfregando a pele fria, extraindo sangue frio e preguiçoso do tecido subcutâneo, amassando a carne enquanto expulsa a morte e bombeia um belo brilho rosado. O taco oscila na outra mão e ele vê a si mesmo brandindo-o. Sente falta de pó de giz nas palmas e de brandir o taco, e se contrai com um desejo de esmagar com o taco o olho na parede, mas não faz isso, não pode, não deve, e anda pela sala, o coração voando dentro do peito, e se sente frustrado. Muito frustrado pela bagunça.

O apartamento é vazio mas uma bagunça, o balcão da cozinha cheio de guardanapos de papel, pratos e utensílios de plástico, e comida enlatada e sacos de macarrão e outras massas que Pogue não se deu ao trabalho de guardar dentro do único armário da quitinete. Uma panela e uma frigideira estão mergulhadas em uma pia cheia de água fria e gordurenta. Esparramados sobre o carpete azul manchado há sacolas, roupas e livros, lápis e papel de escrever barato. Os aposentos de Pogue estão começando a ganhar o aroma rançoso de sua cozinha e de seus charutos, e o cheiro almiscarado de seu suor. Faz muito calor e ele está nu.

"Acho que a gente devia dar uma olhada na senhora Arnette. Afinal, ela não tem andado bem", diz ele à mãe sem olhar para ela. "Você gostaria de receber uma visita hoje? Tenho a impressão de que preciso lhe perguntar primeiro. Mas isso talvez nos faça sentir melhor. Tenho de admitir que estou um pouco mal-humorado." Ele pensa no peixinho que foi embora e olha para a bagunça. "Uma visita pode vir bem a calhar, o que acha?"

Seria ótimo.

"Ah, seria, não é?" Sua voz de barítono sobe e desce, como se ele falasse com uma criança ou um bicho de estimação. "Você gostaria de receber uma visita? Muito bem. Que ótimo."

Seus pés descalços caminham devagar pelo carpete, e ele se agacha ao lado de uma caixa de papelão cheia de fitas de vídeo, caixas de charuto e envelopes com fotos, todos etiquetados com sua letrinha caprichada. Quase no fundo da caixa encontra a caixa de charutos e o envelope de fotografias Polaroid da sra. Arnette.

"Mãe, a senhora Arnette está aqui para ver você", diz ele com um suspiro de satisfação, enquanto abre a caixa de charutos e a põe sobre a cadeira de jardim. Olha as fotografias e pega sua preferida. "Você se lembra dela, não? Vocês já se viram. Uma mulher inabalável até a raiz dos cabelos azuis. Está vendo só o cabelo dela? É azul mesmo."

Ora, com toda certeza é.

"Óóóra-cum-todass-ertezaééé", repete a fala arrastada da mãe e o jeito lento e espesso como ela nada através das palavras quando está na garrafa de vodca, bem no fundo da garrafa de vodca.

"Você gosta da nova caixa dela?", pergunta, enfiando o dedo na caixa de charutos e soprando uma lufada de pó branco no ar. "Olhe, não vá ficar com ciúme, mas ela perdeu peso desde a última vez que você a viu. Eu só queria saber qual o segredo dela", provoca ele, e enfia de novo o dedo e sopra mais pó branco no ar em proveito de sua gordíssima mãe, para provocar ciúme em sua repulsivamente gorda mãe, e limpa as mãos no guardanapo branco. "Acho que sua querida amiga senhora Arnette está maravilhosa, realmente divina."

Ele olha mais de perto a fotografia da sra. Arnette, e o cabelo dela é uma aura azulada em volta do rosto rosa mortiço. A única razão de ele saber que a boca da sra. Arnette está fechada com sutura é se lembrar de ter feito isso. No mais, sua cirurgia de mestre é impossível de discernir, e os não-iniciados jamais detectariam que o contorno redondo dos olhos dela se deve às calotas que há sob as pálpebras, e ele se lembra de ter colocado com cuidado as calotas sobre os globos oculares afundados, depois tê-los coberto com as pálpebras, colando-as com pinceladas de vaselina.

"Agora seja gentil e pergunte à senhora Arnette como ela está se sentindo", diz ele à lata de biscoitos embaixo da cadeira de jardim. "Ela teve câncer. Muitas delas tiveram."

3

O dr. Joel Marcus sorri friamente para ela, e ela aperta a mão seca e fina dele. Sente que poderia humilhá-lo se tivesse oportunidade, mas, além dessa premonição, que empurra para uma parte escura de seu coração, não sente nada.

Cerca de quatro meses atrás, ela tomou conhecimento dele do mesmo modo como tomou conhecimento da maioria das coisas relacionadas à sua vida passada na Virgínia.

Foi um acidente, uma coincidência. Por acaso ela estava em um avião lendo o *USA Today* e viu uma notícia sobre a Virgínia que dizia: "Governadora indica o novo legista-chefe depois de longa procura...". Finalmente, após anos sem chefe ou com chefes interinos, a Virgínia tinha um novo legista-chefe. A opinião e a orientação de Scarpetta não foram requisitadas durante a interminável penosa experiência de uma busca. Seu endosso não foi necessário quando o dr. Marcus se candidatou a seu antigo cargo.

Se lhe tivessem perguntado, ela confessaria que nunca tinha ouvido falar nele. A isso teria acrescentado a sugestão diplomática de que devia ter esbarrado nele em um ou dois encontros nacionais e apenas não se lembrava de seu nome. Certamente ele é um patologista forense digno de nota, ela teria aventado, senão não teria sido recrutado para chefiar o mais proeminente sistema estadual de medicina legal dos Estados Unidos.

Mas, quando aperta a mão do dr. Marcus e olha bem

dentro de seus olhos frios, percebe que é um completo estranho. Evidentemente, ele não esteve em nenhuma comissão importante, nem fez palestras em nenhum encontro de patologia, medicina legal ou ciência forense de que ela participou, senão ela se lembraria dele. Às vezes ela esquece nomes, mas raramente esquece um rosto.

"Kay, afinal nos encontramos", diz ele, voltando a desagradá-la, só que agora é pior, porque a está desagradando pessoalmente.

O que a intuição dela relutava em aceitar pelo telefone é inevitável agora que está na presença dele no saguão do edifício chamado Biotech II, onde ela trabalhou pela última vez como chefe. O dr. Marcus é um homenzinho magro, com rosto fino e uma faixazinha rala de cabelo grisalho sujo na parte de trás de sua cabecinha, como se a natureza estivesse zombando dele. Usa uma gravata estreita fora de moda, calça cinza desajeitada e mocassins. Uma camiseta sem mangas é visível por baixo de uma camisa branca barata que bambeia em torno do pescoço fino, a parte interna do colarinho encardida e puída.

"Vamos entrar", diz ele. "Infelizmente estamos com a casa cheia esta manhã."

Ela está prestes a informá-lo de que não está sozinha quando Marino emerge do banheiro dos homens, puxando para cima sua calça cargo, o boné do LAPD puxado para baixo até cobrir os olhos. Scarpetta é educada mas formal na hora das apresentações, ao descrever Marino tanto quanto ele pode ser descrito.

"Ele foi do Departamento de Polícia de Richmond e é um investigador muito experiente", diz ela, enquanto o rosto do dr. Marcus se contrai.

"Você não mencionou que estava trazendo alguém", diz ele laconicamente no espaçoso saguão de granito e tijolos de vidro que já foi dela, onde ela se registrou, onde ficou de pé durante vinte minutos, sentindo-se tão visível quanto uma estátua em uma rotunda, enquanto esperava que o dr. Marcus, ou qualquer pessoa, viesse recebê-la.

28

"Pensei ter deixado claro que se trata de uma situação muito delicada."

"Ei, não se preocupe. Sou um cara realmente delicado", diz Marino em voz alta.

O dr. Marcus não parece ouvi-lo, mas está irritado. Scarpetta quase pode sentir a raiva dele deslocando o ar.

"Meu apelido no último ano do colégio era O Cara com Mais Chance de Ser Delicado", acrescenta Marino em voz alta. "E aí, Bruce!", grita para um guarda uniformizado que está pelo menos a dez metros e acabou de sair da sala de provas para o saguão. "Que surpresa, cara! Ainda jogando boliche naquele time lamentável, Os Cabeças de Alfinete?"

"Não cheguei a mencionar isso?", diz Scarpetta. "Sinto muito." Ela não mencionou e não sente muito. Quando é chamada para um caso, traz quem e o quê quiser, e não pode perdoar o dr. Marcus por chamá-la de Kay.

Bruce, o guarda, parece desnorteado, depois maravilhado. "Marino! Minha nossa, é você? Parece um fantasma do passado."

"Não, não mencionou", reitera o dr. Marcus a Scarpetta, momentaneamente desequilibrado, numa evidente confusão, como o bater de asas de pássaros assustados.

"O primeiro e único, e não sou nenhum fantasma", diz Marino, da forma mais ofensiva possível.

"Não sei se posso autorizar isso. Isso não foi liberado", diz o dr. Marcus, aturdido e expondo inadvertidamente o fato desagradável de que alguém a quem ele responde não só sabe que Scarpetta está aqui mas pode na verdade ser a razão de ela estar aqui." Há quanto tempo está na cidade?", a gritaria entre velhos amigos continua.

A voz interior de Scarpetta deu o alarme e ela não ouviu. Ela está se metendo em alguma enrascada.

"Tempo suficiente, cara."

Foi um erro, um grave erro, pensa. Eu devia ter ido a Aspen.

"Quando você tiver um tempinho, apareça."

"Com certeza, cara."

"Já chega, por favor", interrompe o dr. Marcus. "Isso aqui não é uma cervejaria."

Ele usa uma chave mestra para seu reino em um cordão em volta do pescoço e se abaixa para segurar o cartão magnético perto de um scanner infravermelho ao lado de uma porta de vidro fosco. Do outro lado é a ala do legista-chefe. A boca de Scarpetta está seca. Ela está suando debaixo dos braços e sente um buraco no estômago enquanto anda para a seção do legista-chefe no agradável edifício que ajudou a projetar e conseguir fundos para construir e para o qual se mudou pouco antes de ser demitida. Os sofás azul-escuros e a cadeira da mesma cor, a mesinha de centro de madeira e a pintura de uma cena rural pendurada na parede são os mesmos. A área da recepção não mudou, a não ser pelo fato de que antes havia duas dracenas e vários hibiscos. Ela era entusiasmada com suas plantas, ela mesma as regava, retirava as folhas mortas, mudava-as de lugar quando a luz variava com as estações.

"Sinto muito, mas você não pode trazer um convidado", o dr. Marcus decide quando eles param diante de mais uma porta fechada, esta levando aos escritórios administrativos e ao necrotério, o santuário interno que antes era legítima e completamente dela.

O cartão magnético dele faz de novo sua mágica e a fechadura se abre. Ele entra primeiro, andando depressa, seus oculozinhos com aro de metal captando luz fluorescente. "Fiquei preso no trânsito, portanto estou atrasado, e nós estamos lotados. Oito casos", continua ele, dirigindo os comentários a ela como se Marino não existisse. "Tenho de ir direto para uma reunião da equipe. Provavelmente o melhor que você tem a fazer, Kay, é pegar um café. Talvez eu demore muito. Julie?", chama uma secretária que está invisível dentro de um cubículo, seus dedos batendo como castanhola no teclado de um computador. "Você poderia mostrar a nossa convidada onde pegar o café?" E para Scarpetta: "Você pode se acomodar na biblioteca. Vou falar com você assim que puder".

No mínimo, por uma questão de cortesia profissional, uma patologista forense visitante seria bem-vinda na reunião da equipe e no necrotério, especialmente quando está dando consultoria de graça ao gabinete do legista que um dia chefiou. O dr. Marcus insultava Scarpetta tanto quanto se lhe pedisse para descer e pegar sua roupa na lavanderia ou que esperasse no estacionamento.

"Acho que seu convidado de fato não pode ficar aqui." O dr. Marcus deixa isso claro mais uma vez enquanto olha em volta impaciente. "Julie, você pode levar esse senhor até o saguão?"

"Ele não é meu convidado e não vai esperar no saguão", diz Scarpetta calmamente.

"Como assim?" O rostinho magro do dr. Marcus olha para ela.

"Nós estamos juntos", diz ela.

"Você talvez não esteja entendendo a situação", responde o dr. Marcus com a voz tensa.

"Talvez não. Vamos conversar." Não é um pedido.

Ele quase se encolhe, tão aguda é sua relutância. "Muito bem", concorda ele. "Vamos entrar na biblioteca por um minuto."

"Você nos dá licença?" Ela sorri para Marino.

"Sem problema." Ele entra no cubículo de Julie, pega uma pilha de fotografias de autópsia e começa a manuseá-las como se fossem cartas de baralho. Segura uma entre o indicador e o polegar como um carteador de vinte-e-um. "Sabe por que os traficantes de drogas têm menos gordura corporal do que, digamos, você e eu?" Ele deixa a fotografia cair em cima do teclado.

Julie, que não pode ter mais de vinte e cinco anos e é atraente mas um pouco rechonchuda, olha para a foto de um jovem negro musculoso, nu como no dia em que nasceu. Ele está em cima de uma mesa de autópsia, o peito aberto de cima a baixo, esvaziado, sem órgãos, exceto um órgão ostensivamente grande, talvez seu órgão mais vital, pelo menos para ele, pelo menos quando estava vivo o suficiente para se preocupar com ele. "O quê?", pergunta Julie. "Você está brincando comigo, não é?"

"É tão sério quanto um ataque do coração." Marino puxa uma cadeira e se senta ao lado dela, muito perto. "Veja, querida, a gordura corporal está diretamente relacionada ao peso do cérebro. Olhe para você e para mim. É sempre uma luta, não é?"

"Não brinca. Você realmente acha que pessoas mais inteligentes engordam?"

"Um fato da vida. Pessoas como você e eu têm que trabalhar muito mais."

"Não me diga que você está numa dessas dietas 'coma tudo que quiser exceto coisas brancas'."

"Acertou, meu bem. Nada branco para mim, exceto mulheres. Agora, eu? Se eu fosse um traficante de drogas, não daria a mínima. Comeria tudo que quisesse. Twinkies, Moon Pies, pão branco e geléia. Mas isso porque eu não teria cérebro, certo? Veja, todos esses traficantes de drogas mortos morrem porque são estúpidos, e é por isso que não têm gordura corporal e podem comer toda porcaria branca que quiserem."

A voz e a risada deles somem enquanto Scarpetta segue por um corredor tão familiar que ela se lembra até do roçar do carpete cinza embaixo dos pés, da sensação exata do carpete firme de pêlo curto que ela escolheu quando decorou sua parte do edifício.

"Ele é mesmo muito inconveniente", está dizendo o dr. Marcus. "Uma coisa que eu exijo neste lugar é o devido decoro."

As paredes estão desgastadas, e as gravuras de Norman Rockwell que ela comprou e ela própria emoldurou estão tortas, e faltam duas. Ela olha através das portas abertas de escritórios pelos quais circulam, percebendo montes desleixados de papéis, pastas de slides microscópicos e microscópios compostos empoleirados como grandes pássaros cinzentos cansados em cima de mesas superlotadas. Cada visão e cada som chegam até ela como mãos de indigentes, e no fundo ela sente o que foi perdido e isso a magoa muito além do que jamais pensou que o fizesse.

"Agora estou fazendo a associação, sinto muito. O famigerado Peter Marano. Sem dúvida. Esse cara tem uma senhora reputação", diz o dr. Marcus.

"Marino", corrige-o Scarpetta.

Uma virada à direita e eles não param no café, o dr. Marcus abre uma porta de madeira sólida que leva à biblioteca, e ela é saudada por livros médicos abandonados em cima de mesas compridas e outras obras de referência inclinadas e de cabeça para baixo nas prateleiras, como bêbados. A enorme mesa em forma de ferradura é um depósito de revistas, pedaços de papel, copos de café sujos, até uma caixa de rosquinhas Krispy Kreme. O coração dela bate forte enquanto olha em volta. Ela projetou esse espaço generoso e tinha orgulho do modo como administrava seus recursos, porque livros didáticos médicos e científicos e uma biblioteca para abrigá-los são exorbitantemente caros e estão além do que o estado considera necessário para uma repartição cujos pacientes estão mortos. Sua atenção passa sobre coleções da Neuropatologia, de Greenfield, e revistas jurídicas que ela doou de sua própria coleção. Os volumes estão fora de ordem. Um deles está de cabeça para baixo. Ela sente uma pontada de raiva.

Scarpetta encara com os olhos apertados o dr. Marcus e diz: "Acho melhor a gente estabelecer algumas regras básicas".

"Pelo amor de Deus, Kay. Regras básicas?", pergunta ele com uma careta desnorteada que é fingida e irritante.

Ela não leva fé no acintoso enfado dele. Ele parece um advogado de defesa, não um dos bons, que engana o tribunal descartando os dezessete anos que ela passou em cursos de pós-graduação e a reduz, no banco das testemunhas, a madame, senhora ou senhorita ou, o pior de tudo, Kay.

33

"Sinto uma resistência a minha estada aqui...", começa a dizer.

"Resistência? Acho que não estou entendendo."

"Acho que o senhor entende..."

"Não vamos fazer suposições."

"Por favor, não me interrompa, doutor Marcus. Não sou obrigada a estar aqui." Ela observa as mesas empilhadas e os livros desprezados e se pergunta se ele é assim tão relaxado com seus pertences. "O que aconteceu com este lugar?", pergunta ela.

Ele fica sem falar por um minuto, como se precisasse de um momento de adivinhação para entender o que ela está falando. Então comenta calmamente: "Os alunos de medicina de hoje. Sem dúvida jamais lhes ensinaram a recolher as coisas depois".

"Em cinco anos eles mudaram muito", disse ela secamente.

"Talvez você esteja interpretando mal o meu humor esta manhã", rebate ele no mesmo tom persuasivo que usou com ela ao telefone ontem. "Olhe, minha cabeça está cheia, mas estou bastante contente em tê-la aqui."

"O senhor parece tudo menos contente." Ela sustenta o olhar enquanto ele desvia os olhos. "Vamos começar com o seguinte. Eu não liguei para o senhor. Foi o senhor que me ligou. Por quê?" Eu devia ter perguntado a ele ontem, pensa. Devia ter perguntando naquele momento.

"Pensei que tinha sido claro, Kay. Você é uma patologista forense muito respeitada, uma consultora conhecida." Parece o sincero reconhecimento a alguém que no íntimo ele não consegue suportar.

"Nós não nos conhecemos. Nunca nos encontramos. Estou tendo muita dificuldade em acreditar que o senhor me chamou porque eu sou respeitada ou conhecida." Os braços dela estão cruzados e ela está contente de estar vestindo um conjunto escuro sóbrio. "Não estou para brincadeiras, doutor Marcus."

"Eu certamente não tenho tempo para brincar." Qualquer tentativa de cordialidade desaparece do rosto dele, e a intolerância começa a piscar como a borda afiada de uma lâmina.

"Alguém sugeriu meu nome? Disseram ao senhor que me chamasse?" Ela tem certeza de que está detectando o fedor da política.

Ele olha para a porta em um lembrete não muito sutil de que é um homem ocupado e importante com oito casos e uma reunião de equipe para dirigir. Ou talvez se preocupe com a possibilidade de alguém estar ouvindo. "Isso não é produtivo", diz ele. "Acho melhor acabarmos com essa discussão."

"Ótimo." Ela aperta sua valise. "A última coisa que eu quero é ficar presa aos interesses de alguém. Ou trancada em uma sala tomando café a metade do dia. Não posso ajudar um departamento que não está aberto a mim, e minha regra básica número um, doutor Marcus, é que um departamento que peça minha ajuda deve estar aberto a mim."

"Tudo bem. Se você quer franqueza, vai ter franqueza." Sua soberba não consegue esconder o medo. Ele não quer que ela vá embora. Sinceramente não quer. "Para ser franco, trazer você para cá não foi idéia minha. O secretário de Saúde queria uma opinião de fora e por algum motivo propôs seu nome", explica, como se o nome dela tivesse sido tirado de uma cartola.

"Ele mesmo devia ter me ligado", responde ela. "Teria sido mais honesto."

"Eu disse a ele para fazer isso. Para ser franco, eu não queria constranger você", explica, e, quanto mais ele repete "para ser franco", menos ela acredita em uma palavra do que ele diz. "O que aconteceu foi isso. Já que o doutor Fielding não conseguiu determinar a causa ou o tipo de morte, o pai da menina, o pai de Gilly Paulsson, ligou para o secretário."

A menção ao nome do dr. Fielding a aflige. Ela não sabia se ele ainda estava ali e não perguntou.

"E, como já disse, o secretário me ligou. Falou que

35

queria uma entrevista coletiva à imprensa. Foram essas as palavras dele."

O pai deve ser influente, pensa. Ligações telefônicas de famílias perturbadas não são incomuns, mas raramente levam funcionários de alto escalão do governo a exigir um especialista de fora.

"Kay, posso entender como isso deve ser constrangedor para você", diz o dr. Marcus. "Eu não gostaria de estar na sua posição."

"E a seu ver qual é a minha posição, doutor Marcus?"

"Creio que Dickens escreveu uma história sobre isso chamada Um conto de Natal. Você sem dúvida conhece o Fantasma do Natal Passado, não é?" Ele dá seu risinho zombeteiro, e talvez não perceba que está plagiando o guarda Bruce, que chamou Marino de fantasma do passado. "Voltar nunca é fácil. Reconheço que você é corajosa. Não acredito que seria tão generoso assim se percebesse que meu antigo departamento tinha sido um tanto injusto comigo, e posso muito bem entender seus sentimentos em relação a isso."

"Não se trata de mim", retruca ela. "Trata-se de uma menina de catorze anos morta. Trata-se de seu departamento — um departamento com o qual estou, sim, muito familiarizada, mas..."

Ele a interrompe: "Isso é muito filosófico...".

"Permita-me dizer o óbvio", interrompe-o. "Quando crianças morrem, a lei federal determina que as mortes sejam meticulosamente investigadas e revistas, não só para determinar a causa e o tipo da morte, mas se a tragédia pode fazer parte de um padrão. E, se ficar claro que Gilly Paulsson foi assassinada, cada molécula de seu departamento será examinada e julgada publicamente, e eu agradeceria se o senhor não me chamasse de Kay na frente de sua equipe e dos colegas. Na verdade, prefiro que o senhor não me chame por meu primeiro nome em nenhuma situação."

"Suponho que uma parte da motivação do secretário

seja o controle preventivo de danos", retruca o dr. Marcus, como se ela não tivesse dito nada sobre ele chamá-la de Kay.

"Não sou favorável a aceitar um esquema de relações com a mídia", diz ela. "Quando o senhor me ligou ontem, concordei em fazer o que pudesse para ajudá-lo a entender o que aconteceu com Gilly Paulsson. E não posso fazer isso se o senhor não estiver completamente aberto a mim e a quem quer que eu traga para me assistir, que neste caso é Pete Marino."

"Para ser franco, não me ocorreu que você teria muita vontade de participar da reunião da equipe." Ele olha de novo para o relógio, um relógio velho com pulseira de couro fina. "Mas como você quer... Não temos segredos aqui. Mais tarde, vou examinar o caso Paulsson com você. Você pode fazer nova autópsia se quiser."

Ele segura a porta da biblioteca aberta. Scarpetta olha para ele com incredulidade.

"Ela morreu há duas semanas e o corpo ainda não foi entregue à família?", pergunta.

"Eles estão tão perturbados que não tomaram providências para reclamá-la, supostamente", responde. "Acho que esperam que paguemos pelo enterro."

37

4

Na sala de reuniões do gabinete do legista-chefe, Scarpetta puxa uma cadeira na extremidade oposta à cabeceira da mesa, um lugar de seu antigo império que nunca explorou quando estava aqui. Nem uma só vez ela se sentou no fim da mesa de reuniões nos anos em que dirigiu esse gabinete, nem mesmo para ter uma conversa informal durante uma refeição rápida.

Em algum lugar de seus pensamentos perturbados fica registrado que ela está sendo do contra ao escolher uma cadeira na ponta da comprida mesa escura envernizada, quando há dois outros lugares vazios no meio. Marino encontra uma cadeira encostada na parede e a coloca ao lado da dela, de modo que não fica nem na ponta da mesa nem encostado na parede, mas em algum lugar intermediário, uma grande massa resmungona de calça cargo preta e boné de beisebol do LAPD.

Ele se inclina para perto dela e sussurra: "A equipe não vai com os cornos dele".

Ela não responde, e conclui que a fonte dele é Julie, a secretária. Então ele escreve algo em um bloco de anotações e o empurra na direção dela. "FBI envolvido".

Marino deve ter dado uns telefonemas enquanto Scarpetta estava com o dr. Marcus na biblioteca. Ela está desconcertada. A morte de Gilly Paulsson não é da jurisdição federal. No momento não é sequer um crime, porque não há causa nem tipo de morte, só suspeita e política pegajosa. Ela empurra sutilmente o bloco de volta

38

para Marino e sente que o dr. Marcus os observa. Por um instante, sente-se na aula de gramática, passando bilhetinhos e prestes a ser arrastada por uma das freiras. Marino tem o desplante de sacar um cigarro e começa a batê-lo no bloco de anotações.

"Lamento, mas é proibido fumar neste edifício", a voz autoritária do dr. Marcus rompe o silêncio.

"E deve ser mesmo", diz Marino. "O fumo passivo mata as pessoas." Ele bate a ponta com filtro de um Marlboro no bloco que contém sua mensagem secreta sobre o FBI. "Fico feliz de ver que o Homem-Vísceras ainda está por aqui", acrescenta, referindo-se ao modelo anatômico masculino sobre um suporte atrás do dr. Marcus, que está sentado na cabeceira da mesa. "Quando se trata de olhar perdido, nunca vi nada igual", diz Marino sobre o Homem-Vísceras, cujos órgãos plásticos removíveis estão todos nele e nos lugares certos, e Scarpetta se pergunta se ele foi usado para ensinar ou explicar ferimentos a famílias e advogados desde que ela saiu daqui. Provavelmente não, conclui, senão o Homem-Vísceras teria perdido alguns órgãos.

Ela não conhece ninguém na equipe do dr. Marcus, com exceção do chefe-assistente Jack Fielding, que até agora evitou olhá-la e desenvolveu uma doença de pele desde a última vez em que ela o viu. Passaram-se cinco anos, ela pensa, e mal pode acreditar no que se tornou o vaidoso malhador que era seu parceiro de patologia forense. Fielding nunca foi o supra-sumo da eficiência em questões administrativas, nem necessariamente respeitado por ter um raciocínio médico marcante, mas era leal, respeitoso e carinhoso durante a década em que trabalhou para ela. Nunca tentou puxar o tapete dela nem tomar seu lugar, mas também jamais saiu em sua defesa quando detratores muito mais ousados que ele resolveram e conseguiram bani-la. Fielding perdeu a maior parte do cabelo e seu rosto, que era atraente, está inchado e manchado, e os olhos lacrimejam. Ele funga muito. Nunca tocaria em drogas, disso ela tem certeza, mas sua aparência é a de um beberrão.

"Doutor Fielding", diz ela, olhando para ele. "Alergia? Você não costumava ter. Ou talvez esteja resfriado", sugere, embora duvide seriamente de que ele esteja resfriado ou gripado, ou com qualquer outra doença contagiosa.

Possivelmente está de ressaca. Tudo indica que esteja com uma reação histamínica a algo ou quem sabe a tudo. Scarpetta detecta a grossa borda de uma erupção se projetando da gola em V do uniforme cirúrgico dele, e segue as mangas brancas do jaleco de laboratório desabotoado, acompanhando os contornos dos braços, até as mãos grossas e escamadas. Fielding perdeu muita massa muscular. Está quase descarnado e sofre de uma alergia, ou alergias. Pessoas com transtorno de personalidade dependente são consideradas mais suscetíveis a alergias, doenças e queixas dermatológicas, e Fielding não está progredindo. Talvez não devesse mesmo estar, e para que ele se saísse bem sem ela seria preciso que o estado da Virgínia e a humanidade em geral tivessem melhorado desde que ela foi demitida e degradada publicamente há meia década. A pequena fera maldosa dentro dela que encontra alívio no sofrimento de Fielding rasteja instantaneamente de volta a seu lugar sombrio, e ela sente uma pontada de mal-estar e preocupação. Olha de novo para Fielding. Ele não completa a ligação.

"Espero que a gente tenha uma chance de se ver antes de eu ir embora", diz Scarpetta a ele de sua cadeira estofada na ponta da mesa, como se não houvesse mais ninguém na sala, só ela e Fielding, como costumava ser quando ela era chefe, e tão respeitada que de vez em quando alunos de medicina ingênuos e policiais novatos pediam seu autógrafo.

Ela sente que o dr. Marcus a observa de novo, seu olhar é tão palpável quanto percevejos enfiados na pele. Ele não usa jaleco de laboratório nem nenhuma outra indumentária de médico, e isso não a surpreende. Como a maioria dos chefes desapaixonados que deviam ter abandonado a profissão há anos e provavelmente nunca a amaram, ele não é o tipo de pessoa que realiza autópsias, a menos que não haja mais ninguém para fazê-lo.

"Vamos começar", anuncia ele. "Estamos lotados esta manhã e temos convidados. Doutora Scarpetta. E seu amigo capitão Marino... Ou é tenente, ou detetive? O senhor está em Los Angeles agora?"

"Depende do que esteja acontecendo", diz Marino, seus olhos sombreados pela aba do boné de beisebol enquanto ele manuseia o cigarro apagado.

"E onde o senhor está trabalhando agora?" O dr. Marcus lembra a Marino que ele não se explicou plenamente. "Sinto muito. Não me lembro de a doutora Scarpetta mencionar que o estava trazendo." Ele tem de lembrar a Scarpetta de novo, dessa vez diante de uma platéia.

Vai criticá-la na frente de qualquer pessoa. Ela percebe que isso vai acontecer. Ele a fará pagar por tê-lo confrontado dentro de sua biblioteca desmazelada, e ocorre a ela que Marino deu telefonemas. Alguém com quem ele falou deve ter alertado o dr. Marcus.

"Ah, é claro." De repente ele se lembra. "Creio que ela disse que vocês trabalham juntos, é isso?"

"Sim", confirma Scarpetta de seu lugar inferior na ponta da mesa.

"Então vamos avaliar rapidamente os casos", informa a Scarpetta. "Mais uma vez, se o senhor, bem... acho que vou chamá-lo simplesmente de senhor Marino, se vocês dois quiserem café... Ou fumar, desde que seja lá fora. Vocês são bem-vindos à reunião de nossa equipe, mas é claro que não são obrigados a participar dela."

Suas palavras são para os que não estão a par do que já transpirou em menos de uma hora hostil, e ela detecta um aviso no tom de voz dele. Ela quis se impor e agora pode ficar exposta de uma forma que sem dúvida achará desagradável. O dr. Marcus é um político, e não um dos bons. Quando foi indicado, os que estavam no poder tal-

41

vez o considerassem flexível e inofensivo, a antítese do que achavam dela, e provavelmente estavam errados.

Ele se vira para a mulher que está logo à sua direita, grande e desajeitada, com uma cara de cavalo e cabelos grisalhos curtos. Deve ser a administradora, e ele faz um sinal com a cabeça para que ela comece. "Certo", diz ela, e todos olham para as fotocópias amarelas dos casos recusados, dos examinados e dos autopsiados. "Doutora Ramie, a senhora estava de plantão ontem à noite?", pergunta ela.

"Claro que estava. Estamos na temporada", responde a dra. Ramie.

Ninguém ri. Uma nuvem paira sobre a sala de reuniões. Não tem nenhuma ligação com os pacientes no corredor, que esperam o último e mais invasivo exame físico que jamais terão de qualquer médico na terra.

"Temos Sissy Shirley, mulher, negra, noventa e dois anos, de Hanover County, histórico de doença cardíaca, encontrada morta na cama", diz a dra. Ramie, olhando para suas anotações. "Residia em um albergue subsidiado e é um dos examinados. De fato já a examinei. Depois temos Benjamin Franklin. Esse é mesmo o nome dele. Homem, negro, oitenta e dois anos, também encontrado na cama, histórico de doença cardíaca e insuficiência nervosa..."

"O quê?", interrompe o dr. Marcus. "Que diabo é insuficiência nervosa?"

Muitos riem e o rosto da dra. Ramie fica vermelho. Ela é uma jovem sem graça, acima do peso, e seu rosto resplandece como um aquecedor de halogênio na potência máxima.

"Não creio que insuficiência nervosa seja uma causa legítima de morte", o dr. Marcus brinca com o constrangimento de sua chefe interina, como um ator interagindo com sua platéia cativa. "Por favor, não me diga que trouxemos essa pobre alma para nossa clínica porque ele supostamente morreu de insuficiência nervosa."

Sua tentativa de humor não pretende ser gentil. Clínicas são para os vivos, e pobres almas são pessoas em dificuldade, não vítimas de violência ou de mortes arbitrárias e insensatas. Em três palavras, ele conseguiu negar por completo e ridicularizar a realidade das pessoas no corredor, que estão deploravelmente frias, duras e fechadas dentro de sacos de funerárias feitos de vinil e pêlo falso, ou nuas em cima de macas ou mesas de aço duro, prontas para o bisturi e a serra de autópsia.

"Desculpe", diz a dra. Ramie com as bochechas em brasa. "Li errado as anotações. O que temos aqui é insuficiência renal. Nem eu consigo mais ler minha caligrafia."

"Então o velho Ben Franklin", começa Marino com o rosto sério, enquanto brinca com o cigarro, "não morreu de insuficiência nervosa, afinal? Como se ele estivesse na rua amarrando uma chave na linha de sua pipa? Alguém nessa sua lista por acaso morre de envenenamento por chumbo? Ou ainda chamamos isso de ferimentos à bala?"

O olhar do dr. Marcus é duro e frio.

A dra. Ramie continua, monótona. "O senhor Franklin também foi examinado. Eu mesma já o examinei. Temos Finky... é... Finder..."

"Esse é o nome certo?" A voz do dr. Marcus tem o tom agudo de um triângulo de metal, várias oitavas acima da voz de Marino.

O rosto da dra. Ramie está tão vermelho que Scarpetta teme que a mulher torturada acabe irrompendo em lágrimas e fuja da sala. "O nome que me deram é esse que acabo de dizer", resiste com firmeza a dra. Ramie. "Mulher, negra, vinte e dois anos, morta na privada, agulha ainda no braço. Possível overdose de heroína. É a segunda em quatro dias em Spotsylvania. Esse acabou de me ser passado." Ela remexe em uma lista de ocorrências. "Pouco antes da reunião da equipe recebemos uma ligação a respeito de um homem branco de quarenta e oito anos chamado Theodore Whitby. Ferido enquanto trabalhava em um trator."

O dr. Marcus pisca atrás de seus oculozinhos com aro

43

de metal. Os rostos ficam inexpressivos. Não faça isso, diz Scarpetta em silêncio a Marino. Mas ele faz.

"Ferido?", pergunta ele. "Ele ainda está vivo?"

"É mesmo", balbucia a dra. Ramie. "Eu não atendi essa ligação. Não pessoalmente. O doutor Fielding..."

"Não, não fui eu", interrompe Fielding, como o clique do cão de um revólver.

"Não foi o senhor? Ah. Foi o doutor Martin. Esta anotação é dele", continua a dra. Ramie, sua cabeça quente e humilhada bem abaixada sobre a lista de ocorrências. "Parece que ninguém sabe exatamente o que aconteceu, mas ele estava no trator ou perto dele e no minuto seguinte seus colegas de trabalho de repente o viram muito ferido na lama. Por volta de oito e meia, hoje de manhã, não faz nem uma hora. Então, de alguma forma, ele se atropelou, caiu ou algo do tipo, sabe, e se atropelou. Estava morto quando a equipe de socorro chegou lá."

"Oh, então ele se matou. Um suicídio", conclui Marino, girando lentamente o cigarro.

"Bem, a ironia é que isso ocorreu no velho edifício, aquele que eles estão demolindo na 9 Norte com a 14", diz, lacônica, a dra. Ramie.

Isso surpreende Marino. Ele desiste de sua atuação não muito engraçada, sua reação silenciosa cutucando Scarpetta enquanto ela se lembra do homem de calça verde-oliva e casaco escuro de pé na frente do pneu traseiro do trator, no calçamento perto da porta da baia. Então ele estava vivo. Agora está morto. Ele não devia ter ficado na frente do pneu fazendo seja lá o que fosse no motor. Ela pensou isso na hora, e agora ele está morto.

"É um caso de autópsia", diz a dra. Ramie, recuperando de alguma forma a compostura e a autoridade.

Scarpetta se lembra de ter dobrado a esquina enquanto circundava de carro seu velho edifício, e do homem e seu trator sumindo de vista. Ele deve ter dado a partida no motor minutos depois de ela o ter visto, e então morreu.

"Doutor Fielding, sugiro que o senhor trabalhe nessa morte no trator", diz o dr. Marcus. "Certifique-se de que ele não sofreu um ataque do coração ou outro problema subjacente antes de ser atropelado. O inventário de seus ferimentos vai ser extenso e demorado. Não preciso lhe lembrar de como precisamos ser meticulosos em casos como esse. Um tanto irônico, tendo em vista nossa convidada." Ele olha para Scarpetta. "Foi um pouco antes de minha época, mas creio que 9 Norte com 14 era o endereço de seu antigo edifício."

"Era", diz ela, o fantasma do passado, como ela se recorda do sr. Whitby à distância, de preto e verde-oliva, agora também um fantasma. "Eu comecei naquele edifício. Um pouco antes de sua época", repete. "Depois me mudei para este." Ela o faz recordar que ela também trabalhou neste edifício, e então se sente um pouco boba de lhe lembrar um fato indiscutível.

A dra. Ramie continua relatando os casos: uma morte na prisão que não é suspeita, mas por lei todas as mortes em prisão são casos para o legista; um homem encontrado morto em um estacionamento, possivelmente hipotermia; uma mulher sabidamente diabética morta de repente quando saía do carro; uma morte inesperada de criança; e uma pessoa de dezenove anos encontrada morta no meio da rua, possivelmente por tiro proveniente de um carro que passava.

"Se precisarem de mim estarei no tribunal em Chesterfield", conclui a dra. Ramie. "Vou precisar de uma carona, meu carro está outra vez na oficina."

"Eu levo você", se oferece Marino, piscando para ela.

A dra. Ramie parece aterrorizada.

Todos se mexem para sair da cadeira, mas o dr. Marcus os detém. "Antes de saírem", diz, "talvez eu possa me valer da ajuda de vocês e vocês poderiam fazer um esforço mental. Como sabem, o Instituto está administrando outra escola de investigação de mortes, e, como é comum, fui persuadido a dar uma palestra sobre o sistema de legistas. Imaginei que poderia propor alguns casos-teste ao grupo, especialmente porque temos a felicidade de ter entre nós uma especialista."

Que filho-da-mãe, pensa Scarpetta. Então é assim que vai ser. Dane-se a conversa deles na biblioteca. Dane-se a questão de ele abrir o gabinete para ela.

Ele faz uma pausa, olhando em volta da mesa. "Uma mulher branca de vinte e oito anos", começa, "grávida de sete semanas. O namorado a chuta na barriga. Ela chama a polícia e vai para o hospital. Horas depois expele o feto e a placenta. A polícia me notifica. O que eu faço?"

Ninguém responde. É óbvio que eles não estão acostumados a esses esforços mentais e apenas olham para ele.

"Vamos, vamos", diz ele, sorrindo. "Vamos dizer que acabei de receber o telefonema, doutora Ramie."

"Senhor?" Ela fica vermelha de novo.

"Vamos, me diga como lidar com isso, doutora Ramie."

"Tratar como um caso cirúrgico?", arrisca ela, como se uma força alienígena tivesse acabado de sugar seus longos anos de formação médica, sua própria inteligência.

"Mais alguém?", pergunta o dr. Marcus. "Doutora Scarpetta?" Ele pronuncia o nome dela devagar, fazendo questão que ela perceba que ele não a chamou de Kay. "Já teve um caso como esse?"

"Creio que sim", responde ela.

"Conte-nos. Qual é o impacto legal?", pergunta ele, bastante educado.

"Evidentemente, se alguém bate em uma mulher grávida, é um crime", responde. "No formulário do legista, vou chamar a morte do feto de homicídio."

"Interessante." O dr. Marcus olha em volta da mesa enquanto aponta contra ela outra vez. "Então seu relatório de investigação inicial diria homicídio. Talvez um pouco ousado, não? É à polícia que cabe determinar a intenção, não a nós, certo?"

Que filho-da-puta traiçoeiro, pensa ela. "Nosso trabalho, de acordo com o código, é determinar a causa e o tipo da morte", diz. "Como o senhor deve se lembrar, no final dos anos 90 o estatuto mudou depois que um homem atirou na barriga de uma mulher e ela sobreviveu mas seu filho ainda não nascido morreu. No cenário que o senhor nos apresentou, doutor Marcus, sugiro que mande trazer o feto. Faça uma autópsia nele e lhe atribua um número. Não há nenhum lugar em uma certidão de óbito de bordas amarelas para a maneira da morte, então o senhor inclui isso como causa, um falecimento fetal intrauterino devido a um ataque à mãe. Use uma certidão de óbito de bordas amarelas porque o feto não nasceu vivo. Mantenha uma cópia no arquivo do caso porque um ano depois essa certidão não mais existirá, depois que o Birô de Estatísticas Básicas compilar suas estatísticas."

"E o que fazemos com o feto?", pergunta o dr. Marcus, não tão educado.

"Entregamos à família."

"Ele não tem nem dez centímetros", diz ele, sua voz ficando tensa outra vez. "Não resta nada para a funerária enterrar."

"Então o conserve em formalina. Entregue-o à família, o que eles quiserem."

"E chamo isso de homicídio", diz ele friamente.

"O novo estatuto", Scarpetta o faz recordar. "Na Virgínia, um ataque com a intenção de matar membros da família, nascidos ou não, é um crime capital. Mesmo que não se consiga provar a intenção e a acusação seja de ferimento maldoso da mãe, isso tem a mesma penalidade que assassinato. Daí o caso percorre o sistema como homicídio culposo, e assim por diante. A questão é: não precisa haver intenção. O feto não precisa sequer ser viável. Ocorreu um crime violento."

"Alguma dúvida?", pergunta o dr. Marcus a sua equipe.

Ninguém responde, nem mesmo Fielding.

"Então vamos tentar outro", diz o dr. Marcus com um sorriso irritado.

Vá em frente, pensa Scarpetta. Vá em frente, seu filho-da-mãe insuportável.

"Um jovem em uma clínica para doentes terminais", começa o dr. Marcus. "Ele está morrendo de aids. Pede a seu médico que desligue os aparelhos. Se um médico o retirar do suporte vital e o paciente morrer, é um caso para o legista ou não? Trata-se de homicídio? Que tal nossa especialista outra vez? O médico cometeu homicídio?"

"É uma morte natural, a menos que o médico meta uma bala na cabeça do paciente", responde Scarpetta.

"Ah. Então a senhora é uma defensora da eutanásia."

"O consentimento esclarecido é obscuro." Ela não responde à ridícula acusação dele. "O paciente muitas vezes está lidando com depressão, e, quando as pessoas estão deprimidas, não são capazes de tomar decisões esclarecidas. Essa é realmente uma questão para a sociedade."

"Deixe-me esclarecer o que você está dizendo", retruca o dr. Marcus.

"Por favor, faça isso."

"Você tem um homem no hospital que diz: 'Acho que gostaria de morrer hoje'. Devemos esperar que o médico local faça isso?"

"A verdade é que o paciente no hospital para doentes terminais tem essa capacidade. Ele pode decidir morrer", responde ela. "Ele pode ter morfina quando quiser, para aliviar a dor, então ele pede mais, e mais, e vai dormir e morre de overdose. Ele pode usar um bracelete Não Ressuscite, e uma equipe de socorro não precisa ressuscitá-lo. Então ele morre. As chances são de que não haja conseqüências para ninguém."

"Mas nosso caso é esse?", insiste o dr. Marcus, seu rosto fino branco de raiva quando olha para ela.

"Muitos ficam em hospitais para doentes terminais porque querem controlar a dor e morrer em paz", diz. "Gente que toma essas decisões esclarecidas de usar braceletes NR quer basicamente a mesma coisa. Overdose de morfina, retirada de suporte vital em hospital para doentes terminais, pessoa usando bracelete NR que não é ressuscitada. Essas não são questões para nós. Se o senhor for chamado para um caso como esses, doutor Marcus, espero que o recuse."

"Algum comentário?", pergunta o dr. Marcus laconicamente, embaralhando papéis e pronto para sair.

"Sim", Marino diz a ele. "Você já pensou em escrever perguntas e respostas para o programa de televisão *Jeopardy?*"

5

Benton Wesley anda de uma janela para outra dentro de sua casa de três quartos no Aspen Club. O sinal de seu celular surge e desaparece, e a voz de Marino é clara, depois interrompida.

"O quê? Desculpe, repita o que disse." Benton recua três passos e pára.

"Eu disse que isso não é nem a metade da história. É muito pior do que você pensava." A voz de Marino chega intacta. "É como se ele a tivesse levado para atacá-la na frente de uma platéia. Ou pelo menos tentar. Veja bem, tentar."

Benton olha para a neve lá fora, presa em cotovelos de galhos de choupos e empilhada nas agulhas pontudas de espruce negro. A manhã é ensolarada e clara pela primeira vez em dias, e pegas pulam de ramo em ramo, pousando em alvoroço e depois levantando vôo em pequenas explosões de neve. Uma parte da mente de Benton processa a atividade e tenta determinar uma razão, talvez um processo de causa e efeito biológico que possa explicar a ginástica dos pássaros de cauda comprida, como se isso tivesse importância. Sua sondagem mental é tão adestrada quanto os animais selvagens e tão incansável quanto o balanço das gôndolas do teleférico subindo e descendo a montanha.

"Tentar, sim. Tentar." Benton ri um pouco ao imaginar isso. "Mas você precisa entender que ele não a convidou porque escolheu fazer isso. Foi uma ordem. O secretário de Saúde é o responsável por isso."

"E como você sabe disso?"

"Eu dei uns telefonemas depois que ela me contou que ia para aí."

"Essa história de Aspen é muito ruim...", a voz de Marino é interrompida.

Benton se move para a próxima janela, as chamas atacando e a madeira estalando na lareira atrás dele. Continua a olhar para fora pelo vidro do chão ao teto, sua atenção fixada na casa de pedra do outro lado da rua quando a porta da frente se abre. Um homem e um menino surgem vestidos de acordo com o clima, sua respiração saindo em um vapor congelado.

"Agora ela já sabe", diz Benton. "Sabe que está sendo usada." Ele conhece Scarpetta bem o bastante para fazer previsões que sem dúvida são verdadeiras. "Garanto que ela conhece a política, ou simplesmente que a política existe. Mas por azar há mais, muito mais. Está me ouvindo?"

Ele olha para fora, para o homem e o menino carregando no ombro os esquis e os bastões, caminhando preguiçosamente em botas de esqui semi-afiveladas. Benton não vai esquiar nem caminhar com seus sapatos para neve hoje. Não tem tempo para isso.

"Sei." Marino passou a dizer muito isso ultimamente, e Benton acha irritante.

"Está me ouvindo?", pergunta Benton.

"Sim, agora estou recebendo", retorna Marino, e Benton sabe que ele está se movendo, procurando um sinal melhor. "Ele está tentando culpá-la por tudo, como se a tivesse trazido só para isso. Não sei o que mais lhe contar até conseguir descobrir mais coisas. Estou falando da garota."

Benton sabe sobre Gilly Paulsson. Sua morte misteriosa talvez não esteja no noticiário nacional, ainda não, mas detalhes de fontes da mídia da Virgínia estão na internet, e Benton tem seus meios de acessar informações, informações muito confidenciais. Gilly Paulsson está sendo usada, porque alguém não precisa estar vivo quando certas pessoas querem usá-lo.

"Perdi de novo o sinal. Merda", diz Benton, e a co-

51

municação seria imensamente melhorada se ele pudesse usar o telefone fixo de sua casa, mas não pode.

"Estou recebendo, chefe", a voz de Marino surge, de repente forte. "Por que não usa o telefone fixo? Isso resolveria nosso problema", diz ele, como se estivesse lendo os pensamentos de Benton.

"Não posso."

"Acha que está grampeado?" Marino não está brincando. "Há meios de detectar isso. Peça a Lucy para fazer isso."

"Obrigado pela sugestão." Benton não precisa da ajuda de Lucy para fazer contravigilância, e sua preocupação não é que a linha esteja grampeada.

Ele acompanha o progresso do homem e do menino enquanto pensa em Gilly Paulsson. O menino parece ter a idade de Gilly, a idade dela quando morreu. Treze, talvez catorze anos, só que Gilly nunca esquiou. Nunca visitou o Colorado ou nenhum outro lugar. Nasceu em Richmond e morreu lá mesmo, e durante sua breve vida ela basicamente sofreu. Benton nota que o vento está aumentando. A neve que sopra das árvores enche o bosque como fumaça.

"O que eu quero que você diga a ela é o seguinte", diz Benton, e sua ênfase na palavra "ela" indica que fala de Scarpetta. "O sucessor dela, se é que podemos chamá-lo assim", diz, e não quer falar o nome do dr. Marcus nem dar nenhum detalhe, e não consegue aceitar a idéia de ninguém, muito menos esse verme do dr. Joel Marcus, suceder Scarpetta. "Ele não é muito confiável", diz, enigmático. "Quando ela chegar aqui", acrescenta, referindo-se de novo a Scarpetta, "eu vou falar disso pessoalmente com ela. Mas, por ora, tome cuidado, extremo cuidado."

"O que quer dizer com 'quando ela chegar aqui? Suponho que ela vai ficar presa aqui muito tempo."

"Ela precisa ligar para mim."

"Extremo cuidado?", queixa-se Marino. "Merda, você tinha de dizer uma coisa dessas."

"Enquanto ela estiver aí, fique com ela."

"Sei."

"Fique com ela, fui claro?"

"Ela não vai gostar disso", diz Marino.

Benton olha para as colinas agrestes das Rochosas rendadas de neve, para uma beleza moldada por ventos cruéis e pela força bruta das geleiras. Choupos e sempre-vivas são cabelos espetados nas faces das montanhas que circundam essa velha cidade mineira formando uma espécie de tigela, e para o leste, além de uma crista, um manto distante de nuvens cinzentas se espalha lentamente pelo céu de um azul intenso. Ainda hoje, mais tarde, vai nevar de novo.

"Não, ela nunca gosta", diz Benton.

"Ela disse que você está com um caso."

"Sim." Benton não pode discuti-lo.

"Bem, é ruim demais estar em Aspen e tal, e você arranjar um caso e agora ela também. Então você vai ficar aí e trabalhar em seu caso, imagino."

"Por ora, vou", diz Benton.

"Deve ser alguma coisa séria, para você cuidar dele durante as férias em Aspen", tenta Marino.

"Não posso dar detalhes."

"Sei. Esses malditos telefones", diz Marino. "Lucy devia inventar alguma coisa que não possa ser grampeada nem identificada em um scanner. Ela ia ganhar uma fortuna."

"Acho que ela já ganhou uma fortuna. Talvez várias."

"Não brinca."

"Tome cuidado", diz Benton. "Se eu não falar com você nos próximos dias, cuide dela. Quer dizer, cuide-se e cuide dela."

"Me diga alguma coisa que eu ainda não faça", diz Marino. "Não vá se machucar aí brincando na neve."

Benton encerra a ligação e volta a um sofá que fica de frente para as janelas perto da lareira. Na carcomida mesa de centro de castanheira há um bloco de anotações cheio de seus rabiscos quase indecifráveis, e ao lado dele está uma pistola Glock calibre .40. Depois de tirar os óculos do bolso do peito da camisa de algodão, ele se apóia no braço do sofá e começa a folhear o bloco. Cada página pautada está numerada, e no canto superior direito há uma data. Benton esfrega sua mandíbula angulosa, lembrando-se de que não se barbeia há dois dias, e sua barba grossa e grisalha o faz recordar as árvores encrespadas nas montanhas. Ele circula as palavras "paranóia compartilhada" e inclina a cabeça para cima enquanto olha através dos óculos de leitura na ponta de seu nariz reto e pontudo.

Na margem ele rabisca "Parece que vai funcionar quando as lacunas forem preenchidas. Lacunas sérias. Não pode durar. A verdadeira vítima é L, não H. H é narcisista", e sublinha "narcisista" três vezes. Anota "histriônica" e sublinha duas vezes, e passa a outra página, esta com o cabeçalho "Comportamento depois do ataque", e ouve o som de água corrente, intrigado por não tê-lo ouvido antes. "Massa crítica. Não vai passar do Natal. Tensão insuportável. Vai acabar no Natal se não antes", escreve, erguendo calmamente os olhos quando sente a presença dela antes de ouvi-la.

"Quem era?", pergunta Henri, que é a abreviação de Henrietta. Ela está de pé no patamar da escada, sua mão delicada pousada no corrimão. Henri Walden olha para ele do outro lado da sala.

"Bom dia", diz Benton. "Você normalmente toma um banho. Fiz café."

Henri ajusta o robe de flanela todo vermelho em torno de seu corpo fino, seus olhos verdes sonolentos e reticentes quando vê Benton, estudando-o como se houvesse entre eles uma discussão ou choque anterior. Ela tem vinte e oito anos e é atraente de um jeito sóbrio. Seus traços não são perfeitos, porque o nariz é forte e, segundo as crenças distorcidas dela própria, grande demais. Os dentes também não são perfeitos, mas nesse exato momento nada a convenceria de que ela tem um belo sorriso, de que é perturbadoramente sedutora, mesmo quando não tenta ser. Benton não tentou convencê-la nem vai tentar. É perigoso demais.

"Eu ouvi você falar com alguém", diz. "Era Lucy?"

"Não", responde ele.

"Ah", diz Henri, e a decepção toma seus lábios e a raiva brilha em seus olhos. "Ah. Bem. Quem era então?"

"Era uma conversa particular, Henri." Ele tira os óculos de leitura. "Nós já falamos muito sobre limites. Conversamos sobre eles todos os dias, não foi?"

"Eu sei", diz ela do patamar, a mão ainda no corrimão. "Se não era Lucy, então quem era? A tia dela? Ela fala demais sobre a tia."

"A tia dela não sabe que você está aqui, Henri", diz Benton com muita paciência. "Só Lucy e Rudy sabem que você está aqui."

"Eu sei sobre você e a tia dela."

"Só Lucy e Rudy sabem que você está aqui", repete ele.

"Então era Rudy. O que ele queria? Eu sempre soube que ele gostava de mim." Ela sorri e o aspecto de seu rosto é peculiar e inquietante. "Rudy é lindo. Eu devia ter transado com ele. Eu podia ter feito isso. Quando saímos na Ferrari eu podia. Podia transar com qualquer pessoa quando estava na Ferrari. Não que eu precisasse de Lucy para ter uma Ferrari."

"Limites, Henri", diz Benton, e se recusa a aceitar a terrível derrota que é uma planície negra na frente dele, nada além de escuridão que só fez se alargar e se aprofundar desde que Lucy trouxe Henri para Aspen e a entregou aos cuidados dele.

Você não vai magoá-la, disse Lucy a ele na época. Outra pessoa vai magoá-la, tirar vantagem dela, e descobrir coisas sobre mim e o que eu faço.

Eu não sou psiquiatra, disse Benton.

Ela precisa de um terapeuta de estresse pós-traumático, de um psicólogo forense. É isso que você faz. Você pode fazer isso. Pode descobrir o que aconteceu. Temos de saber o que aconteceu, disse Lucy, e ela estava descontrolada. Lucy nunca entra em pânico, mas estava em pânico. Para ela, Benton pode entender qualquer pessoa. Mesmo que ele pudesse, isso não significa que todos podem ser tratados. Henri não é uma refém. Pode sair a qualquer momento. Ele fica profundamente perturbado pelo fato de ela não parecer ter interesse em partir, por ela estar só se divertindo.

Benton entendeu muita coisa nos quatro dias que passou com Henri Walden. Ela é um caso de distúrbio de caráter e já era isso antes da tentativa de assassinato. Se não fosse pelas fotografias do local e pelo fato de que alguém realmente entrou na casa de Lucy, Benton poderia acreditar que não houve nenhuma tentativa de assassinato. Preocupa-o que a personalidade de Henri agora seja simplesmente um exagero do que era antes do ataque, e essa percepção é muito perturbadora para ele, e ele não consegue imaginar o que Lucy estava pensando quando conheceu Henri. Lucy não estava pensando, ele conclui. A resposta provavelmente é essa.

"Lucy deixou você dirigir a Ferrari?", pergunta ele.

"Não a vermelha."

"E a prateada, Henri?"

"Ela não é prateada. É azul Califórnia. Eu a dirigia quando quisesse." Ela olha para ele do patamar, a mão no corrimão, o longo cabelo despenteado e os olhos injetados de sono, como se estivesse posando para uma sessão de fotos sensuais.

"Você a dirigia sozinha, Henri." Ele quer ter certeza. Uma peça muito importante que está faltando é como o agressor encontrou Henri, e Benton não acredita que o ataque tenha sido aleatório, puro acaso, uma linda jovem na mansão errada ou na Ferrari errada na hora errada.

"Eu já lhe disse que sim", diz Henri, seu rosto pálido e sem expressão. Só os olhos estão vivos, e a energia neles é volátil e desconcertante. "Mas ela é egoísta com a preta."

"Quando foi a última vez que você dirigiu a Ferrari azul Califórnia?", pergunta Benton na mesma voz monótona e branda, e ele aprendeu a obter informações quando pode. Não importa se Henri está sentada, andando ou de pé do outro lado da sala com a mão no corrimão; se alguma coisa surge, ele tenta desalojá-la dela antes que ela suma de vista outra vez. Não importa o que aconteceu ou aconteça com ela, Benton quer saber quem entrou na casa de Lucy e por quê. Que se dane Henri, ele está tentado a pensar. Ele se preocupa mesmo é com Lucy.

"Eu fico o máximo naquele carro", responde Henri, os olhos brilhantes e frios no rosto sem expressão.

"E você a dirigiu muitas vezes, Henri."

"Sempre que eu queria." Ela o encara.

"Todos os dias até o campo de treinamento?"

"Toda vez que eu queria." Seu rosto pálido impassível olha fixamente para ele, e a raiva brilha em seus olhos.

"Você consegue se lembrar da última vez que a dirigiu? Quando foi isso, Henri?"

"Não sei. Antes de eu ficar doente."

"Antes de você ficar gripada, e quando foi isso? Há umas duas semanas?"

"Eu não sei." Ela se tornou resistente e não vai dizer mais nada sobre a Ferrari agora, e ele não a pressiona porque as negações e a evasiva dela contam suas próprias verdades.

Benton é muito versado em interpretar o que não é dito, e ela acabou de indicar que dirigia a Ferrari quando quisesse, que tinha consciência da atenção que atraía e que adorava isso porque gosta de estar no olho do furacão. Mesmo em seus melhores dias, Henri tem de estar no centro do caos, ser a criadora do caos, a estrela de seu próprio drama louco, e só por essa razão a maioria dos policiais e psicólogos forenses concluiria que ela fingiu a tentativa de seu próprio assassinato e montou o local do crime, que o ataque nunca aconteceu. Mas aconteceu. Essa é a ironia, esse drama estranhíssimo e perigoso é real, e Benton está preocupado com Lucy. Ele sempre se preocupou com Lucy, mas agora está realmente preocupado.

"Com quem você estava falando no telefone?", Henri volta a isso. "Rudy sente minha falta. Eu devia ter transado com ele. Desperdicei tanto tempo lá."

"Vamos começar o dia com um lembrete sobre limites, Henri", diz Benton pacientemente a mesma coisa que disse ontem de manhã e na manhã anterior, quando estava tomando notas no sofá.

"Tudo bem", retruca ela do patamar. "Rudy ligou. Era ele", diz.

6

A água tamborila nas pias e os raios X são iluminados em cada caixa de luz enquanto Scarpetta se inclina, aproximando-se de um talho que quase arrancou o nariz do rosto do tratorista morto.

"Eu faria uma dosimetria de álcool e monóxido de carbono nele", diz ela ao dr. Jack Fielding, que está do outro lado da maca de transporte de aço, o corpo do tratorista entre eles.

"Você está percebendo alguma coisa?", pergunta ele.

"Eu não sinto cheiro de álcool, e ele não está avermelhado. Mas só para estarmos seguros. Estou lhe dizendo, casos como este são problema, Jack."

O homem morto ainda veste a calça verde-oliva, que está suja de lama vermelha e rasgada na altura da coxa. Gordura, músculo e ossos despedaçados se projetam da pele rachada. O trator passou bem no meio do corpo, mas não quando ela estava observando. Pode ter acontecido um, talvez cinco minutos depois que ela virou a esquina, e ela tem certeza de que o homem que viu era o sr. Whitby. Tenta não visualizá-lo vivo, mas a cada dois minutos ele surge na mente dela, parado na frente do enorme pneu do trator, mexendo no motor, fazendo alguma coisa com o motor.

"Ei", Fielding grita para um jovem de cabeça raspada, provavelmente um soldado da Unidade de Registro de Túmulos do Forte Lee. "Qual é seu nome?"

"Bailey, senhor."

Scarpetta reconhece vários outros jovens, homens e mulheres, com uniforme cirúrgico, protetores de sapato e de cabelo, máscaras faciais e luvas, que provavelmente são internos do Exército e estão ali para aprender como manusear cadáveres. Ela se pergunta se seu destino é o Iraque. Vê que o verde-oliva do Exército é o mesmo verde-oliva da calça rasgada do sr. Whitby.

"Faça um favor à funerária, Bailey, e amarre a carótida", diz Fielding rispidamente, e quando trabalhava para Scarpetta ele não era tão desagradável. Não mandava nas pessoas nem reclamava delas.

O soldado está constrangido, seu musculoso braço direito tatuado parado no ar, seus dedos enluvados em volta de uma comprida agulha cirúrgica arqueada com barbante de algodão calibre 7. Está ajudando um auxiliar do necrotério a suturar a incisão em Y de uma autópsia que começou antes da reunião da equipe, e é o auxiliar do necrotério, e não o soldado, que deveria saber amarrar a carótida. Scarpetta sente pena do soldado, e, se Fielding ainda trabalhasse para ela, teria uma conversa com ele e ele não trataria ninguém com rudeza no necrotério dela.

"Sim, senhor", diz o soldado com um olhar de pasmo no rosto jovem. "Vou só me preparar para fazer isso, senhor."

"É mesmo?", pergunta Fielding, e todos no necrotério podem ouvir o que ele está dizendo ao pobre soldado. "Você sabe por que se amarra a carótida?"

"Não, senhor."

"É educado, é por isso", diz Fielding. "Você amarra o barbante em volta de um grande vaso sangüíneo como a carótida para que os embalsamadores da funerária não tenham de fuçar para encontrá-la. Essa é a coisa educada a fazer, Bailey."

"Sim, senhor."

"Puta merda", diz Fielding. "Eu agüento isso todos os dias. Ele deixa todo mundo mais os irmãos de todo mundo entrar aqui. Você o vê por aqui?" Ele volta a fazer anotações em sua prancheta. "Porra nenhuma. Ele está aqui há quase quatro meses e não fez uma autópsia. Ah. E, caso não tenha notado, ele gosta de fazer as pessoas esperarem. É seu passatempo favorito. Obviamente, no atropelo, ninguém lhe deu uma descrição dele. Desculpe o trocadilho." Ele indica o morto entre eles, que conseguiu se atropelar com um trator. "Se você me telefonasse, eu lhe teria dito para não se dar ao trabalho de vir até aqui."

"Eu devia ter lhe telefonado", diz ela, observando cinco pessoas lutando para tirar uma enorme mulher de uma maca de transporte e acomodá-la em uma mesa de aço inoxidável. Sangue e secreções gotejam do nariz e da boca da mulher. "Ela tem um panículo enorme." Scarpetta se refere à dobra ou colgadura de gordura que pessoas obesas como a mulher morta têm sobre o estômago, e o que de fato está dizendo a Fielding é que não vai fazer comentários sobre o dr. Marcus quando está no necrotério dele e rodeada pela equipe dele.

"Bem, o caso é meu", diz Fielding, e agora ele está falando do dr. Marcus e de Gilly Paulsson. "O panaca nunca sequer pôs os pés no necrotério quando o corpo dela chegou, pelo amor de Deus, e todo mundo sabia que o caso ia feder. O primeiro grande fedor dele. Ah, não me olhe desse jeito, doutora Scarpetta." Ele nunca deixou de tratá-la assim, embora ela o encorajasse a chamá-la de Kay porque eles se respeitavam e ela o considerava um amigo, mas ele não a chamava de Kay quando trabalhava para ela e continua sem chamar. "Ninguém aqui está ouvindo, não que eu dê a mínima. Você tem planos para o jantar?"

"Com você, espero." Ela o ajuda a remover as botas de couro enlameadas do sr. Whitby, desamarrando os cadarços e puxando as línguas de couro de boi. O *rigor mortis* está nos estágios iniciais, e ele ainda está flexível e morno.

"Como é que esses caras conseguem se atropelar, você pode me dizer?", diz Fielding. "Eu nunca consigo imaginar. Bom. Em minha casa às sete. Ainda moro no mesmo lugar."

"Eu vou lhe dizer como eles costumam fazer isso", diz ela, enquanto se lembra do sr. Whitby parado na frente do pneu do trator, fazendo alguma coisa no motor. "Eles estão com algum tipo de problema mecânico e saem do assento e ficam em pé bem na frente daquele enorme pneu traseiro e mexem no motor de arranque, possivelmente tentando movê-lo com uma chave de fenda, esquecendo que o trator está engatado. O azar deles é que o trator dá a partida. No caso dele, atropela-o no meio." Ela aponta para a marca de pneu enlameada na calça verde-oliva do sr. Whitby e no casaco impermeável preto no qual seu nome está bordado, T. Whitby, em linha vermelha grossa.

"É. Nosso velho edifício. Bem-vinda à cidade."

"Ele foi encontrado debaixo do pneu?"

"Passou por ele e continuou andando." Fielding puxa as meias enlameadas que deixaram a impressão de sua trama nos grandes pés brancos do homem. "Lembra-se daquele grande poste de metal pintado de amarelo cravado no piso perto da porta de trás? O trator esbarrou nele, e foi isso que o parou, senão ele poderia ter entrado direto pela porta da baia. Imagino que isso não teria importância, já que eles estão demolindo o lugar."

"Então não é provável que ele tenha sido asfixiado. Um ferimento de esmagamento difuso da largura daquele pneu", diz ela, olhando para o corpo. "Perda total do sangue. Prevejo uma cavidade abdominal cheia de sangue, rompimento do baço, do fígado, da bexiga, dos intestinos, pélvis esmagada, esse é meu palpite."

"E seu ajudante?"

"Não o chame assim. Você sabe que não deve."

"Ele está convidado. Ele parece muito bobo com aquele boné do LAPD."

"Eu o avisei."

"O que acha que cortou o rosto dele? Alguma coisa embaixo ou atrás do trator?", pergunta Fielding, e o sangue goteja do lado do rosto eriçado do sr. Whitby quando Fielding toca no nariz parcialmente rompido.

"Talvez não seja um corte. À medida que o pneu passava sobre o corpo, levava a pele junto. Esse ferimento", ela aponta uma ferida recortada e profunda nas bochechas e na ponte do nariz, "pode ser um rasgo, não um corte. Se for realmente isso, deveríamos poder ver ferrugem ou graxa no microscópio, e uma importante ligação de tecido, devido ao efeito de poda, e não de corte. Uma coisa que eu faria se fosse você era responder a todas as perguntas."

"Ah, sim." Fielding levanta os olhos da prancheta, do formulário de roupas e pertences pessoais que está preenchendo com uma caneta esferográfica amarrada ao grampo de metal.

"Há uma grande chance de que a família desse homem queira ser indenizada por seu sofrimento", diz ela. "Morte no local de trabalho, um local de trabalho famigerado."

"Ah, sim. Com tantos lugares para morrer."

Os dedos enluvados em látex de Fielding ficam manchados de vermelho quando ele toca na ferida no rosto do homem, e o sangue morno pinga livremente quando manipula o nariz quase rompido. Ele vira uma página na prancheta e começa a desenhar o ferimento em um diagrama corporal. Inclina-se para perto do rosto, olhando intensamente através dos óculos de segurança de plástico. "Não vejo nada de ferrugem ou graxa", diz ele. "Mas isso não significa que não estejam aqui."

"Bem pensado." Ela concorda com a direção dos pensamentos dele. "Eu retiraria uma amostra com cotonete e mandaria para o laboratório para ser verificada, averiguaria tudo. Não ficaria surpresa se alguém dissesse que este homem foi atropelado ou empurrado do trator ou na frente dele, ou primeiro recebeu uma pancada com a pá. Nunca se sabe."

"Ah, sim. Dinheiro, dinheiro, dinheiro."

"Não apenas dinheiro", rebate. "Advogados transformam tudo em dinheiro. Mas trata-se sobretudo de choque, dor, perda, de saber se é culpa de outra pessoa. Ninguém da família quer acreditar que foi uma morte estúpida, que era evitável, que qualquer tratorista experiente sabe que deve evitar ficar parado na frente de um pneu traseiro e mexer no motor de arranque, fugindo ao padrão de segurança de uma ignição normal, que só permite que seja dada a partida com o trator em ponto morto, não engatado. Mas o que as pessoas fazem? Ficam muito relaxadas, estão com pressa e não pensam. E é da natureza humana negar a probabilidade de que alguém de quem gostamos cause a própria morte, de modo intencional ou inadvertido. Mas você já ouviu minhas palestras."

Quando Fielding estava começando, era um dos bolsistas forenses. Ela lhe deu aulas de patologia forense. Ensinou como fazer investigações de local do crime e autópsias não apenas competentes, mas meticulosas e agressivas, e agora se entristece ao lembrar como ele era descontroladamente ansioso para trabalhar com ela do outro lado da mesa e absorver tudo, ir com ela ao tribunal quando tinha tempo e ouvi-la testemunhar, sentar na sala dela e revisar os relatórios que tinha feito, para aprender. Agora ele está esgotado e tem uma doença de pele, e ela foi demitida, e ambos estão aqui.

"Eu devia ter lhe telefonado", diz ela, e desafivela o cinto de couro barato do sr. Whitby e desabotoa e abre o zíper de sua calça verde-oliva rasgada. "Vamos trabalhar em Gilly Paulsson e entender o que houve com ela."

"Ah, sim", diz Fielding, e ele também não costumava dizer "Ah, sim" com tanta freqüência.

7

Henri Walden usa chinelos de camurça forrados de lã que não produzem nenhum som no carpete enquanto ela se arrasta como uma aparição sombria para a poltrona bergère de couro curtido em frente ao sofá.

"Eu tomei banho", diz ela, encaixando-se na poltrona e enfiando as pernas embaixo do corpo.

Benton capta a deliberada exposição de carne jovem, os claros recessos das partes superiores internas das coxas. Não olha nem reage do modo como a maioria dos homens faria.

"Por que está interessado?", pergunta a ele, e perguntou todas as manhãs desde que chegou aqui.

"Faz você se sentir melhor, não é, Henri?"

Ela faz que sim, olhando para ele como uma naja.

"Há coisinhas que são importantes. Comer, dormir, estar limpo, fazer exercício. Recuperar o controle."

"Eu ouvi você falar com alguém", diz ela.

"Isso é um problema", retruca ele, olhando para ela por cima da borda dos óculos, o bloco de anotações em seu colo como antes, mas há mais palavras nele, as palavras "Ferrari Preta", "sem permissão", "foi seguida do campo, provavelmente" e "ponto de contato, a Ferrari preta".

"Conversas particulares devem ser exatamente isso", diz. "Particulares. Portanto, precisamos voltar a nosso acordo original, Henri. Você se lembra de qual era?"

Ela tira os chinelos e os deixa cair no tapete. Seus delicados pés nus estão sobre a almofada da poltrona, e, quando se inclina para examiná-los, o robe vermelho se abre de leve. "Não." A voz dela mal dá para escutar, e ela sacode a cabeça.

"Sei que você se lembra, Henri." Benton repete o nome dela com freqüência para lhe lembrar quem ela é, para personalizar o que foi despersonalizado e, em alguns aspectos, irrevogavelmente danificado. "Nosso acordo foi respeito, lembra?"

Ela se inclina mais e pega em uma unha sem pintura, seu olhar fixo no que está fazendo, sua nudez embaixo do robe oferecida a ele.

"Ter respeito é também permitir ao outro ter privacidade. E pudor", diz ele, calmamente. "Nós conversamos muito sobre limites. Falta de pudor é um desrespeito aos limites."

A mão dela que está livre sobe até o peito e junta as duas partes do robe enquanto continua a estudar e manipular os dedos dos pés. "Eu acabei de acordar", diz, como se isso explicasse seu exibicionismo.

"Obrigado, Henri." É importante que ela acredite que Benton não a quer sexualmente, nem mesmo em suas fantasias. "Mas você não acabou de acordar. Você acordou, veio para cá e nós conversamos, depois você tomou banho."

"Meu nome não é Henri", diz ela.

"De que nome gostaria que eu a chamasse?"

"De nenhum."

"Você tem dois nomes", diz ele. "Tem o nome com que foi batizada ao nascer e o nome que usava em sua carreira de atriz, e ainda usa."

"Bem, eu sou Henri, então", diz, olhando para os dedos dos pés.

"Então vou chamá-la de Henri."

Ela assente com a cabeça, olhando para os dedos dos pés. "Como você a chama?"

Benton sabe de quem ela está falando, mas não responde.

"Você dorme com ela. Lucy me contou tudo." Ela enfatiza a palavra "tudo".

Benton sente uma pontada de raiva, mas não demonstra. Lucy não contaria a Henri tudo sobre seu relacionamento com Scarpetta. Não, ele lembra a si mesmo. Henri o está incitando de novo, testando de novo os limites dele. Não, rompendo de novo os limites dele.

"Como ela não está aqui com você?", pergunta Henri. "São suas férias, não são? E ela não está aqui. Muitas pessoas não fazem sexo depois de algum tempo. Essa é uma das razões pelas quais não quero ficar com ninguém, não por muito tempo. Normalmente, depois de seis meses, as pessoas param de fazer sexo. Ela não está aqui porque eu estou." Henri o encara.

"Isso está correto", retruca ele. "Ela não está aqui porque você está, Henri."

"Ela deve ter ficado louca quando você contou que ela não podia vir."

"Ela entende", diz ele, mas agora não está sendo inteiramente honesto.

Scarpetta entendeu e não entendeu. "Você não pode vir a Aspen neste momento", disse a ela depois que recebeu o telefonema de Lucy em pânico. "Surgiu um caso e eu vou ter de lidar com ele."

"Você está saindo de Aspen, então", disse Scarpetta.

"Eu não posso falar sobre o caso", respondeu, e, por tudo que ele sabe, ela pensa que neste exato momento ele está em qualquer lugar menos em Aspen.

"É uma injustiça, Benton", disse ela. "Reservei duas semanas para nós. Eu também tenho casos."

"Por favor, seja paciente comigo", contrapôs ele. "Juro que explico tudo depois."

"Justo agora", disse ela. "Este é um momento muito ruim. Nós precisamos desse tempo."

Eles precisam mesmo desse tempo, e em vez disso ele está aqui com Henri. "Conte para mim seus sonhos de ontem à noite. Você se lembra deles?", ele está dizendo a Henri.

Os dedos ágeis de Henri acariciam o dedão do pé esquerdo, como se ele estivesse dolorido. Faz uma careta. Benton se levanta. Casualmente, ele pega a Glock e caminha da sala de estar até a cozinha. Abrindo um armário, põe a pistola em uma das prateleiras de cima, tira duas xícaras e serve café. Ele e Henri tomam café puro.

"Talvez esteja um pouco forte. Eu posso fazer mais", e ele põe a xícara dela numa mesinha lateral e volta a seu lugar no sofá. "Anteontem à noite você sonhou com um monstro. Na verdade, você o chamou de 'a fera', não foi?" Os olhos aguçados dele miram os infelizes olhos dela. "Você viu a fera de novo ontem à noite?"

Ela não responde, e seu humor mudou radicalmente em relação ao do início da manhã. Algo aconteceu no banho, mas ele vai tratar disso depois.

"Não precisamos falar sobre a fera se não quiser, Henri. Mas, quanto mais você me contar sobre ela, maior a probabilidade de eu encontrá-la. Você quer que eu a encontre, não quer?"

"Com quem você estava falando?", pergunta ela na mesma voz infantil sussurrada. Mas ela não é criança. É tudo menos inocente. "Você estava falando sobre mim", insiste ela, enquanto a faixa de seu robe se afrouxa e mais carne aparece.

"Juro que não estava falando sobre você. Ninguém sabe que você está aqui, ninguém além de Lucy e Rudy. Acho que você confia em mim, Henri." Pára, olhando para ela. "Acho que você confia em Lucy."

Os olhos dela mostram irritação à menção do nome de Lucy.

"Acho que você confia em nós, Henri", diz Benton, sentado calmamente, de pernas cruzadas, os dedos entrelaçados no colo. "Eu gostaria que você se cobrisse, Henri."

Ela arruma o robe, enfiando-o entre as pernas e apertando a faixa. Benton sabe exatamente como é o corpo dela nu, mas não o fantasia. Ele viu fotografias, e não vai olhá-las outra vez a menos que seja necessário revisá-las com outros profissionais e até com ela, quando estiver pronta, se estiver pronta. Por ora, ela reprime os fatos do caso involuntariamente ou de propósito, e age de maneiras que seduziriam e deixariam furiosos seres humanos mais fracos, que não se preocupam com as tramas dela nem as entendem. Suas incansáveis tentativas de excitar sexualmente Benton não têm a ver apenas com transferência; são uma manifestação direta das necessidades agudas e crônicas de Henri e do desejo que tem de controlar e dominar, degradar e destruir qualquer um que ouse se preocupar com ela. Cada ação e reação de Henri tem a ver com ódio a si mesma e raiva.

"Por que Lucy me mandou embora?", pergunta ela.

"Você pode me dizer? Por que você não me conta o motivo de estar aqui?"

"Porque..." Ela enxuga os olhos na manga do robe. "A fera."

Benton olha com firmeza para ela de sua posição segura no sofá, as palavras no bloco de anotações ilegíveis de onde ela está sentada e bem além do alcance dela. Ele não estimula a conversa dela. É importante ser paciente, como um caçador na floresta que fica perfeitamente quieto e mal respira.

"A fera entrou na casa. Eu não me lembro."

Benton a observa em silêncio.

"Lucy a deixou entrar na casa", diz ela.

Benton não a pressiona, mas nunca permite desinformação ou mentiras descaradas. "Não. Lucy não a deixou entrar na casa", corrige-a Benton. "Ninguém a deixou entrar na casa. Ela entrou porque a porta de trás estava destrancada e o alarme estava desligado. Nós já conversamos sobre isso. Você se lembra por que a porta estava destrancada e o alarme estava desligado?"

Ela olha para os dedos dos pés, as mãos imóveis.

"Nós já conversamos sobre o motivo", diz ele.

"Eu estava gripada", responde ela, olhando para outro dedo. "Eu estava doente e Lucy não estava em casa. Eu estava tremendo e saí para o sol, e me esqueci de trancar a porta e ligar o alarme. Estava com febre e esqueci. Lucy põe a culpa em mim."

Ele toma seu café. Já está frio. O café não fica quente nas montanhas de Aspen, Colorado. "Lucy disse que a culpa é sua?"

"Ela acha isso." Henri está olhando para além dele agora, pela janela atrás da cabeça de Benton. "Ela acha que tudo é culpa minha."

"Ela nunca me disse que acha que a culpa é sua", diz ele. "Você estava me contando sobre seus sonhos", ele volta a isso. "Os sonhos que teve ontem à noite."

Ela pisca e massageia outra vez o dedão.

"Está doendo?"

Ela faz que sim.

"Sinto muito. Quer pôr alguma coisa nele?"

Ela sacode a cabeça. "Nada vai adiantar."

Ela não está falando sobre o dedão do pé direito, está fazendo a ligação entre o fato de ele ter sido quebrado e o de ela agora se encontrar sob os cuidados protetores de Benton a mais de mil e quinhentos quilômetros de Pompano Beach, Flórida, onde quase morreu. Os olhos de Henri estão em brasa.

"Eu estava andando por uma trilha", diz ela. "Havia rochas de um lado, uma parede só de rochas muito perto da trilha. Havia fendas, uma fenda entre as rochas, e não sei por que fiz isso, mas me enfiei nela e fiquei presa." Ela prende a respiração e tira dos olhos o cabelo loiro, e sua mão treme. "Fiquei presa entre as pedras... não conseguia me mexer, não conseguia respirar. Não conseguia me soltar. E ninguém podia me tirar dali. Enquanto tomava banho, me lembrei de meu sonho. A água estava batendo em meu rosto, e, quando eu prendi a respiração, me lembrei do meu sonho."

"Alguém tentou tirar você?" Benton não reage ao terror dela nem julga se é verdadeiro ou falso. Ele não sabe o que é. Com ela, não há muita coisa que ele saiba.

Ela está imóvel na poltrona, lutando para respirar.

"Você disse que ninguém podia tirar você", continua Benton, calmo, tranqüilo, no tom não provocativo do conselheiro que ele se tornou para ela. "Havia outra pessoa lá? Ou outras pessoas?"

"Eu não sei."

Ele espera. Se ela continuar a lutar para respirar, ele vai ter de fazer alguma coisa. Mas por enquanto é paciente, o caçador à espera.

"Não consigo me lembrar. Não sei por quê, mas por um minuto pensei que alguém... isso me ocorreu no meu sonho, talvez, que alguém podia lascar as rochas. Talvez com uma picareta. E então eu pensei, não. A rocha era dura demais. Você não pode me tirar daqui. Ninguém pode. Eu vou morrer. Eu ia morrer, sabia disso, e aí não consegui mais agüentar, então o sonho parou." A delirante interpretação dela se interrompe de forma tão abrupta quanto o sonho aparentemente o fez. Henri respira fundo e seu corpo relaxa. Seus olhos estão fixos em Benton. "Foi horrível", diz ela.

"Sim", diz ele. "Deve ter sido horrível. Não posso pensar em nada mais assustador do que não conseguir respirar."

Ela põe a mão espalmada no coração. "Meu peito não conseguia se mexer. Eu estava ofegante, sabe? E depois simplesmente não tinha mais força."

"Ninguém teria força suficiente para mover a face da rocha de uma montanha", responde ele.

"Eu não conseguia ar."

A pessoa que a atacou talvez tenha tentado sufocá-la ou asfixiá-la, e Benton visualiza as fotografias. Uma por uma ele ergue as fotografias em sua mente e examina os ferimentos de Henri, tentando entender o que ela acaba de dizer. Vê sangue gotejando do nariz, espalhado pelas bochechas e manchando o lençol embaixo da cabeça dela, enquanto ela está deitada de barriga para baixo na cama. Seu corpo está nu e descoberto, os braços abertos acima da cabeça e a palma das mãos virada para a cama, as pernas dobradas, uma mais que a outra.

Benton examina outra fotografia, concentrando-se nela em sua memória enquanto Henri se levanta da poltrona. Ela murmura que quer mais café e vai pegá-lo ela mesma. Benton processa o que ela diz e o fato de sua pistola estar no armário da cozinha, mas Henri não sabe em qual armário porque estava de costas para ele quando ele escondeu a pistola. Ele a observa, vendo o que ela está fazendo enquanto lê os hieróglifos dos ferimentos, as marcas no corpo dela. A parte de cima das mãos estava vermelha porque ele ou ela, e Benton não supõe o gênero de quem a atacou, a machucou. Henri tinha contusões recentes na parte de cima das mãos, e várias áreas avermelhadas de contusão na parte superior das costas. Nos dias que se seguiram, a vermelhidão de vasos sangüíneos subcutâneos rompidos escureceu até se tornar um violeta turbulento.

Benton observa Henri servir mais café. Pensa nas fotografias do corpo inconsciente no local em que foi encontrado. O fato de o corpo ser bonito não tem nenhuma importância além da consideração por Benton de que todos os detalhes da aparência e do comportamento dela podem ter sido detonadores violentos para quem tentou matá-la. Henri é magra, mas seguramente não é andrógina. Tem seios e pêlos pubianos e não seria atraente para um pedófilo. No momento do ataque, estava sexualmente ativa.

Ele a observa voltando para a poltrona de couro, as duas mãos envolvendo a caneca de café. O fato de ela não ser gentil não o incomoda. Uma pessoa educada teria perguntado se ele também queria mais café, mas Henri talvez seja um dos seres mais egoístas e insensíveis que Benton já conheceu, e era egoísta e insensível antes do ataque, e sempre será egoísta e insensível. Seria bom se ela nunca mais encontrasse Lucy. Mas ele não tem o direito de querer isso nem de fazer isso acontecer, pensa.

"Henri", diz Benton, levantando-se para pegar mais café, "você está pronta para fazer uma verificação de fatos esta manhã?"

"Sim. Mas não consigo me lembrar." A voz dela o segue até a cozinha. "Eu sei que você não acredita em mim."

"Por que acha isso?" Ele serve mais café e volta para a sala.

"O médico não acreditou."

"Ah, sim, o médico. Ele disse que não acreditava em você", diz Benton ao se sentar no sofá. "Acho que você sabe minha opinião sobre aquele médico, mas vou dizer qual é outra vez. Ele acha que as mulheres são histéricas e não gosta delas, com certeza ele não tem nenhum respeito por elas, e isso acontece porque tem medo delas. Ele também é um médico de pronto-socorro, e não sabe nada sobre agressores violentos ou vítimas."

"Ele acha que eu mesma é que fiz tudo", responde Henri com raiva. "Ele acha que não escutei o que ele disse para a enfermeira."

Benton reage com muito cuidado. Henri está oferecendo uma informação nova. Ele só pode torcer para que seja verdadeira. "Conte para mim", diz ele. "Eu gostaria muito de saber o que ele disse à enfermeira."

"Eu devia processar aquele babaca", acrescenta ela.

Benton espera, bebendo seu café.

"Talvez eu processe", acrescenta, rancorosa. "Ele achava que eu não estava ouvindo o que ele falava porque eu estava de olhos fechados quando ele entrou no quarto. Estava deitada meio dormindo, e a enfermeira estava no vão da porta, e depois ele apareceu. Então fingi que estava desligada."

"Fingiu que estava dormindo", diz Benton.

Ela assente.

"Você é uma atriz treinada. E já foi atriz profissional."

"Ainda sou. A gente não pára simplesmente de ser atriz. Eu só não estou em nenhuma produção agora porque tenho outras coisas para fazer."

"Você sempre foi boa em interpretar, imagino", diz ele. "Sim."

"Em fingir. Você sempre foi boa em fingir." Ele faz

uma pausa. "Você finge as coisas com muita freqüência, Henri?"

Os olhos dela se endurecem quando ela olha para ele. "Eu estava fingindo no quarto do hospital para poder ouvir o médico. Ouvi tudo o que ele disse. Ele disse: 'Nada como ser estuprada se você está com raiva de alguém. Vale muito a pena'. E ele riu."

"Eu não a culpo por querer processá-lo", diz Benton. "Isso foi na sala do pronto-socorro?"

"Não, não. No meu quarto. Naquele mesmo dia mais tarde, quando eles me mudaram para um dos andares, depois de fazer todos os exames. Não me lembro qual andar."

"É pior ainda", diz Benton. "Ele não devia ter ido a seu quarto. Ele é um médico do pronto-socorro e não está alocado em um dos andares. Ele parou lá porque era curioso, e isso não está certo."

"Eu vou processá-lo. Detesto aquele sujeito." Ela massageia de novo o dedo, e o dedo machucado e as contusões em suas mãos agora têm um tom amarelado de nicotina. "Ele fez algum comentário sobre Dextro Heads. Não sei o que é isso, mas ele estava me insultando, me gozando."

Mais uma vez, essa é uma informação nova, e Benton sente uma esperança renovada de que com tempo e paciência ela se lembre mais ou seja mais sincera. "Um Dextro Head é alguém que abusa de antialérgicos e remédios para gripe ou xaropes contra tosse que contêm narcóticos. É muito comum entre os adolescentes, infelizmente."

"Aquele babaca", murmura ela, segurando o robe. "Você não pode fazer alguma coisa para atazanar a vida dele?"

"Henri, você tem alguma idéia da razão de ele ter sugerido que você foi estuprada?", pergunta Benton.

"Não sei. Acho que não fui."

"Você se lembra da enfermeira forense?"

Ela sacode lentamente a cabeça, negando.

"Você foi levada de maca para uma sala de exame perto do pronto-socorro, e eles usaram em você um PERK, um kit de recuperação de provas físicas. Você sabe o que é, não? Quando ficou cansada de interpretar, você trabalhou como policial, antes de Lucy a conhecer em Los Angeles neste outono, faz apenas alguns meses, e a contratar. Então você conhece amostras colhidas com cotonete e coleta de cabelo e fibras e todo o resto."

"Eu não fiquei cansada de trabalhar como atriz. Só queria dar um tempo, para fazer outra coisa."

"Tudo bem. Mas você se lembra do PERK?"

Ela balança a cabeça.

"E a enfermeira? Eu soube que ela foi muito legal. O nome dela é Brenda. Ela examinou você para ver se encontrava ferimentos e indícios de ataque sexual. A sala também é usada para crianças, e estava cheia de animais de pelúcia. O papel de parede era do Ursinho Pooh, tinha ursos, potes de mel, árvores. Brenda não estava usando uniforme de enfermeira. Ela vestia um conjunto azul."

"Você não estava lá."

"Ela me contou pelo telefone."

Henri encara os pés nus, que estão em cima da almofada da poltrona. "Você perguntou a ela o que estava vestindo?"

"Ela tem olhos castanho-claros e cabelo preto curto." Benton tenta desalojar o que Henri está reprimindo ou finge estar reprimindo, e é hora de discutir o kit de recuperação de provas físicas. "Não havia nenhuma secreção seminal, Henri. Nenhum indício de ataque sexual. Mas Brenda encontrou fibras aderidas a sua pele. Parece que você estava com algum tipo de loção ou óleo para o corpo. Você se lembra de passar loção ou óleo para o corpo naquela manhã?"

"Não", responde ela calmamente. "Mas não posso dizer que não fiz isso."

"Sua pele estava oleosa", diz Benton. "Segundo Brenda. Ela detectou uma fragrância. Uma fragrância agradável, como a de uma loção perfumada para o corpo."

"Não foi ele que passou em mim."

75

"Ele?"

"Deve ter sido um homem. Você não acha que foi um homem?", diz ela com uma inflexão esperançosa, com o tom de voz que se usa quando se quer enganar a si próprio ou aos outros. "Não poderia ter sido uma mulher. Mulheres não fazem coisas desse tipo."

"Mulheres fazem todos os tipos de coisas. Neste momento não sabemos se foi um homem ou uma mulher. Foram encontrados vários cabelos no colchão que estava na cama, cabelos pretos encaracolados. Com um comprimento de doze a quinze centímetros."

"Bem, logo vamos saber isso, certo? Eles podem pegar DNA do cabelo e descobrir se não é uma mulher", diz ela.

"Eu acho que não podem. O tipo de exame de DNA que eles estão fazendo não consegue determinar o gênero. Possivelmente a raça, mas não o gênero. E mesmo a raça vai demorar pelo menos um mês. Então você acha que você mesma pode ter passado a loção."

"Não. Mas não foi ele. Eu não deixaria ele fazer isso. Eu teria brigado com ele se tivesse chance. Provavelmente ele queria fazer isso."

"E não foi você quem passou a loção?"

"Eu disse que não foi ele e não fui eu e chega. Isso não é da sua conta."

Benton entende. A loção não tem nada a ver com o ataque, supondo que Henri esteja falando a verdade. Lucy entra nos pensamentos dele, e ele sente pena dela e tem raiva dela ao mesmo tempo.

"Conte-me tudo", diz Henri. "E conte o que você acha que aconteceu comigo. Você me diz o que aconteceu e eu concordo ou discordo." Ela sorri.

"Lucy chegou em casa", diz Benton, e essa é uma informação velha. Ele resiste a revelar coisas demais cedo demais. "Era meio-dia e pouco quando ela abriu a porta da frente e percebeu imediatamente que o alarme não estava ligado. Ela gritou para você, você não respondeu, e ela ouviu a porta de trás que leva à piscina bater contra o batente, e correu naquela direção. Quando chegou à cozinha, descobriu que a porta que leva à piscina e ao quebra-mar estava escancarada."

Henri olha de olhos arregalados para além de Benton, de novo para a janela. "Eu queria que ela o tivesse matado."

"Ela não viu quem era. É possível que a pessoa tenha ouvido quando ela se aproximou da garagem com a Ferrari preta e tenha corrido..."

"Ele estava em meu quarto comigo e então teve de descer todas aquelas escadas", interrompe Henri, desviando os olhos arregalados, e nesse momento parece a Benton que ela está contando a verdade.

"Lucy não estacionou na garagem dessa vez porque estava só passando para ver como você estava", diz Benton. "Então ela logo estava na porta da frente, entrou pela porta da frente enquanto ele saía correndo pela porta de trás. Ela não o perseguiu. Não o viu. Naquele momento, Lucy estava preocupada com você, não com quem pudesse ter entrado na casa."

"Eu discordo", diz Henri, quase feliz.

"Conte-me."

"Ela não chegou dirigindo a Ferrari preta. Ela estava na garagem. Ela estava usando a Ferrari azul Califórnia. Foi ela que ela estacionou na frente da casa."

Mais informação nova, e Benton permanece calmo, e muito relaxado. "Você estava doente na cama, Henri. Tem certeza de que sabe qual Ferrari ela dirigiu naquele dia?"

"Eu sempre sei. Ela não estava dirigindo a Ferrari preta porque ela estava danificada."

"Fale-me sobre isso."

"Ela foi danificada no estacionamento", diz Henri, examinando de novo seu dedo machucado. "Sabe, a academia na Atlantic, lá em Coral Springs. Onde nós vamos fazer ginástica às vezes."

"Você pode me contar quando isso aconteceu?", pergunta Benton, calmamente, sem mostrar a excitação que sente. A informação é nova e importante, e ele sente aonde ela leva. "A Ferrari preta foi danificada enquanto você estava na academia?" Benton a cutuca para que ela conte a verdade.

"Eu não disse que estava na academia", diz ela asperamente, e sua hostilidade confirma as suspeitas dele.

Ela pegou a Ferrari preta de Lucy para ir à academia, obviamente sem a permissão de Lucy. Ninguém tem permissão de dirigir a Ferrari preta, nem mesmo Rudy.

"Conte-me sobre o carro", diz Benton.

"Alguém o arranhou, com uma chave de carro ou coisa do tipo. Desenhou uma imagem nele." Ela olha bem para os dedos, pegando no dedão amarelado.

"Qual era o desenho?"

"Ela não ia dirigir a Ferrari depois disso. Ninguém sai com uma Ferrari arranhada."

"Lucy devia estar com raiva", diz Benton.

"Dá para consertar. Qualquer coisa pode ser consertada. Se ela o tivesse matado, eu não precisaria estar aqui. Agora vou passar o resto de minha vida pensando que ele vai me encontrar outra vez."

"Farei o possível para não deixar que você se preocupe com isso, Henri. Mas preciso de sua ajuda."

"Talvez eu nunca me lembre." Ela olha para ele. "Não posso evitar isso."

"Lucy subiu correndo três lances de escada até o quarto principal. Era lá que você estava", diz Benton, observando-a cuidadosamente, certificando-se de que ela pode lidar com o que ele diz, embora ela já tenha ouvido essa parte antes. O tempo todo, ele teve medo de que ela pudesse não estar interpretando, de que nada do que diz e faz seja interpretação. E se não for? Ela poderia romper com a realidade, tornar-se psicótica, completamente descompensada, e desmontar. Ela ouve, porém sua reação não é normal. "Quando Lucy a encontrou, você estava inconsciente, mas sua respiração e seus batimentos estavam normais."

"Eu não estava usando nada." Ela não se preocupa com esse detalhe. Gosta de fazê-lo lembrar seu corpo nu.

"Você dorme sem roupa?"

"Eu gosto."

"Lembra-se de ter tirado o pijama antes de voltar para a cama naquela manhã?"

"Provavelmente sim."

"Então não foi ele quem fez isso? O agressor. Supondo que seja um homem."

"Ele não precisou fazer isso. Mas eu tenho certeza de que teria feito."

"Lucy diz que, na última vez em que a viu, por volta de oito da manhã, você estava usando pijama de cetim vermelho e um robe castanho felpudo."

"Concordo. Porque eu queria sair. Sentei em uma espreguiçadeira ao lado da piscina, no sol."

Mais informação nova, e ele pergunta: "Que horas foi isso?".

"Logo depois que Lucy saiu, acho. Ela saiu na Ferrari azul. Bem, não logo depois", corrige-se num tom monótono, e olha para fora, para a manhã ensolarada e enevoada. "Eu fiquei louca com ela."

Benton se levanta lentamente e põe várias achas na lareira. Fagulhas sobem pela chaminé e as chamas lambem cobiçosamente o pinheiro bem seco. "Ela magoou você", diz ele, fechando a tela antifagulhas.

"Lucy não é legal quando as pessoas ficam doentes", responde Henri, mais concentrada, mais equilibrada. "Ela não queria cuidar de mim."

"E a loção para o corpo?", pergunta ele, e imaginou a loção para o corpo, está certo de que imaginou, mas é melhor ter certeza absoluta.

"E daí? Grande coisa. Isso é um favor, não é? Você sabe que muita gente adoraria fazer isso. Eu a deixei fazer como favor. Ela só faz isso, só o que é bom para ela, depois se cansa de cuidar de mim. Minha cabeça estava doendo e nós estávamos discutindo."

"Quanto tempo você ficou sentada ao lado da piscina?", diz Benton, tentando não se distrair com Lucy, tentando não imaginar que diabo ela estava pensando quando conheceu Henri Walden, e ao mesmo tempo ele tem muita consciência de como sociopatas podem ser impressionantes e enfeitiçantes, mesmo para pessoas que deveriam evitá-los.

"Não muito tempo. Eu não estava me sentindo bem."

"Quinze minutos? Meia hora?"

"Acho que meia hora."

"Você viu alguma outra pessoa? Algum barco?"

"Eu não percebi. Então talvez não houvesse nenhum. O que Lucy fez quando estava no quarto comigo?"

"Ela ligou para a emergência, continuou a verificar seus sinais vitais enquanto esperava pela equipe de resgate", diz Benton. Ele decide acrescentar outro detalhe, um detalhe arriscado. "Ela tirou fotografias."

"Ela tinha uma arma?"

"Sim."

"Eu queria que ela o tivesse matado."

"Você continua dizendo 'ele'."

"E ela tirou fotos? De mim?", diz Henri.

"Você estava inconsciente mas estável. Ela tirou fotos de você antes de você ser removida."

"Porque parecia que eu tinha sido atacada?"

"Porque seu corpo estava em uma posição incomum, Henri. Assim." Ele abre bem os braços e o segura acima da cabeça. "Você estava de rosto para baixo com os braços abertos acima da cabeça, a palma das mãos para baixo. Seu nariz estava sangrando, e você tinha ferimentos, como sabe. E seu dedão do pé direito estava quebrado, embora isso tenha sido descoberto depois. Você não parece se lembrar de como ele quebrou."

"Eu devo ter dado uma topada quando desci a escada", diz ela.

"Você se lembra disso?", quer saber Benton, e ela não se lembrou de nada nem admitiu nada sobre o dedão antes. "Quando pode ter acontecido?"

"Quando eu saí para a piscina. Aquelas escadas de pedra dela. Acho que perdi um degrau ou algo assim, por causa de todo o remédio e minha febre e tudo o mais. Eu me lembro de ter chorado. Me lembro disso. Porque doía, realmente doía, e pensei em ligar para ela, mas para que se importar? Ela não gosta quando estou doente ou machucada."

"Você quebrou o dedo quando ia para a piscina e pensou em ligar para Lucy mas não ligou." Ele quer deixar isso claro.

"Eu concordo", diz ela, zombeteira. "Onde estavam meu pijama e o robe?"

"Bem dobrados em uma cadeira ao lado da cama. Você os dobrou e pôs ali?"

"Provavelmente. Eu estava debaixo das cobertas?"

Ele sabe aonde ela quer chegar com isso, mas é importante lhe contar a verdade. "Não", responde ele. "As cobertas estavam puxadas até o pé da cama, caídas do colchão."

"Eu não estava usando nada e ela tirou fotos", diz Henri, e seu rosto está inexpressivo quando ela olha para ele com olhos duros e frios.

"Sim", diz Benton.

"Era de se prever. Ela faria mesmo uma coisa dessas. Sempre a policial."

"Você é uma policial, Henri. O que teria feito?"

"Ela faria mesmo uma coisa dessas", diz.

8

"Onde está você?", pergunta Marino quando vê o número de Lucy na tela de seu telefone celular, que está vibrando. "Qual a sua localização?" Ele sempre lhe pergunta onde ela está, mesmo que a resposta não seja relevante.

Marino passou a vida adulta na polícia, e um detalhe que um bom policial nunca despreza é a localização. Não adianta nada pegar seu rádio e gritar Socorro se você não souber onde está. Marino se considera o mentor de Lucy, e não a deixa esquecer isso, mesmo que ela já tenha esquecido há muitos anos.

"Atlantic", a voz de Lucy retorna no ouvido direito dele. "Estou no carro."

"Não brinca, Sherlock. Você parece estar num depósito de lixo." Marino nunca perde uma oportunidade de criticá-la por seus carros.

"A inveja é uma coisa muito desagradável", diz ela.

Ele anda vários passos para longe da área de café do Gabinete do Legista-Chefe, olhando em volta, não vendo ninguém e satisfeito por sua conversa não estar sendo ouvida.

"Olha, as coisas não estão indo muito bem por aqui", diz ele, olhando através da janelinha de vidro da porta fechada da biblioteca, vendo se há alguém dentro. Não há ninguém. "Este lugar está uma desgraça." Ele continua a falar em seu minúsculo telefone celular, movendo-o para um lado e para outro entre a orelha e a boca, conforme está ouvindo ou falando. "Estou só lhe dando um toque."

Depois de uma pausa, Lucy responde: "Você não está só me dando um toque. O que você quer que eu faça?".

"Caramba, que carro barulhento." Ele anda, seus olhos se movendo constantemente embaixo da aba do boné de beisebol do LAPD que Lucy lhe deu de brincadeira.

"O.k., agora você está começando a me preocupar", diz ela acima do ronco de sua Ferrari. "Eu devia saber, quando você disse que não era grande coisa, que ia acabar sendo grande coisa. Droga, eu lhe avisei, avisei a vocês dois para não voltar aí."

"Há mais do que uma garota morta", responde ele calmamente. "É isso que eu estou investigando. Não tem a ver só com isso, não de todo. Não estou dizendo que ela não seja o problema principal. Tenho certeza de que é. Mas há algo mais acontecendo aqui. Nosso amigo comum", refere-se a Benton, "está deixando isso muito claro. E você a conhece." Agora ele fala de Scarpetta. "Ela vai terminar bem no meio da merda."

"Há mais alguma coisa acontecendo? Tipo o quê? Me dê um exemplo." O tom de Lucy muda. Quando ela fica muito séria, sua voz fica lenta e rígida, fazendo Marino pensar em cola secando.

Se há problema aqui em Richmond, pensa Marino, ele está frito, tudo bem. Lucy vai cair em cima dele como cola, tudo bem. "Deixe-me dizer uma coisa, chefe", continua ele, "uma das razões pelas quais ainda circulo é que eu tenho pressentimentos."

Marino a chama de chefe como se estivesse satisfeito com o fato de ela ser a chefe dele, quando é claro que ele não está nada satisfeito, especialmente se seus notáveis pressentimentos o avisam de que ele está prestes a ganhar a desaprovação dela. "E meus pressentimentos neste momento são de um assassinato sangrento, chefe", diz ele, e uma parte dele sabe muito bem que Lucy e sua tia Kay Scarpetta vêem sua insegurança quando ele começa a contar bravatas ou se gabar de seus pressentimentos, ou chamar mulheres poderosas de chefe ou de Sherlock, ou de outros nomes menos educados. Mas ele simplesmente não pode evitar. Então ele piora as coisas. "E vou lhe dizer mais uma coisa", continua, "eu odeio esta cidade fedorenta. Droga, eu odeio este lugar fedorento. Sabe o que há de errado neste lugar fedorento? Eles não têm respeito, é isso."

"Eu não vou dizer que lhe falei isso", diz Lucy. Agora a voz dela está se firmando como cola muito depressa. "Você quer que a gente vá até aí?"

"Não", diz ele, e fica chateado por não poder contar a Lucy o que pensa sem que ela suponha que deva fazer alguma coisa a respeito. "Neste exato momento, estou apenas lhe dando um toque, chefe", diz ele, desejando não ter ligado para Lucy e contado nada a ela. Foi um erro ligar para ela, pensa. Mas, se ela descobrir que a tia está tendo dificuldades e ele não disse uma palavra, Lucy vai cair de pau em cima dele.

Quando ele a conheceu ela tinha dez anos. Dez. Uma tampinha gorducha de óculos e com uma atitude detestável. Eles odiavam um ao outro, depois as coisas mudaram e ela passou a vê-lo como herói, e então se tornaram amigos, e depois as coisas mudaram de novo. Em algum lugar ao longo do caminho, ele devia ter interrompido o progresso, todas as mudanças, porque há cerca de dez anos as coisas estavam muito bem e ele se sentia bem de ensinar a ela como dirigir sua caminhonete e andar de motocicleta, como atirar, como tomar cerveja, como saber se alguém está mentindo, as coisas importantes da vida. Nessa época ele não tinha medo dela. Talvez medo não seja a palavra correta para descrever o que ele sente, mas ela tem poder na vida e ele não, e metade do tempo, quando ele desliga o telefone depois de falar com ela, sente-se muito deprimido e mal consigo mesmo. Lucy pode fazer o que quiser e ainda ter dinheiro e mandar nas pessoas, e ele não pode. Nem mesmo quando era um policial juramentado ele podia ostentar poder da forma como ela faz. Mas ele não está com medo dela, pensa. Claro que não, não está.

"Nós vamos até aí se você precisar", diz Lucy pelo telefone. "Mas o momento não é bom. Eu estou cuidando de uma coisa aqui e não é um bom momento."

"Eu lhe disse que não preciso que você venha para cá", diz Marino, rabugento, e ficar rabugento sempre foi o encanto mágico que obriga as pessoas a se preocupar mais com ele e seus humores do que com elas mesmas e seus humores. "Estou dizendo o que está acontecendo, e é isso. Eu não preciso de você. Não há nada que você possa fazer."

"Bom", diz Lucy. A rabugice não funciona mais com ela. Marino sempre se esquece disso. "Eu preciso ir."

9

Com o dedo indicador esquerdo, Lucy toca na aleta e muda de marcha, e o motor sobe mil rotações por minuto com um estrondo, enquanto ela desacelera. O detector de radar pipila e o alerta dianteiro pisca em vermelho, indicando o radar da polícia em algum lugar à frente.

"Eu não estou correndo", diz a Rudy Musil, que está sentado no banco do passageiro, perto do extintor de incêndio, e ele olha para o velocímetro. "Só estou uns dez quilômetros acima do limite."

"Eu não disse nada", rebate ele, olhando em seu espelho retrovisor lateral.

"Deixe-me ver se estou certa." Ela mantém o carro em terceira e apenas um pouco acima de oitenta quilômetros por hora. "O carro da polícia vai estar no próximo cruzamento esperando por nós, os brutos que não vêem a hora de chegar à costa e voar."

"O que está acontecendo com Marino? Deixe-me adivinhar", diz Rudy. "Eu preciso fazer as malas."

Os dois mantêm sua varredura constante, verificando espelhos, prestando atenção em outros carros, cientes de cada palmeira, pedestre e edifício nessa extensão plana de shopping centers. O tráfego é moderado e relativamente educado num momento na Atlantic Boulevard, em Pompeo Beach, bem ao norte de Fort Lauderdale.

"É", diz Lucy. "Olha ele aí." Seus óculos escuros olham bem para a frente quando ela ultrapassa um Ford LTD azulescuro que acabou de virar à direita vindo da Powerline

Road, um cruzamento com uma loja de conveniência Eckerd's e o Discount Meat Market. O Ford sem identificação desliza para trás dela na faixa da esquerda.

"Você o deixou curioso", diz Rudy.

"Bem, ele não é pago para ser curioso", diz ela agressivamente, enquanto o Ford sem identificação a segue, e sabe muito bem que o policial está esperando que ela faça alguma coisa que lhe dê motivo para acender as luzes e verificar o carro e o jovem casal que está nele. "Olha isso. Pessoas me ultrapassando pela pista da direita, e aquele cara com a plaqueta vencida." Ela aponta. "E o tira está mais interessado em mim."

Ela pára de olhar para ele no retrovisor interno e desejar que Rudy melhore seu humor. Desde que ela abriu um escritório em Los Angeles, ele está mal-humorado. Não está muito certa de como fez isso, mas evidentemente calculou as ambições e necessidades dele na vida. Imaginou que Rudy adoraria um prédio alto na Wilshire Boulevard com uma vista tão imensa que num dia claro é possível ver a ilha Catalina. Mas estava errada, terrivelmente errada, tanto quanto sempre esteve a respeito de qualquer coisa que tenha imaginado sobre ele.

Uma massa de ar está vindo do sul, o céu dividido em camadas que variam entre fumaça grossa e cinza perolado banhado de sol. O ar mais fresco empurra a chuva que por vezes caiu em pancadas hoje, deixando poças que batem no chassi do carro de suspensão baixa de Lucy. Logo à frente, um bando de gaivotas migradoras rodopia sobre a estrada, voando baixo em direções loucas, e Lucy continua a dirigir, com o carro não identificado a perseguindo colado em sua traseira.

"Marino não tem muito a dizer", responde à pergunta que Rudy fez há pouco. "Só que alguma coisa está acontecendo em Richmond. Como sempre, minha tia está se metendo numa enrascada."

"Ouvi você oferecer nossos serviços. Pensei que ela estava só dando uma consultoria sobre alguma coisa. O que está havendo?"

"Não sei se precisamos fazer alguma coisa. Vamos ver. O que está acontecendo é que o chefe, não consigo me lembrar do nome dele, pediu a ela ajuda em um caso, uma criança, uma garota, que morreu de repente, e ele não consegue descobrir por quê. O gabinete dele não consegue, o que não é nenhuma surpresa. Ele está lá não faz nem quatro meses e lava as mãos diante do primeiro problema grande e chama minha tia. Ei, que tal você vir até aqui e pisar nessa merda, assim eu não preciso fazer isso. Certo? Eu disse a ela para não se meter nisso, e agora parece que há outros problemas. Grande surpresa. Eu não sei. Eu disse a ela que não voltasse a Richmond, mas ela não me ouve."

"Ela ouve você mais ou menos tanto quanto você a ouve", diz Rudy.

"Sabe de uma coisa, Rudy? Eu não gosto desse cara." Lucy olha no retrovisor interno, para o Ford não identificado.

Ele ainda está colado no pára-choque dela, e o motorista é uma pessoa de pele escura, talvez um homem, mas Lucy não consegue saber e não quer parecer interessada nele, nem sequer ciente da presença dele, e então outra coisa lhe ocorre.

"Droga, eu sou uma idiota", diz, incrédula. "Meu radar não desligou. O que eu estou pensando? Ele não deu nenhum pipilo desde que esse carro entrou atrás de nós. Não é um carro da polícia com radar. Não pode ser. E ele está nos seguindo."

"Fácil", diz Rudy. "Apenas dirija e o ignore. Vamos ver o que ele faz. Provavelmente é só um sujeito olhando para seu carro. É isso que você consegue dirigindo carros como este. Cansei de falar para você. Merda."

Rudy não costumava passar sermão em Lucy. Quando se conheceram há alguns anos, na academia do FBI, tornaram-se colegas, depois parceiros, depois amigos, e depois ele pensava nela em termos pessoais e profissionais o bastante para deixar a carreira de policial pouco tempo depois que ela fez isso, e passou a trabalhar para a empresa dela, que pode ser descrita como uma firma de investigação privada internacional, por falta de uma melhor definição do que faz A Última Delegacia, ou seus funcionários. Mesmo algumas pessoas que trabalham para a AUD não sabem o que ela faz e nunca encontraram sua fundadora e proprietária, Lucy. Alguns funcionários nunca encontraram Rudy, ou, se o fizeram, não sabem quem ele é nem o que faz.

"Verifique a placa no computador", diz Lucy.

Rudy está com seu computador de mão e o liga, mas não pode verificar o número da placa porque não consegue vê-lo. O carro não tem placa na frente, e Lucy se sente uma idiota por pedir a ele que verifique um número que ele não consegue ver.

"Deixe-o ultrapassar", diz Rudy. "Eu não consigo ver a placa dele a não ser que ele a ultrapasse."

Ela toca na aleta esquerda e reduz para a segunda marcha. Agora está dez quilômetros abaixo da velocidade-limite, e o motorista permanece atrás dela. Não parece interessado em ultrapassá-la.

"O.k., vamos iniciar o jogo", diz ela. "Você está mexendo com a pessoa errada, seu babaca". De repente ela faz uma curva abrupta à direita e entra em um estacionamento de shopping.

"Oh, merda. Que porra...? Agora ele sabe que você está mexendo com ele", diz Rudy irritado.

"Veja a placa agora. Você deve conseguir vê-la."

Rudy se vira no assento, mas não consegue ver a placa porque o Ford LTD também virou, e ainda está colado na traseira deles, seguindo-os dentro do estacionamento.

"Pare", diz Rudy a Lucy. Ele está revoltado com ela, completamente revoltado com ela. "Pare o carro já."

Ela pisa devagar no freio e muda a marcha para ponto morto, e o Ford pára bem atrás dela. Rudy sai e caminha em direção a ele, enquanto o vidro da janela do motorista desce. Lucy está com a janela aberta, a pistola no colo, e observa a atividade em seu espelho retrovisor lateral e tenta afastar seus sentimentos. Ela se sente idiota, constrangida, com raiva e com um pouco de medo.

"Algum problema?", ouve Rudy dizer ao motorista, sem dúvida um hispânico, um jovem.

"Eu, com um problema? Só estava olhando."

"Talvez a gente não goste que você fique nos olhando."

"Este é um país livre. Eu posso olhar para a porra que quiser. Se você tem algum problema, foda-se!"

"Vá olhar para outro lugar. Agora suma daqui", diz Rudy elevando a voz. "Se nos seguir mais uma vez, vai entrar em cana, seu merdinha."

Lucy tem um estranho impulso de rir alto quando Rudy exibe suas credenciais falsas. Ela está suando e seu coração está disparado, e ela quer rir e sair do carro e matar o jovem hispânico, e quer gritar, e, como ela não entende nada sobre seus sentimentos, fica sentada atrás do volante de sua Ferrari e não se mexe. O motorista diz mais alguma coisa que ela não consegue entender e sai irritado, cantando pneu. Rudy volta para a Ferrari e entra.

"Bom trabalho", diz ele, enquanto ela volta ao tráfego na Atlantic. "Só um panaca interessado em seu carro, e você tem que transformar isso em um incidente internacional. Primeiro acha que algum tira a está seguindo porque o carro é um Crown Vic preto. Depois percebe que seu detector de radar não está detectando porra nenhuma, então você pensa... o quê? O que você pensou? A máfia? Algum assassino profissional que vai nos pegar no meio de uma estrada lotada?"

Ela não culpa Rudy por perder a paciência com ela, mas não pode permitir isso. "Não grite comigo", diz.

"Sabe de uma coisa? Você está descontrolada. Você é perigosa."

"Tem mais alguma coisa aí", diz ela, tentando parecer segura de si.

"Pode ter certeza que tem", retruca ele. "É a respeito dela. Você deixa alguém ficar em sua casa e olha o que acontece. Você poderia estar morta. Ela obviamente poderia estar morta. E alguma coisa pior vai acontecer se você não se controlar."

"Ela estava sendo seguida, Rudy. Não diga que a culpa é minha. A culpa não é minha."

"Seguida, claro, você está certíssima. Com toda certeza ela estava sendo seguida, e com toda certeza a culpa é sua. Se você dirigisse algo como um Jeep... ou dirigisse o Hummer. Nós temos Hummers da empresa. Por que você não dirige um deles de vez em quando? Se você não tivesse deixado ela dirigir sua maldita Ferrari. Exibindo-se, senhorita Hollywood. Puta que pariu. Em sua maldita Ferrari."

"Não fique com ciúme. Eu odeio..."

"Não estou com ciúme!", grita ele.

"Você está parecendo ciumento desde que a contratamos."

"Isso não tem nada a ver com o fato de você contratá-la! Contratou para quê? Ela vai proteger nossos clientes de Los Angeles? Que piada! Então você a contratou para fazer o quê? O quê?"

"Você não pode falar assim comigo", diz Lucy com calma, e ela está surpreendentemente calma, mas não tem escolha. Se revidar, eles de fato vão brigar, e ele pode fazer alguma coisa terrível, como se demitir.

"Eu não vou abdicar da minha vida. Vou dirigir o que quiser e viver onde quiser." Ela olha firmemente para a frente, para a estrada, para os carros entrando e saindo de ruas laterais e entrando em estacionamentos. "Vou ser generosa com quem eu quiser. Ela não tinha permissão de dirigir a minha Ferrari preta. Você sabe disso. Mas ela a pegou e foi isso que começou tudo. Ele a viu, a seguiu, e depois olhe o que aconteceu. A culpa não é de ninguém. Nem dela. Ela não o convidou a vandalizar meu carro e segui-la e tentar matá-la."

"Bom. Você vive do jeito que quiser viver", retruca Rudy. "E nós vamos ficar entrando em estacionamentos, e talvez da próxima vez eu bata em algum inocente estrangeiro que estava apenas olhando para a porra da sua Ferrari. Talvez eu atire em alguém. Ou talvez receba um tiro. Isso seria ainda melhor, certo? Eu receber um tiro por causa de um carro idiota."

"Acalme-se", diz Lucy quando pára em um sinal vermelho. "Por favor, acalme-se. Eu poderia ter lidado melhor com aquilo. Concordo."

"Lidado? Eu não percebi que você estava lidando com nada. Você só reagiu como uma idiota."

"Rudy, pare. Por favor." Ela não quer ficar irritada com ele a ponto de cometer um erro. "Você não pode falar assim comigo. Não pode. Não me obrigue a usar minha autoridade."

Ela vira à esquerda na A1A, dirigindo devagar ao longo da praia, e vários adolescentes quase caem das bicicletas quando se viram para olhar o carro dela. Rudy sacode a cabeça e dá de ombros, como se dissesse eu já falei o suficiente. Mas falar sobre a Ferrari não é mais sobre a Ferrari. Para Lucy, mudar o modo como ela vive é permitir que ele ganhe, e ela pensa na fera como um homem. Henri o chamou de fera, e a fera é do sexo masculino, Lucy acredita nisso. Ela não tem dúvida sobre isso. Que se dane a ciência, que se danem as provas, que se dane tudo. Ela sabe muito bem que a fera é um homem.

Ou ele é uma fera atrevida ou uma fera estúpida, porque deixou duas impressões digitais parciais na mesa-de-cabeceira com tampo de vidro. Ele foi estúpido ou descuidado de deixar impressões, ou talvez não se importe. Até agora, as impressões parciais não batem com nenhuma impressão em nenhum Sistema Automatizado de Identificação de Impressões Digitais, portanto talvez ele não tenha um cartão com impressões digitais dos dez dedos em nenhuma base de dados porque nunca foi preso, ou suas impressões nunca foram tiradas por alguma outra razão. Talvez ele não se importe de ter deixado três fios de cabelo na cama, três fios pretos, e por que deveria? Mesmo quando um caso é de alta prioridade, a análise de DNA mitocondrial pode levar de trinta a noventa dias. Não há nenhuma garantia de que os resultados valerão a pena, porque não existe uma base de dados de DNA mitocondrial centralizada e estatisticamente significativa, e, ao contrário do DNA de sangue e de tecido, o DNA mitocondrial de cabelo e de ossos não vai indicar o gênero do agressor. As provas que a fera deixou não importam. Talvez jamais tenham importância, a menos que ele se torne suspeito e seja possível fazer comparações diretas.

"Tudo bem. Estou confusa. Não estou sendo eu mesma. Estou deixando essa coisa me afetar", diz Lucy, concentrando-se na direção, aflita com a idéia de estar perdendo o controle, de Rudy estar certo. "O que eu fiz lá não devia ter acontecido. Nunca. Eu sou cuidadosa demais para fazer esse tipo de merda."

"Você é. Ela não." O queixo de Rudy está apontado teimosamente para a frente, seus olhos escurecidos por óculos de sol de lentes não polarizadas com acabamento espelhado. Nesse momento ele se recusa a deixar Lucy ver seus olhos, e isso a incomoda.

"Eu pensei que estávamos falando do cara hispânico", reage Lucy.

"Você sabe o que eu lhe disse desde o primeiro dia", comenta Rudy. "O perigo de alguém viver em sua casa. Alguém usar seu carro, suas coisas. Alguém voar sozinho em seu espaço aéreo. Alguém que não conhece as mesmas regras que você e eu conhecemos e com toda certeza não tem nosso treinamento. Nem se preocupa com as mesmas coisas que nós, inclusive nós mesmos."

"Nem tudo na vida tem a ver com treinamento", diz Lucy, e é mais fácil falar sobre treinamento do que sobre se alguém que você ama realmente importa. É mais fácil falar sobre o hispânico do que sobre Henri. "Eu nunca devia ter lidado com aquilo daquele jeito, e peço desculpas."

"Talvez você tenha esquecido como a vida na verdade é", retruca Rudy.

"Ah, por favor não comece com essa sua merda de

Escoteiro Sempre Alerta", diz ela irritada, e aumenta a velocidade, seguindo para o norte, aproximando-se do bairro Hillsboro, onde sua mansão mediterrânea de estuque cor de salmão dá para o estreito que liga a Hidrovia Intracosteira ao oceano. "Eu não acho que você consiga ser objetivo. Você não consegue nem dizer o nome dela. Alguém isso, alguém aquilo."

"Rá! Objetivo? Rá! Logo quem vem falar em objetividade." O tom dele está se aproximando perigosamente da crueldade. "Aquela cadela idiota arruinou tudo. E você não tinha o direito de fazer isso. Você não tinha o direito de me arrastar junto. Você não tinha esse direito."

"Rudy, nós temos de parar de brigar desse jeito", diz Lucy. "Por que brigamos assim?" Ela olha para ele. "Não está tudo arruinado."

Ele não responde.

"Por que brigamos assim? Isso está me deixando doente", diz ela.

Eles não costumavam brigar. Uma vez ou outra ele se aborrecia, mas nunca se virou contra ela até ela abrir o escritório em Los Angeles e recrutar Henri do LAPD. Uma buzina grave soa avisando que a ponte levadiça está prestes a subir, e Lucy reduz a marcha e pára outra vez, dessa vez recebendo um polegar erguido de um homem em um Corvette.

Ela sorri tristemente e sacode a cabeça. "Tudo bem, eu às vezes sou idiota", diz. "Herança genética, herança ruim. De meu pai biológico latino louco. Felizmente, não de minha mãe, embora fosse pior ser como ela. Muito pior."

Rudy não diz nada, olhando para a ponte que sobe e dá passagem a um iate.

"Não vamos brigar", diz ela. "Não está tudo arruinado. Puxa." Ela estica o braço e aperta a mão dele. "Uma trégua? Começar de novo? Precisamos ligar para Benton para que ele faça a negociação dos reféns? Porque você não é apenas meu amigo e parceiro hoje em dia. Você é meu refém, e eu imagino que sou sua refém, certo? Você está aqui porque precisa do emprego, ou pelo menos quer o emprego, e eu preciso de você. É desse jeito que é."

"Eu não tenho de estar em lugar nenhum", diz ele, e sua mão não se mexe. A mão está debaixo da dela, e ela a solta e retira a sua.

"Sei disso muito bem", reage ela, magoada por ele não tê-la tocado, e põe a mão rejeitada de volta no volante. "Vivo com medo o tempo todo atualmente. Você vai dizer, eu me demito. Tchau. Bons ventos a levem. Tenha uma boa vida."

Ele olha para o iate navegando através da ponte aberta, seguindo para o mar aberto. As pessoas no tombadilho do iate estão vestidas com bermudas e camisas folgadas, e se movem com a desenvoltura dos raros muito ricos. Lucy é muito rica. Mas nunca acreditou que é. Quando olha para o iate, ela ainda se sente pobre. Quando olha para Rudy, se sente mais pobre ainda.

"Café?", pergunta ela. "Você toma café comigo? Podemos sentar na piscina que nunca uso e ficar olhando para a água que nunca percebo naquela casa que eu desejaria não ter. Às vezes eu sou idiota", diz ela. "Tome um café comigo."

"Claro, acho que sim." Ele olha para fora pela janela como um garotinho emburrado, enquanto a caixa de correio de Lucy aparece. "Eu pensei que nós íamos derrubar essa coisa", diz ele, indicando a caixa de correio. "Você não recebe correio em casa. A única coisa que pode conseguir disso é algo que você não quer. Especialmente hoje em dia."

"Eu vou pedir ao paisagista que a derrube da próxima vez que ele vier", diz ela. "Eu não tenho ficado muito aqui. Abrir o escritório aqui e tudo o mais. Eu me sinto como a outra Lucy. A Lucy de *I love Lucy*. Você se lembra daquele episódio em que ela estava trabalhando na fábrica de doces e não conseguia acompanhar o ritmo porque os doces saíam muito depressa da correia?"

"Não."

"Você provavelmente nunca assistiu *I love Lucy* nem

uma vez em toda a sua vida", diz Lucy. "Minha tia e eu costumávamos nos sentar para assistir *Jackie Gleason, Bonanza, I love Lucy,* os programas que ela assistia quando era criança e adolescente aqui em Miami." Ela desacelera o carro até quase parar na caixa de correio ofensiva, no fim de sua entrada para carros. Scarpetta leva uma vida simples comparada ao modo como Lucy vive agora, e advertiu Lucy a respeito da casa.

Por um lado, ela é suntuosa demais para o bairro, Scarpetta disse a ela. Foi uma decisão tola comprar a casa, e Lucy cismou com a casa e chama a mansão de três andares e quatro mil metros quadrados de sua casa na cidade de nove milhões de dólares, porque ela é construída em um terço de um acre. Não há grama suficiente nem para alimentar um coelho, apenas pedras e uma pequena piscina de borda invisível, uma fonte e algumas palmeiras e plantas. Sua tia Kay não a advertiu sobre mudar para cá? Nenhuma privacidade ou segurança, e acessível a quem chega de barco, disse Scarpetta quando Lucy estava ocupada e preocupada demais para dar a atenção a sua propriedade de meio período, quando estava obcecada com a idéia de tornar Henri feliz. Você vai se arrepender, disse Scarpetta. Lucy se mudou para cá há menos de três meses e está chateada como nunca esteve na vida.

Lucy pressiona um controle remoto para abrir o portão e outro para abrir a garagem.

"Para que se preocupar?" Rudy está falando com ela sobre o portão. "A entrada para carro tem três metros de comprimento."

"Não me diga!", diz Lucy irritada. "Eu odeio este maldito lugar."

"Antes que você perceba, alguém está colado no seu traseiro e dentro de sua garagem", diz Rudy.

"Então eu vou ter de matá-los."

"Eu não estou fazendo piada."

"Nem eu", diz Lucy, enquanto a porta da garagem se fecha lentamente atrás deles.

10

Lucy estaciona a Ferrari Modena ao lado da preta, uma Scaglietti de doze cilindros que nunca se dará conta de sua potência em um mundo que regula a velocidade. Não olha para a Ferrari preta quando ela e Rudy descem da Modena. Desvia os olhos do capô danificado, do esboço grosseiro do enorme olho com cílios que está gravado na bela pintura lustrosa.

"Não que seja um assunto agradável", diz Rudy, andando entre as Ferraris, na direção da porta que leva ao interior da mansão. "Mas será mesmo que ela não fez isso?" Ele indica o capô arranhado da Scaglietti preta, mas Lucy não olha. "Eu ainda não tenho certeza de que não foi ela, de que ela não montou tudo."

"Ela não fez isso", diz Lucy, recusando-se a olhar para o capô danificado. "Eu tive de esperar na fila mais de um ano para conseguir este carro."

"Isso pode ser consertado", diz Rudy, e enfia as mãos nos bolsos enquanto Lucy abre a porta para eles entrarem e desliga um sistema de alarme que tem todos os dispositivos de detecção imagináveis, inclusive câmeras dentro e fora da casa. Mas as câmeras não gravam. Lucy decidiu que não queria gravar suas atividades privadas dentro de sua casa e de sua propriedade, e Rudy entende isso até certo ponto. Ele também não ia querer câmeras escondidas que o gravassem por toda a sua casa, mas atualmente não haveria muito a gravar em sua vida. Ele vive sozinho. Quando Lucy decidiu que não queria que suas câmeras gravassem o que se passava dentro e em volta de sua casa, ela não estava vivendo sozinha.

"Talvez devêssemos trocar suas câmeras por câmeras que gravam", diz Rudy.

"Eu vou me livrar deste lugar", responde Lucy.

Ele a segue para a enorme cozinha de granito e olha em volta da magnífica área de jantar e de estar, e para a vista externa do estreito e do oceano. O pé-direito tem seis metros e o teto foi pintado à mão com um afresco no estilo de Michelangelo de cujo centro pende um candelabro de cristal. A mesa de vidro da sala de jantar parece entalhada em gelo e é a coisa mais incrível que ele já viu. Ele não tenta imaginar quanto ela pagou pela mesa e pela mobília de couro macio e pelas pinturas de animais africanos, as enormes telas de elefantes, zebras, girafas e guepardos. Rudy não poderia nem começar a pagar uma única luminária da casa de meio período de Lucy na Flórida, nem um único tapete de seda, provavelmente nem algumas das plantas.

"Eu sei", diz ela enquanto ele olha em volta. "Eu piloto helicópteros e não consigo nem fazer funcionar a sala de cinema deste lugar. Odeio este lugar."

"Não me peça compaixão."

"Ei." Ela interrompeu a conversa com um tom que ele reconhece. Já está cansada de discutir.

Ele abre um dos freezers, procurando café, e diz: "O que você tem para comer neste lugar?".

"Chili. Feito em casa. Congelado, mas nós podemos amassá-lo."

"Parece uma boa idéia. Quer ir à academia mais tarde? Lá pelas cinco e meia?"

"Eu preciso", responde ela.

É só nesse momento que eles notam a porta de trás que leva à piscina, a mesma porta que ele, seja quem for, usou para entrar e sair da casa não faz nem uma semana. A porta está trancada, mas há alguma coisa colada no vidro por fora, e Lucy já está caminhando depressa naquela direção, antes que Rudy perceba o que aconteceu. Ela olha para uma folha branca sem pauta presa por um único pedaço de fita colante.

"O que é isso?", pergunta Rudy, fechando o freezer e olhando para ela. "Que diabo é isso?"

"Mais um olho", diz Lucy. "O desenho de outro olho, o mesmo olho. A lápis. E você achou que a Henri é quem tinha feito isso. Ela está no mínimo a mil e quinhentos quilômetros daqui, e você pensou que ela é que tinha feito. Agora você sabe." Lucy destranca e abre a porta. "Ele quer que eu saiba que ele está observando", diz ela com raiva, e sai para ter uma visão melhor do desenho do olho.

"Não toque!", grita Rudy para ela.

"Você acha que eu sou idiota?", ela grita de volta para ele.

11

"Desculpe", diz o jovem vestido com uniforme cirúrgico roxo, máscara e protetor facial, e protetores de cabelo e de sapatos, mais luvas duplas de látex. Ele parece a paródia de um astronauta enquanto se aproxima de Scarpetta. "O que você quer que façamos com as dentaduras dela?", pergunta ele.

Scarpetta começa a explicar que não trabalha ali, mas as palavras somem antes de deixar seu cérebro, e ela se vê olhando para a mulher obesa morta, enquanto duas pessoas, também vestidas como se estivessem esperando uma peste, a enfiam em um saco para cadáver que está em cima de uma maca de transporte reforçada o suficiente para suportar seu enorme peso.

"Ela tem dentaduras", diz o jovem de uniforme cirúrgico roxo, dessa vez para Fielding. "Nós as pusemos em uma caixa e depois nos esquecemos de enfiá-las no saco antes de costurá-la."

"Você não precisa enfiá-las no saco." Scarpetta decide lidar ela mesma com esse problema inusitado. "Elas precisam voltar para dentro da boca da mulher. A funerária e a família vão querer que elas estejam dentro de sua boca. Ela provavelmente gostaria de ser enterrada com seus dentes."

"Então não precisamos abri-la e tirar o saco", diz o soldado de roxo. "Puxa, ainda bem."

"Esqueça o saco", diz-lhe Scarpetta. "Nunca é preciso pôr as dentaduras no saco", continua, referindo-se ao saco

100

de plástico transparente reforçado que está dentro da cavidade vazia do peito da mulher obesa morta, o saco que contém seus órgãos seccionados, que não foram devolvidos a suas posições anatômicas originais, porque não é tarefa do patologista forense remontar as pessoas, nem isso é possível, mas seria como fazer um ensopado voltar à condição de vaca.

"Onde estão as dentaduras dela?", pergunta Scarpetta.

"Bem ali." O jovem de uniforme cirúrgico roxo aponta para um balcão do outro lado do complexo de autópsia. "Com os papéis dela."

Fielding não quer ter nada a ver com essa questão arrastada e ignora completamente o homem de roxo, que parece jovem demais para ser estagiário de medicina e talvez seja mais um dos soldados do Forte Lee. Ele deve ter concluído o colegial e está passando um período no Gabinete do Legista-Chefe porque suas obrigações militares exigem que aprenda a lidar com mortos de guerra. Scarpetta está inclinada a dizer, mas não diz, que mesmo soldados explodidos por granadas gostariam que suas dentaduras voltassem para casa com eles, de preferência dentro da boca, se ainda tiverem boca.

"Venha", diz ao soldado do Forte Lee vestido de roxo. "Vamos dar uma olhada."

Ela o acompanha pelo piso de cerâmica, passando por outra maca de transporte que chegou momentos antes, esta portando uma vítima de tiro, um jovem negro com braços fortes cobertos por tatuagens e dobrados rigidamente sobre o peito. Sua pele está arrepiada, uma reação *postmortem* de seus músculos *pilorum erector ao rigor mortis* que o faz parecer gelado ou apavorado, ou as duas coisas. O soldado do Forte Lee pega a caixa de plástico do balcão e vai entregá-la a Scarpetta quando percebe que ela não está usando luvas.

"Acho que é melhor eu me vestir de novo", diz ela, rejeitando luvas verdes de nitrilo, optando por um par de antiquadas luvas de látex que tira de uma caixa em um carrinho cirúrgico próximo. Ela calça as luvas e tira as dentaduras da caixa.

Ela e o soldado caminham de volta pelo piso de cerâmica, na direção da mulher desdentada.

"Sabe, da próxima vez que tiver um problema", diz Scarpetta ao jovem soldado de roxo, "você pode colocar as dentaduras junto com os pertences pessoais e deixar a funerária lidar com elas. Nunca as ponha no saco. Essa senhora é muito jovem para usar dentaduras."

"Eu acho que ela usava drogas."

"Baseado em quê?"

"Alguém disse isso", responde o soldado de roxo.

"Entendo", reflete Scarpetta, inclinada sobre o enorme corpo suturado na maca. "Drogas vasoconstritoras. Como cocaína. E os dentes caem."

"Eu sempre me perguntei por que as drogas fazem isso", diz o soldado de roxo. "Você é nova aqui?" Ele a encara.

"Não, é bem o contrário", responde Scarpetta, enfiando os dedos na boca da mulher morta. "Sou muito velha aqui. Estou só de visita."

Ele faz que sim com a cabeça, confuso. "Bem, você parece saber o que está fazendo", diz ele sem jeito. "Realmente sinto muito não ter reposto os dentes dela. Eu me sinto um idiota. Espero que ninguém conte ao chefe." Ele sacode a cabeça e exala o ar ruidosamente. "É só o que me faltava. Ele não gosta nada de mim."

O *rigor mortis* já se foi, e os músculos da mandíbula da mulher obesa morta não resistem aos dedos de Scarpetta, mas as gengivas não querem as dentaduras pela simples razão de que elas não se encaixam.

"Não são dela", diz Scarpetta, repondo as dentaduras na caixa e devolvendo-a ao soldado de roxo. "São muito grandes, grandes demais. Podem ser de um homem? Será que havia alguém aqui com dentaduras e houve uma troca?"

A notícia deixa o soldado desconcertado mas feliz. A culpa não é dele. "Não sei", diz ele. "Com certeza houve muitas pessoas entrando e saindo daqui. Então estas não são dela? Que coisa boa eu não ter forçado o encaixe."

Fielding percebe o que está ocorrendo e de repente está ali, olhando para as brilhantes gengivas sintéticas cor-de-rosa e os dentes de porcelana branca dentro da caixa de plástico que o soldado de roxo tem nas mãos. "Que inferno!", explode Fielding. "Quem trocou isto? Vocês puseram o número errado nesta caixa?"

Ele olha para o soldado de roxo, que não pode ter mais de vinte anos, seu cabelo loiro claro escapando da touca cirúrgica azul, seus grandes olhos castanhos desalentados atrás dos óculos de segurança arranhados.

"Não fui eu quem a etiquetou, senhor", ele se dirige a Fielding, seu supervisor. "Só sei que estava aqui quando começamos a trabalhar nela. E ela não tinha nenhum dente na boca quando começamos."

"Aqui? Onde é aqui?"

"No carrinho dela." O soldado indica o carrinho com os instrumentos cirúrgicos para a mesa 4, também conhecida como Mesa Verde. O necrotério do dr. Marcus ainda usa o sistema criado por Scarpetta de identificar os instrumentos com faixas de fita adesiva colorida, garantindo assim que um par de fórceps ou cortadores de costelas, por exemplo, não acabe em outro lugar do necrotério. "Esta caixa estava no carrinho dela, então de algum jeito foi parar lá com os papéis dela." Ele olha para o balcão onde os papéis da mulher morta ainda estão espalhados ordenadamente.

"Houve um exame nesta mesa antes", diz Fielding.

"Está certo, senhor. Um homem idoso que morreu na cama. Será que os dentes são dele?", diz o soldado de roxo. "Eram os dentes dele que estavam no carrinho?"

Fielding parece um gaio azul irado voando pelo complexo de autópsia e abrindo com um puxão a enorme porta de aço inoxidável do refrigerador. Ele mergulha em uma bruma de ar frio com cheiro de morte e ressurge quase instantaneamente com um par de dentaduras que ao que parece removeu da boca do idoso. Fielding as segura na palma de uma mão enluvada manchada com o sangue do tratorista que atropelou a si próprio.

"Qualquer um pode ver que estas são muito pequenas para a boca do sujeito", reclama Fielding. "Quem as enfiou na boca daquele cara sem verificar se elas se encaixavam?", pergunta à sala barulhenta, lotada, vedada com resina epóxi, com suas quatro mesas de aço molhadas de sangue, e raios X de projéteis e ossos em caixas de luz brilhantes, e pias e armários de aço, e balcões compridos cobertos com papéis e pertences pessoais, e serpentinas de etiquetas geradas por computador para caixas e tubos de ensaio.

Os outros médicos, os estudantes, soldados e os mortos do dia não têm nada a dizer ao dr. Jack Fielding, o segundo em comando, logo abaixo do chefe. Scarpetta está chocada de um modo descrente e pesaroso. Seu antigo gabinete primoroso está fora de controle, assim como todos que trabalham nele. Olha para o tratorista morto, semidespido sobre seu lençol manchado de lama vermelha, em cima de uma maca, e olha para as dentaduras na mão enluvada manchada de Fielding.

"Escove tudo antes de introduzir na boca da mulher", Scarpetta é obrigada a dizer quando Fielding entrega as dentaduras extraviadas ao soldado de roxo. "Não precisamos do DNA de outra pessoa, ou outras pessoas, em sua boca", diz ao soldado. "Mesmo que esta não seja uma morte suspeita. Então escove as dentaduras dela, as dentaduras dele, as dentaduras de todo mundo."

Ela tira as luvas e as deixa cair em um saco de lixo biológico laranja brilhante. Enquanto sai, pergunta-se o que é feito de Marino, e ouve o soldado de roxo dizer alguma coisa, perguntar alguma coisa, querendo saber exatamente quem é Scarpetta e por que ela está de visita e o que acaba de acontecer.

"Ela era chefe aqui", diz Fielding, deixando de explicar que na época dela o Gabinete do Legista-Chefe funcionava de modo muito diferente dos dias de hoje.

104

"Puta merda!", exclama o soldado.

Scarpetta pressiona com o cotovelo um grande botão na parede, e as portas de aço inoxidável se escancaram. Ela entra no vestiário, passa pelos armários de uniformes e becas, depois chega à sala onde ficam os armários das mulheres, com suas privadas e pias, e lâmpadas fluorescentes que tornam os espelhos desapiedados. Ela pára para lavar as mãos, notando a placa escrita com capricho, uma placa que ela mesma afixou quando estava ali, que lembra às pessoas que não devem sair do necrotério com os mesmos sapatos que usaram nele. Não levem ameaças biológicas para o carpete do corredor, ela costumava lembrar a sua equipe, e tem certeza de que ninguém se preocupa mais com isso nem com qualquer outra coisa. Tira os sapatos e lava o solado com sabão antibacteriano e água quente, em seguida o seca com toalhas de papel, depois atravessa mais uma porta de vaivém e chega ao não muito esterilizado corredor forrado de carpete azul acinzentado.

Bem em frente ao vestiário feminino fica o conjunto envidraçado de salas do legista-chefe. Pelo menos o dr. Marcus teve energia para redecorá-lo. A sala de sua secretária é uma coleção atraente de móveis em tons de cereja e gravuras coloniais, e o protetor de tela de seu computador mostra vários peixes tropicais nadando infindavelmente em uma tela azul-vivo. A secretária não está, e Scarpetta bate na porta do chefe.

"Sim", a voz dele soa fraca do outro lado.

Ela abre a porta e entra em sua antiga sala de canto, e evita olhar em volta, mas não pode deixar de perceber a ordem das estantes e da mesa do dr. Marcus. O espaço de trabalho dele parece esterilizado. É só o resto da ala do legista que é caótico.

"Sua pontualidade é perfeita", diz ele de sua cadeira de rodinhas atrás da mesa. "Por favor, sente-se e eu vou lhe dar um resumo do caso Gilly Paulsson antes de você dar uma olhada nela."

"Doutor Marcus, este não é mais meu gabinete", diz

Scarpetta. "Eu percebo isso. Não tenho intenção de me intrometer, mas estou preocupada."

"Não fique." Ele olha para ela com os olhos duros, apertados. "Você não foi trazida para cá como uma espécie de equipe de certificação." Ele arqueia as mãos em cima do mata-borrão. "Sua opinião é requerida em um caso e só nele, o caso Gilly Paulsson. Portanto, eu a encorajo veementemente a não se sobrecarregar com as diferenças que encontrar aqui. Você saiu daqui há muito tempo. O quê? Cinco anos. E durante a maior parte desse período não houve chefe, só um chefe interino. O doutor Fielding, de fato, era o chefe interino quando cheguei aqui, há apenas alguns meses. Portanto, sim, é claro, as coisas estão diferentes. Você e eu temos estilos de gestão diferentes, e essa é uma das razões pelas quais o estado me contratou."

"Minha experiência diz que se um chefe nunca aparece no necrotério, haverá problemas", afirma ela, quer ele queira ou não. "No mínimo, os médicos sentem uma falta de interesse em seu trabalho, e até médicos podem ficar descuidados, preguiçosos, ou perigosamente esgotados e derrotados pelo estresse ou pelo que vêem todos os dias."

Os olhos dele estão frios e duros como cobre sem brilho, e sua boca forma uma linha fina. Atrás de sua careca, as janelas estão tão limpas quanto o ar, e ela nota que ele substituiu o vidro à prova de balas. O Coliseum é um cogumelo marrom ao longe, e um chuvisco lúgubre começou a cair.

"Eu não posso ignorar o que vejo, não se o senhor quiser minha ajuda", diz ela. "Não me importa se é um caso e apenas um caso, como o senhor diz. Certamente o senhor deve conhecer todas as coisas que são usadas contra nós no tribunal e em outros lugares. Neste exato momento, não são os outros lugares que me preocupam."

"Desculpe, mas você está sendo enigmática", rebate o dr. Marcus, seu rosto fino olhando com frieza para ela. "Outros lugares? Que outros lugares são esses?"

106

"Normalmente escândalo. Normalmente uma ação judicial. Ou, o pior de tudo, um caso criminal que é destruído por tecnicalidades, por provas descartadas como inadmissíveis devido à impropriedade, devido a procedimentos falhos, portanto não há nenhum tribunal. Não há julgamento."

"Eu temia que isso acontecesse", diz ele. "Eu disse ao secretário que essa não era uma boa idéia."

"Não o culpo por dizer isso a ele. Ninguém quer um ex-chefe reaparecendo para corrigir..."

"Eu avisei ao secretário que a última coisa de que precisávamos era de um ex-empregado decepcionado com o estado aparecendo para consertar as coisas", diz ele, pegando uma caneta e a depondo de novo, suas mãos nervosas e irritadas.

"Eu não o culpo por sentir..."

"Especialmente guerreiros", diz ele com indiferença. "Esses são os piores. Não há nada pior que um guerreiro, a menos que seja um guerreiro ferido."

"Agora o senhor está se tornando..."

"Mas cá estamos nós. Então vamos fazer o melhor possível, não é?"

"Eu agradeceria se o senhor não me interrompesse", diz Scarpetta. "E se o senhor está me chamando de guerreiro ferido, então prefiro aceitar isso como um elogio, e nós podemos passar para o assunto das dentaduras."

Ele olha para ela como se ela tivesse enlouquecido.

"Eu acabo de testemunhar uma troca no necrotério", diz ela. "As dentaduras erradas com os mortos errados. Falta de cuidado. E autonomia demais para jovens soldados do Forte Lee que não têm nenhuma formação médica e de fato estão aqui para aprender com o senhor. Suponhamos que uma família receba seu ente querido devolvido à funerária, e haja um caixão aberto e as dentaduras não estejam lá ou não se encaixem, e teremos o começo de uma desintegração que é difícil interromper. A imprensa adora histórias como essa, doutor Marcus. Se essas dentaduras forem trocadas em um caso de homicídio, será dado um senhor presente aos advogados de defesa, mesmo que as dentaduras não tenham absolutamente nada a ver com nada.

"Dentaduras de quem?", pergunta ele, franzindo o cenho. "Fielding deveria estar supervisionando."

"O doutor Fielding tem coisas demais para fazer", retruca ela.

"Então agora chegamos a isso. Seu antigo assistente." O dr. Marcus se levanta da cadeira. Ele não fica muito acima da mesa, não que Scarpetta ficasse, porque ela também não é alta, mas ele parece pequeno quando se ergue de trás da mesa com um microscópio enrolado em plástico. "Já são quase dez horas", diz ele, abrindo a porta da sala. "Vamos introduzi-la no caso Gilly Paulsson. Ela está na geladeira de decomposição e é melhor você trabalhar nela nessa sala. Ninguém vai incomodá-la ali. Suponho que já decidiu reautopsiá-la."

"Eu não vou fazer isso sem uma testemunha", diz Scarpetta.

12

Lucy não dorme mais na suíte principal do terceiro andar, preferindo trancar-se em um quarto muito menor no segundo. Diz para si mesma que tem sólidas razões investigativas para não dormir naquela cama, aquela em que Henri foi atacada, aquela cama enorme com cabeceira pintada à mão que fica no centro de uma suíte palaciana com vista para a água. Provas, ela pensa. Por mais meticulosos que ela e Rudy sejam, é sempre possível que alguma prova tenha escapado.

Rudy saiu com a Modena para abastecê-la, ou pelo menos foi essa a desculpa que deu quando pegou as chaves no balcão da cozinha. Lucy suspeita que ele tem outro programa. Está passeando. Quer ver quem o segue, supondo que alguém o faça, e provavelmente ninguém no juízo perfeito seguiria alguém tão grande e tão forte como Rudy, mas a fera que desenhou o olho, dois olhos agora, está lá fora. Ele está observando. Observa a casa. Talvez não perceba que Henri foi embora, então continua a observar a casa e a Ferrari. Pode estar observando a casa agora.

Lucy anda pelo carpete marrom-amarelado, até depois da cama. Ela ainda está desfeita, os caros lençóis macios puxados até o pé do colchão e caídos no chão numa cascata de seda. Os travesseiros estão empurrados para um lado, exatamente onde estavam quando Lucy subiu correndo a escada de pedra e encontrou Henri inconsciente na cama. Primeiro Lucy pensou que ela estivesse morta. Depois, não soube o que pensar. E ainda não sabe. Mas no momento ela ficou tão assustada que ligou para a emergência, e isso causou grandes problemas. Eles tiveram de lidar com a polícia local, e a última coisa que Lucy quer é a polícia envolvida em sua vida e suas atividades secretas, muitas delas meios ilegais para fins justos, e é claro que Rudy ainda está furioso.

Ele acusa Lucy de entrar em pânico, e ela entrou mesmo. Nunca deveria ter chamado a emergência, e ele está certo. Eles mesmos podiam, e deviam, ter cuidado da situação. Henri não é uma coitadinha, disse Rudy. É uma das agentes deles. Não importa que ela estivesse fria e nua. Ela estava respirando, certo? Seu pulso e sua pressão sanguínea não estavam perigosamente lentos ou acelerados demais, certo? Ela não estava sangrando, estava? Só um pouco de sangramento pelo nariz, certo? Foi só quando Lucy levou Henri para Aspen em um jato particular que Benton ofereceu uma explicação, e infelizmente ela faz sentido. Henri foi atacada e talvez tenha ficado por pouco tempo inconsciente, mas depois disso ela estava fingindo.

"De jeito nenhum", argumentou Lucy com Benton ao ouvir isso. "Ela estava totalmente sem reação."

"Ela é atriz", disse.

"Não é mais."

"Faça-me o favor, Lucy. Ela foi atriz profissional a metade da vida antes de trocar de profissão. Quem sabe virar policial não era apenas outro papel para ela? Talvez ela não consiga fazer nada além de interpretar."

"Mas por que ela faria uma coisa dessas? Eu fiquei tocando nela, falando com ela, tentando acordá-la, por que ela faria isso? Por quê?"

"Vergonha e raiva, quem pode saber exatamente o motivo?", disse ele. "Talvez ela não se lembre do que aconteceu, pode ter reprimido, mas ela tem sentimentos em relação a isso. Talvez esteja com vergonha porque não se protegeu. Talvez queira castigar você."

"Me castigar pelo quê? Eu não fiz nada. Qual é? Ela foi praticamente assassinada e de repente pensa, ah, vou castigar Lucy enquanto estou metida nisso?"

"Você ficaria surpresa com o que as pessoas fazem."

"De jeito nenhum", disse Lucy a Benton, e, quanto mais inflexível ela era, mais ele sabia que provavelmente estava certo.

Ela anda pelo quarto até uma parede de oito janelas tão altas que a metade superior delas não precisa ser coberta com persianas. As persianas cobrem só a metade inferior, e ela pressiona um botão na parede e elas se abrem eletronicamente, com um suave deslocamento. Lucy olha para fora, para o dia ensolarado, varrendo com os olhos sua propriedade para ver se há alguma coisa diferente. Ela e Rudy estavam em Miami até bem cedo nesta manhã. Fazia três dias que ela não voltava para casa, e a fera teve muito tempo para rondar e espiar. Ele voltou à procura de Henri. Atravessou o pátio até a porta dos fundos e colou seu desenho nela para lembrar a Henri, para insultá-la, e ninguém chamou a polícia. As pessoas deste bairro são desprezíveis, pensa Lucy. Não ligam se uma pessoa é surrada até morrer ou roubada, desde que não faça nada que possa tornar a vida delas desagradável.

Ela olha para o farol do outro lado do estreito e imagina se deveria ir até o vizinho. A mulher que mora ao lado nunca sai de casa. Lucy não sabe o nome dela, só que ela é intrometida e tira fotos através do vidro sempre que o jardineiro apara as cercas ou corta a grama nos fundos ao lado da piscina. Lucy supõe que a vizinha queira provas para o caso de ela fazer alguma coisa com o jardim que possa alterar a vista da intrometida ou lhe causar tensão emocional. É claro que, se Lucy tivesse sido autorizada a instalar em cima de seus muros de um metro mais setenta centímetros de grade de ferro, a fera talvez não tivesse tanta facilidade para entrar no pátio e na casa e subir até o quarto onde Henri estava gripada. Mas a vizinha intrometida brigou e ganhou, e Henri quase foi assassinada, e agora Lucy encontra um desenho de um olho que é semelhante ao olho rabiscado no capô de seu carro.

Três andares abaixo, a piscina desaparece acima da

borda, e além estão a água azul da Hidrovia Intracosteira, depois uma língua de praia e a água encrespada do oceano azul-esverdeado. Talvez ele tenha vindo de barco, pensa. Ele poderia amarrar o barco no quebra-mar e subir a escada, e lá estaria ele, bem no pátio da casa dela. Lucy não sabe por que pensa isso. Vira-se e se aproxima da cama. À esquerda, na gaveta de cima de uma mesa, está o revólver Magnum Colt .357 de Henri, uma encantadora arma de aço inoxidável que Lucy comprou para ela porque é uma obra de arte com a ação mais suave do mundo. Henri sabe usar uma arma e não é covarde. Lucy tem certeza de que, se Henri tivesse ouvido a fera dentro de casa, gripada ou não, a teria matado com um tiro.

Ela pressiona o botão na parede e fecha a persiana. Apaga as luzes e sai do quarto. Bem ao lado há uma pequena sala de ginástica, depois dois closets grandes e um imenso banheiro com uma Jacuzzi construída em ágate da cor de olho-de-tigre. Não houve nenhuma razão para suspeitar que a pessoa que atacou Henri tenha entrado na sala de ginástica, nos closets ou no banheiro, e, toda vez que Lucy entrou neles, ficou parada para ver o que sentia. A cada vez, ela não sente nada dentro da sala de ginástica e dos closets, mas sente alguma coisa no banheiro. Olha para a banheira e as janelas atrás dela que dão para a água e o céu da Flórida, e vê através dos olhos da fera. Lucy não sabe por quê, mas, quando olha para aquela imensa e funda banheira construída em ágate, sente que ele também olhou para ela.

Então alguma coisa lhe ocorre e ela volta para a arcada que leva ao banheiro. Quando ele subiu a escada de pedra para o andar da suíte principal, talvez tenha virado à esquerda em vez de à direita e chegado ao banheiro e não ao quarto. Aquela manhã era ensolarada, e a luz teria enchido as janelas. Ele poderia ver. Talvez ele tenha hesitado e olhado para a banheira antes de se virar e se dirigir em silêncio para o quarto, onde Henri estava taciturna e infeliz com febre alta, as persianas fechadas e o quarto escuro para que pudesse dormir.

112

Então você entrou em meu banheiro, diz Lucy à fera. Você ficou parado bem aqui no piso de mármore e olhou para a minha banheira. Talvez nunca tenha visto uma banheira como essa. Talvez quisesse imaginar uma mulher nua nela, relaxando, entretida em pensamentos, antes de assassiná-la. Se for essa sua fantasia, diz a ele, então você não é muito original. Ela sai do banheiro e desce de novo a escada para o segundo andar, onde dorme e tem seu escritório.

Depois da aconchegante sala de cinema há um grande quarto de hóspedes que ela converteu em biblioteca com estantes embutidas, as janelas cobertas por persianas blecaute. Mesmo no dia mais ensolarado, esse quarto é escuro o bastante para revelar filmes. Ela acende a luz, e surgem centenas de livros de referência, pastas de folhas soltas e uma mesa comprida com material de laboratório. Encostada em uma das paredes há uma escrivaninha que tem no centro um imageador Krimesite,* que parece um telescópio atarracado montado sobre um tripé. Ao lado dele há um saco plástico para provas selado, e dentro dele o desenho de um olho.

Lucy tira luvas de exame de uma caixa que está sobre a mesa. Sua maior possibilidade de obter impressões digitais é a fita Scotch, mas deixa para fazer esse teste depois, porque envolve produtos químicos que alteram o papel e a fita. Depois de esfregar Magnadust sobre toda a porta dos fundos e as janelas perto dela, ela não encontrou uma única impressão digital com detalhes de sulcos, nenhuma, apenas borrões. Se tivesse encontrado uma impressão, é possível que fosse do jardineiro, de Rudy, dela ou da pessoa que lavou o vidro pela última vez, portanto não há muito sentido em se sentir desestimulada. Impressões fora de uma casa não significam muita coisa, de qual-

---

(*) Sistema de imageamento que usa luz ultravioleta refletida para detecção de impressões digitais. Dispensa a aplicação de pó nas superfícies pesquisadas e pode ser usado tanto no escuro como à luz do dia. (N. T.)

quer modo. O que interessa é o que ela encontrar no desenho. Luvas postas, Lucy abre os fechos de uma pasta preta de couro emoldurada com borracha de espuma e tira com cuidado a lâmpada SKSUV30. Leva-a para a escrivaninha e a liga em um filtro de linha com protetor contra sobrecarga. Pressionando o interruptor, acende a luz ultravioleta de ondas curtas de alta intensidade e aciona o imageador Krimesite.

Depois de abrir o saco plástico, ela pega a folha de papel por um canto e a retira. Vira-a, e o olho desenhado a lápis a encara enquanto ela a ergue contra a luz do teto. O papel branco se ilumina, e não há nenhuma marca-d'água, apenas milhões de fibras de polpa de papel barato. O olho desenhado a lápis se escurece quando ela o baixa, pondo a folha de papel no centro da escrivaninha. Quando a fera colou o desenho na porta de trás, prendeu a fita nas costas do papel para que o olho olhasse através do vidro, para a casa dela. Lucy põe óculos protetores laranja e centra o desenho sob a lente ocular de precisão militar do imageador, e olha pela ocular, abrindo todo o orifício ultravioleta enquanto lentamente gira o cano e o anel do foco até que a tela alveolar fique visível. Com a mão esquerda, ela dirige a luz ultravioleta para seu alvo, ajustando-a ao ângulo certo, e começa a mover a folha de papel, procurando impressões, esperando que o microscópio as localize para que ela não precise recorrer a produtos químicos destrutivos como ninidrina ou cianocrilato. Na luz ultravioleta, o papel debaixo da lente apresenta um tom branco-esverdeado fantasmagórico.

Com a ponta do dedo, ela move o papel até que o pedaço de fita Scotch entre no campo de visão. Nada, pensa. Nem sequer um borrão. Ela poderia tentar cloreto de rosanilina ou violeta cristal, mas agora não é o momento para isso. Talvez mais tarde. Sentada à escrivaninha, observa o desenho do olho. É só isso que ele é, só um olho, o esboço a lápis de um olho, íris e pupila, franjado com cílios compridos. O olho de uma mulher, pensa, desenhado com o que parece ser um lápis número dois. Montando uma câmera digital em um engate, ela tira fotos de áreas ampliadas do desenho, depois faz fotocópias.

Ela ouve a porta da garagem subir e apaga a lâmpada ultravioleta e o microscópio e põe o desenho de volta no saco plástico. Um monitor de vídeo na escrivaninha mostra Rudy estacionando a Ferrari na garagem. Lucy tenta decidir o que fazer com ele enquanto fecha a porta da biblioteca e desce rapidamente os degraus de pedra. Ela o imagina saindo pela porta e nunca mais voltando, e não tem idéia do que seria dela e do império secreto que criou. Primeiro haveria o golpe, depois o torpor, depois a dor, e então ela superaria tudo. É isso que diz a si mesma quando abre a porta da cozinha, e lá está ele, segurando as chaves do carro dela como se pegasse um rato morto pelo rabo.

"Acho que devíamos ligar para a polícia", diz ela, pegando as chaves. "Já que tecnicamente isso é uma emergência."

"Imagino que você não encontrou impressões digitais nem nada mais importante", diz Rudy.

"Com o microscópio, não. Vou usar os produtos químicos, se a polícia não levar o desenho. Eu preferia que não levassem. Na verdade, não vamos deixá-los levar. Mas devemos ligar. Você viu alguém quando estava fora?" Ela atravessa a cozinha e pega o telefone. "Alguém além de todas as mulheres que correram para a rua quando viram você chegando?" Ela olha para o teclado do telefone e digita 911.

"Nenhuma impressão por enquanto", diz Rudy. "Bem, só vai acabar quando acabar. E escrita serrilhada?"

Ela sacode a cabeça e diz: "Eu quero comunicar uma invasão".

"A pessoa está na propriedade agora, senhora?", pergunta a telefonista em sua voz calma e competente.

"Parece que não", diz Lucy. "Mas eu acho que isso pode estar relacionado com um A-e-I do qual seu departamento já foi informado."

A telefonista verifica o endereço e pergunta o nome da queixosa, porque o nome do residente que aparece na tela de seu monitor é o de alguma empresa limitada que Lucy por acaso escolheu para essa propriedade específica. Ela não consegue lembrar qual é ele. Lucy possui algumas propriedades, e todas elas em diferentes nomes de empresas de responsabilidade limitada.

"Meu nome é Tina Franks." Lucy usa o mesmo nome falso que usou da última vez que ligou para a polícia, na manhã em que Henri foi atacada e Lucy entrou em pânico e cometeu o erro de ligar para a emergência da polícia. Ela dá à telefonista seu endereço, ou, mais especificamente, o endereço de Tina Franks.

"Senhora, estou enviando uma unidade para sua casa neste momento", diz a telefonista.

"Que bom. Você por acaso sabe se o CSI* John Dalessio está em serviço?" Lucy fala com a telefonista com tranqüilidade e sem nenhum medo. "Talvez ele queira ser informado sobre isso. Foi ele que veio à minha casa da outra vez, portanto já está familiarizado com o caso." Ela pega duas maçãs de uma fruteira na ilha que fica no centro da cozinha.

Rudy vira os olhos e indica que pode entrar em contato com o CSI Dalessio um pouco mais depressa do que a telefonista do 911. Lucy sorri da piada, lustra uma maçã em seu jeans e a joga para ele. Depois lustra a outra e dá uma mordida nela, como se estivesse ao telefone falando com um restaurante de comida para viagem, ou a lavanderia, ou a Home Depot, e não com o Departamento do Xerife do Condado de Broward.

"A senhora sabe qual o detetive que atendeu à sua queixa de arrombamento e invasão originalmente?", pergunta a telefonista. "Em geral, não entramos em contato com o investigador de local do crime, só com o detetive."

"Só sei que conversei com o CSI John Dalessio", res-

(*) Crime Scene Investigator: investigador de local do crime. (N. T.)

ponde Lucy. "Acho que nem veio um detetive até aqui, só ao hospital, imagino. Quando minha hóspede foi para o hospital."

"Ele não está em serviço, senhora, mas posso mandar uma mensagem para ele", diz a telefonista, e parece um pouco insegura, e deve mesmo estar, já que o CSI John Dalessio é alguém com quem a telefonista nunca falou e que nunca encontrou ou ouviu no ar. No mundo de Lucy, um CSI é um Cyber Space Investigator que só existe no computador em que Lucy e aqueles que trabalham para ela tenham invadido, que nesse caso é o computador do Departamento do Xerife do Condado de Broward.

"Tenho o cartão dele. Eu ligo para ele. Obrigada por sua ajuda", diz Lucy, desligando o telefone.

Ela e Rudy ficam na cozinha, comendo suas maçãs, olhando um para o outro.

"É uma coisa meio engraçada quando a gente pensa bem", diz ela, esperando que Rudy comece a ver a situação dos tiras locais como engraçada. "Nós chamamos a polícia como uma formalidade. Ou, pior, porque isso nos diverte."

Ele encolhe seus ombros musculosos, mordendo a maçã e enxugando o suco que escorre da boca com as costas da mão. "É sempre bom incluir os tiras locais. De uma forma limitada, é claro. Nunca se sabe quando se vai precisar deles para alguma coisa." Agora ele está transformando os tiras locais em um jogo, seu jogo favorito. "Você perguntou por Dalessio, então isso está gravado. Nós não temos culpa se é difícil encontrá-lo. Eles vão passar o resto de suas carreiras tentando imaginar quem diabo é esse Dalessio, e se ele se demitiu ou foi demitido ou sei lá o quê. Alguém já o viu? Ele vai se tornar uma lenda, dar a eles um assunto para conversar."

"Ele e Tina Franks", diz Lucy, mastigando um pedaço de maçã.

"O fato", opina ele, "é que você teria muito mais dificuldade para provar que é Lucy Farinelli do que Tina

Franks ou quem quer que decida ser em determinado dia. Temos certidões de nascimento e todos os outros papéis de suas identidades falsas. Droga, não sei nem lhe dizer onde está minha certidão de nascimento."

"Nem eu." Ele dá outra mordida grande na maçã.

"Não sei nem se sei quem você é, por falar nisso. Então você vai atender à porta quando o tira aparecer e pedir a ele que ligue para o Dalessio para pegar o desenho."

"O plano é esse." Rudy sorri. "Funcionou como mágica da última vez."

Lucy e Rudy mantêm sacos de sobrevivência e kits de local do crime em lugares estratégicos, como casas e automóveis, e é impressionante do que conseguem escapar usando botas de couro até o tornozelo, camisas pólo pretas, calças cargo pretas, blusões escuros com FORENSE escrito nas costas em grandes letras amarelas, a câmera usual e outros equipamentos básicos, e, o mais importante de tudo, linguagem corporal e atitude. O plano simples é normalmente o melhor, e, depois que Lucy encontrou Henri, entrou em pânico e ligou para a emergência da polícia pedindo uma ambulância, ela ligou para Rudy. Ele trocou de roupa e simplesmente entrou pela porta da frente da casa dela quando a polícia já estava ali havia alguns minutos, e disse que era um novo membro da unidade de local do crime e que os policiais não precisavam ficar por ali enquanto ele examinava a casa, e para eles isso foi ótimo, porque acompanhar técnicos de local do crime significa, aos olhos dos tiras, fazer trabalho de babá.

Lucy, ou Tina Franks, como ela se identificou naquele dia terrível, contou à polícia suas mentiras naquela manhã. Henri, que também recebeu um nome falso, era uma hóspede de fora da cidade, e, enquanto Lucy estava tomando banho, Henri, que estava dormindo para curar uma ressaca, ouviu o invasor e desmaiou, e como ela tende a ficar histérica e hiperventilar, e pode muito bem ter sido atacada, Lucy ligou para pedir uma ambulância. Não, Lucy não viu o invasor. Não, nada foi retirado que Lucy

118

pudesse notar. Não, ela não acha que Henri foi atacada sexualmente, mas ela deve ser examinada no hospital porque é isso o que as pessoas fazem, certo? É isso que eles fazem naqueles seriados policiais na televisão, certo?

"Imagine quanto tempo vai levar até eles descobrirem que Dalessio nunca aparece em nenhum lugar a não ser em sua casa", diz Rudy, divertido. "É muito bom que o departamento tenha assumido a maior parte de Broward. É do tamanho do Texas, e eles não conseguem saber o que está entrando ou saindo."

Lucy olha para seu relógio, cronometrando a unidade identificada que deve estar a caminho de sua casa agora. "Bem, o que interessa é que incluímos o senhor Dalessio para que ele não fique magoado."

Rudy ri, com o ânimo muito melhorado. Ele não consegue ficar irritado muito tempo quando eles dois entram em ação. "Certo. A polícia vai chegar aqui a qualquer momento. Talvez seja bom você se apressar. Eu não vou dar o desenho ao sujeito uniformizado. Vou dar a ele o número de Dalessio, dizer a ele que eu ficaria mais à vontade de conversar com o CSI, porque falei com ele na semana passada, quando você ligou para informar o arrombamento e a invasão. Então ele vai pegar um recado no correio de voz de Dalessio, e, depois que ele sair, este que vos fala, o lendário Dalessio, vai ligar para ele e dizer-lhe que vai cuidar de tudo."

"Não deixe os tiras entrarem em meu escritório."

"A porta está trancada, certo?"

"Sim", diz ela. "Se você ficar preocupado com eles descobrirem seu disfarce de Dalessio, ligue para mim. Volto num instante e falo eu mesma com os tiras."

"Você vai a algum lugar?", pergunta Rudy.

"Acho que é hora de eu me apresentar à minha vizinha", diz Lucy.

119

13

Na sala desarrumada há um pequeno necrotério com um refrigerador grande o suficiente para se entrar nele e pias duplas e armários, todos de aço inoxidável, e um sistema de ventilação especial que suga odores nocivos e microrganismos por meio de um exaustor. Cada centímetro de parede e piso é pintado com tinta acrílica cinza antiderrapante que é não absorvente e pode agüentar esfregões e alvejantes.

A principal peça dessa sala especial é uma única mesa de autópsia transportável, que não passa de uma estrutura de carrinho equipada com rodízios giratórios com freios, e uma bandeja para corpos que rola sobre mancais, e se supõe que tudo isso elimine a necessidade de seres humanos levantarem corpos no mundo moderno, mas na realidade não é assim. As pessoas do necrotério ainda lutam com peso morto e sempre farão isso. A mesa está inclinada para que possa ser drenada quando está presa à pia, mas nessa manhã isso não vai ser necessário. Não resta nada a drenar. As secreções do corpo de Gilly Paulsson foram coletadas ou derramadas no dreno há duas semanas, quando Fielding fez a primeira autópsia dela.

Essa manhã, a mesa de autópsia está estacionada no meio do piso pintado de acrílico, e o corpo de Gilly Paulsson está dentro de um saco preto que parece um casulo em cima da mesa de aço brilhante. Não há janelas na sala, nada que se abra para o exterior, só uma fileira de janelas de observação que foram instaladas a uma altura grande demais para que qualquer pessoa olhe através delas, uma falha de projeto da qual Scarpetta não reclamou quando se mudou para esse edifício, há oito anos, porque ninguém precisa observar o que ocorre dentro da sala, onde os mortos estão inchados e verdes e cobertos de moscas, ou tão queimados que parecem madeira carbonizada.

Ela acabou de entrar, depois de ter passado alguns minutos no vestiário feminino para vestir a roupa contra risco biológico apropriada. "Sinto muito interromper seu outro caso", diz ela a Fielding, e em sua mente vê o sr. Whitby de calça verde-oliva e jaqueta preta. "Mas creio que seu chefe realmente pensou que eu ia fazer isso sem você."

"O que ele lhe contou?", pergunta ele atrás de sua máscara facial.

"Na verdade não contou", responde ela, calçando um par de luvas. "Eu não sei nada além do que ele me contou ontem quando me ligou na Flórida."

Fielding faz uma careta, e já começou a suar. "Eu pensei que você estivesse vindo da sala dele."

Ocorre a ela que nessa sala bem pode haver uma escuta clandestina. Então se lembra de quando era chefe e tentou experimentar uma variedade de equipamentos de ditado no conjunto de autópsia, todos sem nenhum proveito, porque há muito ruído de fundo no necrotério e ele tende a anular mesmo os melhores transmissores e gravadores. Pensando nisso, vai até a pia e abre a torneira, e a água tamborila no aço com um som alto e oco.

"Para que isso?", pergunta Fielding, abrindo o zíper do saco mortuário.

"Pensei que você gostaria de um pouco de música aquática enquanto trabalhamos."

Ele ergue os olhos para ela. "É seguro conversar aqui, tenho certeza. Ele não é tão esperto assim. Além disso, acho que nunca esteve na sala de decomposição. Provavelmente nem sabe onde ela fica."

"É fácil subestimar as pessoas de quem a gente não gosta", diz ela, ajudando-o a abrir as abas do saco.

Duas semanas de refrigeração retardaram a decomposição, mas o corpo está dessecando, perdendo todo o líquido, e em processo de ser mumificado. O fedor é forte, mas Scarpetta não encara isso de forma pessoal. Um cheiro ruim é só outra maneira de o corpo falar, sem nenhuma ofensa, e Gilly Paulsson não pode evitar nem a aparência que tem, nem o fedor, nem o fato de estar morta. Ela está pálida, vagamente verde e sem sangue, seu rosto emaciado devido à desidratação, seus olhos fendidos, a esclera abaixo das pálpebras tão ressecada a ponto de estar quase preta. Os lábios secos estão marrons e muito abertos, o cabelo loiro comprido, enrolado em volta das orelhas e debaixo do queixo. Scarpetta não percebe nenhum ferimento externo no pescoço, inclusive nenhum que possa ter sido introduzido na autópsia, como o pecado mortal de uma casa de botão, que nunca deveria acontecer mas acontece quando alguém inexperiente ou descuidado está rebatendo tecido dentro do pescoço para remover a língua e acidentalmente perfura a superfície da pele. Um corte provocado pela autópsia no pescoço não é fácil de explicar a famílias perturbadas.

A incisão em Y começa nas extremidades da clavícula e se encontra no esterno, depois desce, fazendo um pequeno desvio em volta do umbigo e terminando no púbis. Está suturada com fio, que Fielding começa a cortar com um bisturi, como se abrisse as costuras de uma boneca de pano feita à mão, enquanto Scarpetta pega uma pasta de arquivos de cima de um balcão e olha o protocolo de autópsia de Gilly e o relatório inicial de investigação. Ela tinha um metro e sessenta e dois de altura e pesava quarenta e sete quilos, e teria feito quinze anos em fevereiro se estivesse viva. Seus olhos eram azuis. Repetidas vezes, no relatório de autópsia de Fielding, aparecem as palavras "Dentro dos limites normais". O cérebro, o coração, o fígado e os pulmões dela estavam todos exatamente como deveriam estar para uma jovem saudável.

Mas Fielding encontrou marcas que agora devem estar ainda mais aparentes porque o sangue foi drenado do corpo, e qualquer sangue preso em tecido devido a contusões se destaca contra a pele muito pálida dela. Em um diagrama corporal, ele desenhou contusões na parte de cima das mãos. Scarpetta põe a pasta de volta no balcão enquanto Fielding retira o pesado saco plástico de órgãos seccionados da cavidade do peito. Ela se aproxima para olhar o corpo e levanta uma das pequenas mãos de Gilly. Está enrugada e pálida, fria e úmida, e Scarpetta a segura com suas mãos enluvadas e a vira, olhando para a contusão. A mão e o braço estão flácidos. O *rigor mortis* já ocorreu e passou, e o corpo não está mais rebelde, como se a vida há muito tempo tivesse desistido de resistir à morte. A contusão é de um vermelho intenso contra a palidez da pele branca fantasmagórica e fica precisamente no alto da mão esguia murcha, a vermelhidão espalhando-se da articulação do polegar até a articulação do dedo mindinho. Um machucado semelhante ocorre também na outra mão, a esquerda.

"Ah, sim", diz Fielding. "Esquisito, não é? Como se alguém a tivesse segurado, talvez. Mas para fazer o quê?" Ele desata um nó que prende a boca do saco, abrindo-o, e o fedor da mistura marrom que está dentro é horrível. "Argh. Não sei o que vamos concluir olhando isto. Mas fique à vontade."

"Deixe na mesa e eu vou dar uma olhada no saco. Alguém pode tê-la constrangido. Como ela foi encontrada? Descreva a posição do corpo dela quando foi encontrada", diz Scarpetta, caminhando para a pia e pegando um par de luvas de borracha grossa que lhe chega quase aos cotovelos.

"Não tenho certeza. Quando a mãe chegou em casa, tentou reanimá-la. Ela diz que não consegue se lembrar se Gilly estava com o rosto para baixo, de costas, de lado, de nenhum jeito, e não tem nenhuma pista sobre o que aconteceu com as mãos dela."

"E o *livor mortis?*"

"Sem chance. Ela não estava morta havia tempo suficiente."

Quando não está mais circulando, o sangue assenta de acordo com a gravidade e cria um padrão cor-de-rosa escuro e um descoloramento onde as superfícies do corpo tocam o que as estiver pressionando. Por mais que sempre se espere chegar ao morto numa correria, há vantagens nos atrasos. Algumas horas bastam, e o *livor mortis* e o *rigor mortis* se estabelecem e revelam a posição em que o corpo estava quando morreu, mesmo que os vivos apareçam depois e mudem as coisas de lugar ou alterem suas histórias.

Scarpetta empurra gentilmente o lábio inferior de Gilly, verificando se há algum ferimento que possa ter sido causado pela pressão da mão de alguém em sua boca para silenciá-la ou empurrando o rosto dela na cama para asfixiá-la.

"Sirva-se, mas eu olhei", diz Fielding. "Não consegui encontrar nenhum outro ferimento."

"E a língua?"

"Ela não se mordeu. Nada disso. Odeio dizer a você onde está a língua dela."

"Acho que posso imaginar", responde ela, enfiando as mãos no saco de partes de órgãos frias e grudentas e apalpando-as.

Fielding está esfregando as mãos enluvadas no vigoroso jorro de água que ribomba na pia de metal. Ele as seca com uma toalha. "Notei que Marino não veio participar da brincadeira."

"Não sei por onde ele anda", ela diz, e não está particularmente feliz com isso.

"Ele nunca gostou muito de corpos decompostos."

"Eu ficaria preocupada com alguém que gostasse."

"E de crianças. Qualquer um que goste de crianças mortas", acrescenta Fielding, recostando-se na borda do balcão, observando-a. "Espero que você encontre alguma coisa, porque eu não consigo. Isso me deixa muito frustrado."

124

"E hemorragias petequiais? Os olhos dela têm um formato soturno, soturno demais para que eu possa dizer qualquer coisa neste momento."

"Ela estava muito congestionada quando chegou", responde Fielding. "É difícil dizer se tinha hemorragias petequiais, mas eu não percebi nenhuma."

Scarpetta visualiza o corpo de Gilly quando ele chegou ao necrotério, quando ela estava morta havia apenas algumas horas, seu rosto congestionado, seus olhos vermelhos. "Edema pulmonar?", pergunta.

"Alguns."

Scarpetta encontrou a língua. Vai até a pia e a esfrega, secando-a com uma toalhinha felpuda de um lote especialmente barato comprado pelo governo. Rolando uma lâmpada cirúrgica para perto, ela a acende e a aproxima da língua. "Você tem uma lente?", pergunta, secando de novo a língua com a toalha e ajustando a luz.

"Já está chegando." Ele abre uma gaveta, encontra uma lupa e a entrega a Scarpetta. "Está vendo alguma coisa? Eu não vi."

"Ela tem algum histórico de ataques?"

"Não pelo que me disseram."

"Bem, eu não vejo nenhum ferimento." Ela está procurando indícios de que Gilly possa ter mordido a língua. "E você colheu material da língua, de dentro da boca?"

"Ah, sim. Eu coletei de todos os lugares", diz Fielding, voltando ao balcão e recostando-se nele outra vez. "Não encontrei nada óbvio. Preliminarmente, os laboratórios não encontraram nada que indique ataque sexual. Não sei o que mais eles encontraram, se é que encontraram."

"No seu relatório está dito que o corpo dela estava vestido com pijama quando chegou. A parte de cima estava do avesso."

"Acho que está certo." Ele pega a pasta e começa a folhear.

"Você fotografou tudo mesmo." Ela não pergunta, simplesmente verifica o que deve ser aceito como rotina.

125

"Ei", diz ele, rindo. "Quem ensinou este pobre coitado aqui?"

Ela olha rapidamente para ele. Ensinou-o a fazer melhor do que isso, mas não diz. "Estou feliz de informar que você não deixou passar nada da língua." Põe a língua de volta no saco, onde ela fica em cima dos outros pedaços de partes marrons dos órgãos apodrecidos de Gilly. "Vamos virá-la. Precisamos tirá-la do saco."

Fazem isso em estágios. Fielding segura o corpo por baixo dos braços e o ergue enquanto Scarpetta tira o saco de debaixo dele, e então ele rola o corpo sobre o rosto enquanto ela tira o saco do caminho, seu vinil pesado se queixando em ribombos fortes enquanto ela o dobra e põe de volta na maca. Ela e Fielding vêem a contusão nas costas de Gilly ao mesmo tempo.

"Mas que diabo!", diz ele, desalentado.

É um rubor descorado, meio redondo, mais ou menos do tamanho de um dólar de prata, no lado esquerdo das costas, logo abaixo da escápula.

"Eu juro que não estava aqui quando fiz a autópsia", diz ele, chegando mais perto, ajustando a lâmpada cirúrgica para ver melhor. "Que merda. Não consigo acreditar que não vi isso."

"Você sabe como é", retruca Scarpetta, e não diz a ele o que pensa. Não há nenhum sentido em criticá-lo. É tarde demais para isso. "As contusões sempre aparecem melhor depois que o corpo foi autopsiado", diz.

Ela pega um bisturi do carrinho cirúrgico e faz incisões lineares profundas na área avermelhada, verificando se a descoloração pode ser um produto *post-mortem*, e portanto superficial, mas não é. O sangue no tecido macio subjacente é difuso, o que normalmente significa que algum trauma rompeu vasos sanguíneos enquanto o corpo ainda tinha pressão sanguínea, e é só isso que uma contusão ou ferimento é, apenas um monte de pequenos vasos sanguíneos que são esmagados e vazam. Fielding põe uma régua plástica de quinze centímetros ao lado da área cortada de carne avermelhada e começa a tirar fotografias.

"E a roupa de cama dela?", pergunta Scarpetta. "Você verificou?"

"Nunca a vi. Os policiais a levaram. Entregaram ao laboratório. Como eu disse, não havia nenhuma secreção seminal. Droga, não consigo acreditar que não vi essa contusão."

"Vamos pedir para eles verem se há alguma secreção de edema pulmonar nos lençóis, no travesseiro, e, se houver, para eles rasparem a mancha e ver se há epitélio respiratório ciliado. Se encontrarmos isso, é possível alegar morte por asfixia."

"Merda", diz ele. "Não sei como não vi essa contusão. Então com certeza você está pensando que é um homicídio."

"Estou pensando que alguém ficou em cima dela", diz Scarpetta. "Ela está de cabeça para baixo e a pessoa está com um dos joelhos na parte de cima das costas dela, inclinando-se sobre ela com todo o peso e segurando as mãos dela para cima e para fora acima da cabeça dela, as palmas viradas para a cama. Estou pensando que é um caso de asfixia mecânica, um homicídio, com toda certeza. Alguém senta em cima de seu peito ou de suas costas, e você não consegue respirar. É um jeito horrível de morrer."

14

A mulher que mora ao lado vive em uma casa com teto achatado, feita de concreto branco curvo e vidro, que interage com a natureza e reflete a água, a terra e o céu, e faz Lucy pensar nos edifícios que viu na Finlândia. À noite a casa da vizinha parece uma imensa lanterna acesa.

Há uma fonte no pátio da frente, onde palmeiras altas e cactos foram enrolados com fios de luzes coloridas para as festas de fim de ano. Um Grinch verde inflado olha de cara feia perto das altas portas de vidro duplas, um toque festivo que Lucy acharia cômico se outra pessoa vivesse ali dentro. No lado superior direito da moldura da porta há uma câmera que deveria ser invisível, e, quando ela pressiona a campainha, imagina sua imagem enchendo uma tela de monitor de circuito fechado. Nenhuma resposta, e ela pressiona o botão outra vez. Ainda não há resposta.

Tudo bem. Sei que você está em casa porque pegou o jornal e a bandeirinha de sua caixa de correio está levantada, pensa. Sei que está me observando, provavelmente sentada na cozinha olhando para mim em seu monitor, o interfone colado na orelha para ver se estou respirando ou falando sozinha, e acontece que eu estou fazendo as duas coisas, sua idiota. Atenda sua maldita porta, senão vou ficar aqui o dia inteiro.

Isso continua por cerca de cinco minutos. Lucy espera na frente das pesadas portas de vidro, imaginando o que a mulher está vendo no monitor e pensando se pode parecer ameaçadora de jeans, camiseta, pochete e tênis de corrida. Mas ela tem de ser chata e continuar a pressionar a campainha. Talvez a mulher esteja no chuveiro. Talvez não esteja olhando no monitor. Lucy pressiona novamente a campainha. Ela não vai atender a porta. Eu sabia que você não faria isso, sua idiota, diz Lucy em silêncio à mulher. Eu poderia estar aqui tendo um ataque do coração bem em frente à câmera e você nem se importaria. Imagino que vou ter de fazer você vir até a porta. Ela visualiza Rudy sacando sua identidade falsa para amedrontar o hispânico não faz nem duas horas, e decide, tudo bem então, vamos tentar isso e ver o que você faz agora. Tirando uma carteira preta fina do bolso de trás de seu jeans apertado, ela exibe um distintivo perto da câmera não tão secreta.

"Alô", diz em voz alta. "Polícia. Não fique alarmada, eu moro na casa ao lado, mas sou policial. Por favor, venha até a porta." Ela toca outra vez a campainha e continua segurando suas credenciais falsas bem na frente da minúscula câmera.

Lucy pisca na luz do sol, suando. Espera e escuta, mas não ouve nenhum som. Quando está prestes a mostrar de novo sua identidade falsa, de repente ouve uma voz, como se Deus fosse uma mulher maldosa.

"O que você quer?", pergunta a voz através de um alto-falante invisível perto da pretensa câmera invisível na parte superior da moldura da porta.

"Alguém invadiu minha casa, senhora", responde Lucy. "Acho que talvez a senhora queria saber o que aconteceu em minha casa, aqui ao lado."

"Você disse que era da polícia", acusa a voz hostil, e o sotaque é bem sulista.

"Eu sou as duas coisas."

"Que duas coisas?"

"Sou policial e sou sua vizinha, senhora. Meu nome é Tina. Gostaria que a senhora viesse até a porta."

Silêncio; depois, em menos de dez segundos, Lucy vê uma figura flutuando na direção das portas de vidro vinda de dentro da casa, e essa figura se torna uma mulher com seus quarenta anos vestida com agasalho de tênis e sapatos de ginástica. Parece que ela vai demorar uma eternidade para abrir todas as fechaduras, mas a vizinha faz isso, desarma o alarme e abre uma das portas de vidro. A princípio, dá a impressão de não ter nenhuma intenção de convidar Lucy para entrar, fica parada no vão da porta, olhando para Lucy sem um laivo de gentileza.

"Fale rápido", diz a mulher. "Não gosto de estranhos e não tenho nenhum interesse em saber da vida de meus vizinhos. Estou aqui porque não quero vizinhos. Caso você não tenha percebido, isto não é um bairro, de jeito nenhum. É um lugar para onde as pessoas vêm para ter privacidade e não ser incomodadas."

"O que não é?", Lucy se aquece para sua tarefa. Ela reconhece a tribo dos ricos autocentrados e estragados e se finge de ingênua. "Sua casa não é ou o bairro não é?"

"Não é o quê?" A hostilidade da mulher é brevemente suplantada pela confusão. "Do que você está falando?"

"Do que aconteceu ao lado, em minha casa. Ele voltou", responde Lucy, como se a mulher soubesse exatamente a que ela se refere. "Deve ter sido hoje de manhã, mas não estou muito segura, porque fiquei fora da cidade a maior parte do dia de ontem e na noite passada, e acabei de aterrissar de helicóptero em Boca. Tenho certeza de que sei o que ele quer, mas estou preocupada com você. Certamente não seria justo você ser levada na onda, imagino que sabe do que estou falando."

"Oh", diz a vizinha, e ela tem um barco muito bonito ancorado junto ao quebra-mar atrás da casa e sabe exatamente de que onda Lucy está falando e de como seria infeliz e possivelmente destrutivo ser apanhada por ela. "Como você pode ser da polícia e viver em uma casa como essa?", pergunta sem olhar na direção da mansão mediterrânea cor de salmão de Lucy. "Que helicóptero? Não me diga que você também tem um helicóptero."

"Ah, meu Deus, você está chegando perto", diz Lucy,

com um suspiro de resignação. "É uma longa história. Está tudo ligado a Hollywood. Eu acabei de me mudar para cá de Los Angeles, sabe? Eu devia ter ficado em Beverly Hills, é lá que é o meu lugar, mas essa porra desse filme, desculpe minha boca suja. Bem, é claro que você já ouviu falar de tudo que acontece quando a gente assina um contrato para um filme, e de tudo que põem nele quando planejam filmar em uma locação."

"Aqui ao lado?" Ela arregala os olhos. "Eles estão fazendo um filme aqui ao lado, em sua casa?"

"Não acho que seja uma boa idéia ter essa conversa aqui." Lucy olha em volta com ar preocupado. "Você se importa se eu entrar? Mas tem de prometer que isso vai ficar só entre nós. Se alguma palavra escapar... bem, você pode imaginar."

"Ah!" A mulher aponta um dedo para Lucy e arreganha os dentes. "Eu sabia que você era uma celebridade."

"Não! Por favor, não me diga que eu sou tão transparente assim!", diz Lucy horrorizada, enquanto entra em uma sala de estar com o mínimo de mobília, tudo branco, com uma parede de dois andares de altura que dá para o pátio com piso de granito, a piscina e o barco veloz de nove metros de comprimento que ela duvida cegamente que sua vizinha vaidosa e mimada saiba como ligar, muito menos como pilotar. O nome do barco é *Está Decidido*, o porto de origem é supostamente Grand Cayman, uma ilha no Caribe que não tem imposto de renda.

"Isso é que é um barco", diz Lucy, enquanto elas sentam na mobília branca que parece suspensa entre a água e o céu. Ela põe um telefone celular sobre a mesa de centro de vidro.

"É italiano." A mulher dá um sorriso misterioso, não tão bonito.

"Me faz lembrar Cannes", diz Lucy.

"Ah, sim! O festival de cinema."

"Não, não tanto isso. A Ville de Cannes, os barcos, ah, os iates. Logo depois da velha sede do clube você vira no Quai Número Um, muito perto do aluguel de barcos Poseidon e Anfitrite de Marseilles. Tem um cara muito legal que trabalha lá, Paul, ele tem um velho Pontiac amarelo brilhante, uma coisa estranha de se ver no sul da França. Você continua a caminhar, passa pelos armazéns, vira no Quai Número Quatro e vai até o fim, na direção do farol. Nunca vi tantos Mangustas e Leopards em minha vida. Uma vez eu tive um Zodiac com um motor Suzuki muito forte, mas um barco grande? Quem é que tem tempo? Bem, talvez você." Ela olha para o barco no dique seco. "É claro que o departamento do xerife e a alfândega vão pegar você de jeito se você andar a mais de vinte quilômetros por hora naquela coisa ali."

A mulher está desnorteada. É bonita, mas não de um jeito que Lucy ache atraente. Parece muito rica, mimada e viciada em Botox, colágeno, tratamentos termais, tudo quanto é mágica oferecida pelo dermatologista. Talvez faça anos que ela não consiga franzir o cenho. Mas ela não precisa de gestos faciais negativos. Em se tratando do rosto dela, parecer raivoso e mesquinho seria desnecessário.

"Como eu disse, meu nome é Tina. E você é...?"

"Pode me chamar de Kate. É assim que meus amigos me chamam", responde a mulher rica mimada. "Eu estou nesta casa há sete anos e nunca houve um problema, a não ser com Jeff, que, tenho o prazer de informar, está morando na casa dele nas ilhas Cayman, entre outros lugares. Imagino que o que você está me dizendo é que na verdade não é uma policial."

"Eu de fato peço desculpas se a enganei um pouco, mas não sabia mais o que fazer para que você viesse atender a porta, Kate."

"Eu vi um distintivo."

"Sim, eu o levantei para que você atendesse a porta. Não é de verdade — não mesmo. Mas, quando estou treinando para um papel, eu o vivencio o máximo que posso, e meu diretor sugeriu que eu não só andasse pela casa onde estamos filmando, mas saísse e levasse um distinti-

132

vo e dirigisse os mesmos carros que os agentes especiais dirigem, e tudo o mais."

"Eu sabia!" Kate aponta o dedo para Lucy outra vez. "Os carros esporte. Ah! Tudo faz parte do seu papel, não é?" Ela afunda o corpo magro de pernas compridas em sua grande poltrona branca e deixa cair uma almofada no colo. "Mas você não me parece familiar."

"Eu tento não parecer."

Kate tenta franzir a testa. "Mas eu me lembraria se fosse pelo menos um pouco familiar. E não consigo pensar em quem você é, de jeito nenhum. Tina do quê?"

"Mangusta." Ela oferece o nome de seu barco favorito, certa de que a vizinha não vai ligar diretamente Mangusta com os comentários que acabou de fazer sobre Cannes, mas vai pensar que Mangusta parece familiar, um pouco familiar.

"Na verdade, sim, já ouvi esse nome. Eu acho. Talvez", diz Kate, encorajada.

"Eu não trabalhei muito, não em grandes papéis, embora alguns dos filmes tenham sido grandes. Essa é minha grande chance, pode-se dizer. Comecei na off-off-Broadway e depois fui para os filmes off-off, o que eu pudesse conseguir. E espero que você não vá ficar louca quando todos os caminhões e tudo o mais chegar, mas felizmente isso só vai acontecer no verão, e pode ser que nem aconteça por causa desse cara louco que parece que nos seguiu até aqui."

"Que pena." Ela se inclina para a frente na grande poltrona branca.

"Nem me fale."

"Oh, querida." Os olhos de Kate se entristecem e ela parece preocupada. "Da Costa Oeste? Foi de lá que ele seguiu vocês? Você disse que tem um helicóptero?"

"Com toda a certeza", responde Lucy. "Se você nunca foi seguida, não pode realmente entender que pesadelo é. Eu nunca desejaria isso para ninguém. Pensei que vir para cá seria a melhor coisa que já tínhamos feito. Mas de algum jeito ele nos descobriu e nos seguiu. Eu tenho certeza de que é um cara, muita certeza. Deus me ajude se tivermos agora dois perseguidores, então, por mais esquisito que pareça, espero que seja ele. E sim, eu viajo de helicóptero quando preciso, mas não todo o trajeto desde a Costa Oeste."

"Pelo menos você não vive sozinha", comenta Kate.

"Minha companheira de quarto, outra atriz, acaba de voltar para o Oeste. Por causa do perseguidor."

"E aquele seu namorado bonitão? Na verdade, eu antes me perguntei se ele poderia ser um ator, alguém famoso. Andei tentando imaginar quem é ele." Ela sorri maliciosamente. "Aquele é Hollywood escrito. O que ele fez?"

"Basicamente se meteu em encrencas."

"Bem, se ele lhe fizer mal, querida, venha falar com a Kate, aqui." Ela bate a almofada no colo. "Eu sei o que fazer em relação a certas coisas."

Lucy olha para *Está Decidido*, que brilha, comprido, lustroso e branco ao sol. Imagina se o ex-marido de Kate está sem barco e escondido do imposto de renda nas ilhas Cayman. Ela diz: "Na semana passada o maluco entrou em minha propriedade, ou pelo menos eu suponho que era um cara. Estou só imaginando...".

O rosto esticado de Kate fica sem expressão. "Oh", diz ela. "Esse cara que está perseguindo vocês? Ora, não, eu não vi, não que eu saiba, mas há gente andando por aí, todos esses jardineiros, piscineiros, trabalhadores de construção e tal. Mas eu percebi os carros da polícia e a ambulância. Fiquei morta de pavor. Esse é o tipo de coisa que estraga uma área."

"Então você estava em casa. Minha companheira, minha ex-companheira de quarto, estava na cama curando uma ressaca. Talvez ela tenha saído para tomar sol."

"Sim. Eu a vi fazer isso."

"Você viu?"

"Ah, sim", responde Kate. "Eu estava lá em cima na sala de ginástica e por acaso olhei para baixo e a vi saindo pela porta da cozinha. Lembro que ela estava de pijama e robe. E agora que você me disse que ela estava de ressaca, isso explica tudo."

"Você se lembra da hora?", pergunta Lucy, enquanto seu telefone celular na mesa de centro continua a gravar a conversa delas.

"Deixa eu ver. Nove? Ou perto disso." Kate aponta para trás de si, na direção da casa de Lucy. "Ela ficou sentada ao lado da piscina."

"E depois, o que aconteceu?"

"Eu estava no simulador de corrida", diz ela, e no modo de pensar de Kate tudo tem a ver com Kate. "Deixa eu ver, acho que fui distraída por alguma coisa em um dos programas de TV da manhã. Não, eu estava no telefone. Lembro-me de que olhei para fora e ela não estava mais lá, aparentemente tinha voltado para dentro de casa. O que sei é que ela não estava mais lá."

"Quanto tempo você ficou no simulador de corrida, e você se importa de me mostrar sua sala de ginástica para eu poder ver exatamente onde você estava quando a viu?"

"Claro, venha, querida." Kate se levanta de sua grande poltrona branca. "Que tal bebermos alguma coisa? Acho que eu poderia tomar um espumante com suco de laranja agora, com toda essa conversa sobre perseguidores e grandes caminhões de cinema barulhentos chegando e helicópteros e tudo o mais. Normalmente eu me exercito no simulador de corrida por trinta minutos."

Lucy pega o telefone celular da mesinha de centro. "Eu bebo o que você beber", diz.

15

São onze e meia da manhã quando Scarpetta encontra Marino ao lado do carro alugado na garagem de seu antigo edifício. Nuvens escuras a fazem pensar em punhos raivosos cruzando o céu, e o sol se esconde atrás das nuvens e reaparece, e de repente rajadas de vento agitam a roupa e o cabelo dela.

"Fielding vai conosco?", pergunta Marino, destrancando o utilitário esportivo. "Suponho que você quer que eu dirija. Algum filho-da-mãe prendeu a garota e a sufocou. Filho de uma puta. Matar uma menina assim. Tinha que ser alguém bem grande, você não acha, para segurá-la e ela não conseguir se mexer?"

"Fielding não vem. Você pode dirigir. Quando a pessoa não consegue respirar, entra em pânico e luta descontroladamente. Então o agressor não precisava ser muito grande, só o suficiente para segurá-la e imobilizá-la. É bem provável que seja um caso de asfixia mecânica, não de sufocamento."

"E é isso que tem que ser feito com ele quando for preso. Fazer dois guardas de prisão enormes segurá-lo e sentarem no peito dele para ele não conseguir respirar, vamos ver se vai gostar disso." Eles entram no carro e Marino liga o motor. "Eu me candidato. Deixe que eu faço isso. Porra, fazer uma coisa dessas com uma menina!"

"Vamos deixar para mais tarde essa parte do 'Matem todos, Deus vai dar um jeito neles'", diz ela. "Temos muito a fazer. O que você sabe sobre a mãe?"

"Já que Fielding não vem, imagino que você tenha ligado para ela."

"Eu disse a ela que quero conversar, e foi só isso. Ela estava meio estranha no telefone. Acha que Gilly morreu de gripe."

"Você vai contar a ela?"

"Não sei o que vou contar a ela."

"Bem, uma coisa é certa. Os federais vão ficar excitados quando souberem que você voltou a atender em domicílio, doutora. Nada os deixa mais excitados do que eles se meterem em um caso que não é da conta deles e você aparecer fazendo suas malditas visitas domiciliares." Ele sorri enquanto dirige lentamente pelo estacionamento lotado.

Scarpetta não se importa com o que os federais acham e olha para seu antigo edifício, chamado Biotech II, para sua forma cinza simples emoldurada por tijolos vermelhos, para a baia coberta do necrotério, que a faz pensar em um iglu branco projetado para um lado. Agora que voltou, pensa que talvez fosse melhor ter ficado aqui o tempo todo. Não parece estranho ela estar indo para uma cena de morte, muito provavelmente um local de crime, em Richmond, Virgínia, e ela não se importa com o que o FBI ou o dr. Marcus ou qualquer um pense sobre suas visitas domiciliares.

"Tenho a sensação de que seu amigo doutor Marcus também vai ficar excitado", acrescenta Marino, sarcástico, como se estivesse lendo os pensamentos dela. "Você contou a ele que o caso Gilly é assassinato?"

"Não", responde ela.

Ela não se preocupou em procurar o dr. Marcus nem em contar a ele nada depois que acabou a autópsia de Gilly Paulsson. Limpou-se, vestiu novamente seu terninho e examinou alguns slides no microscópio. Fielding poderia apresentar os fatos ao dr. Marcus e informar a ele que ela lhe daria os detalhes com prazer mais tarde, e que ele poderia falar com ela pelo celular, caso necessário, mas o dr. Marcus não vai ligar. Ele quer ter o mínimo possível a ver com o caso Gilly Paulsson, e agora Scarpetta acha que ele decidiu, muito antes de entrar em contato com ela na Flórida, que não iria tirar nenhum proveito da morte de uma menina de catorze anos, que só arranjaria problemas se não se afastasse dela, e que saída seria melhor do que chamar sua polêmica antecessora, Scarpetta, o pára-raios? Ele já devia suspeitar que Gilly Paulsson tinha sido assassinada e por algum motivo resolveu que não ia sujar as mãos com o caso.

"Quem é o detetive?", pergunta Scarpetta a Marino, enquanto eles esperam que o tráfego na I-95 ande para entrarem na rua 4. "Alguém que conhecemos?"

"Não. Ele não estava aqui quando nós estávamos." Ele encontra uma passagem e acelera o motor, indo para a pista da direita. Agora que Marino voltou para Richmond, dirige como costumava dirigir em Richmond, do mesmo jeito que dirigia quando começou a carreira policial, em Nova York.

"Você sabe alguma coisa sobre ele?"

"O suficiente."

"Imagino que você vai usar este boné o dia inteiro", diz ela.

"Por que não? Você tem um boné melhor para eu usar? Além disso, Lucy vai se sentir bem de saber que estou usando o boné dela. Sabia que a central de polícia mudou? Não é mais na rua 9, é lá perto do Jefferson Hotel, no velho Farm Bureau Building. Fora isso, o Departamento de Polícia não mudou nada, a não ser pela pintura dos carros identificados e por deixarem os policiais usarem bonés de beisebol, como se fossem do Departamento de Polícia de Nova York."

"Pelo jeito, os bonés de beisebol vieram para ficar."

"Sei. Então pare de me encher por causa do meu."

"Quem lhe disse que o FBI está envolvido?"

"O detetive. O nome dele é Browning, parece legal, mas não trabalha com homicídios há muito tempo, e só trabalhou em casos de renovação urbana. Um bostinha atirando em outro bostinha." Marino abre um bloco de anotações e olha para ele enquanto atravessa o centro em direção à rua Broad. "Quinta, 4 de dezembro, ele atende a um chamado de morte antes da chegada do socorro, no endereço para onde estamos indo, no Fan, perto de onde era o Stuart Circle Hospital, antes de virar um condomínio de luxo. Você sabia disso? Foi depois que você foi embora. Você gostaria de morar em um antigo quarto de hospital? Não, obrigado."

"Você pode me dizer agora por que o FBI está envolvido, ou vou ter de esperar até você chegar a essa parte?"

"Richmond os convidou. É mais uma das muitas peças que não encaixam. Não sei por que o Departamento de Polícia de Richmond convidou os federais para meterem o nariz, nem por que os federais querem fazer isso."

"O que Browning acha?"

"Ele não está muito animado com o caso, acha que a garota pode ter tido algum tipo de ataque."

"Ele está enganado. E a mãe?"

"Ela é meio diferente. Eu chego lá."

"E o pai?"

"Eles estão separados, o pai mora em Charleston, na Carolina do Sul, é médico. Uma ironia, não acha? Um médico saberia muito bem como é um necrotério, e lá está a filhinha dele há duas semanas dentro de um saco plástico no necrotério porque eles não conseguem resolver quem vai tomar as providências nem onde ela vai ser enterrada, e só Deus sabe pelo que eles estão brigando."

"Eu entraria logo à direita na Grace", diz Scarpetta. "Depois vamos seguir em frente até lá."

"Obrigado, GPS. Eu dirigi nesta cidade todos aqueles anos. Como faria isso sem você como minha navegadora?"

"Não sei nem como você consegue funcionar quando eu não estou por perto. Fale mais sobre Browning. O que ele descobriu quando chegou à casa dos Paulsson?"

"A garota estava na cama, de costas, de pijama. A mãe estava histérica, como você pode imaginar."

"Ela estava debaixo das cobertas?"

"As cobertas estavam puxadas, na verdade estavam basicamente no chão, e a mãe disse a Browning que estavam assim quando ela chegou em casa, vindo da loja de conveniência. Mas ela está tendo problemas de memória, como você deve saber. Acho que ela está mentindo."

"Sobre o quê?"

"Não sei. Estou baseando tudo no que Browning me disse pelo telefone, o que significa que, assim que eu falar com ela, vou começar tudo de novo."

"Há alguma prova de que alguém invadiu a casa?", pergunta Scarpetta. "Alguma coisa que nos faça pensar isso?"

"Nada que faça Browning pensar isso, ao que parece. Como eu disse, ele não está muito animado com o caso. Isso nunca é bom. Se o detetive não está animado, os peritos provavelmente também não estão. Se você não acha que alguém invadiu a casa, onde vai procurar impressões digitais, por exemplo?"

"Não me diga que eles não fizeram nem isso."

"Como eu disse, quando chegar lá, vou começar tudo de novo."

Eles estão agora em uma área chamada Fan District, que foi anexada pela cidade logo depois da Guerra Civil e acabou sendo batizada de Fan porque tinha forma de leque.* Ruas estreitas saracoteiam e terminam sem razão e têm nomes de frutas, como Morango, Cereja e Ameixa. A maioria das casas foi restaurada e voltou a ter o charme anterior de varandas generosas, colunas clássicas e grades de ferro decoradas. A casa dos Paulsson é menos excêntrica e ornamentada do que a maioria, uma casa de tamanho modesto e linhas simples, uma fachada lisa de tijolos, uma varanda que ocupa toda a frente e uma falsa mansarda de telhas de ardósia que lembra a Scarpetta o chapéu usado por Jackie Kennedy no enterro do marido.

(*) Leque em inglês é *fan*. (N. T.)

Marino estaciona perto de uma minivan azul-escura e eles saem do carro. Seguem por uma entrada de lajotas, velha, gasta e escorregadia em certos pontos. É um fim de manhã nublado e frio, e Scarpetta não se surpreenderia de ver um pouco de neve, mas espera que não haja geada. A cidade nunca se adaptou a invernos muito fortes, e, à mera menção de neve, os habitantes de Richmond correm para todas as mercearias e supermercados da cidade. Os fios elétricos não são subterrâneos e não duram muito quando árvores grandes são arrancadas ou quebradas por rajadas de vento e camadas pesadas de gelo, portanto Scarpetta espera sinceramente que não haja geada enquanto estiver na cidade.

A aldrava de latão na porta preta da frente tem forma de abacaxi, e Marino bate três vezes. O som, alto e metálico, é surpreendente e parece insensível ao motivo da visita. Ouvem-se passos rápidos, e a porta se abre inteiramente. A mulher do outro lado da porta é pequena, magra e tem o rosto inchado, como se ela não comesse o suficiente mas bebesse bastante, e andasse chorando muito. Em um dia melhor ela poderia ser bonita, com uma beleza vulgar de loira tingida.

"Entrem", diz ela, com o nariz entupido. "Estou resfriada, mas não é contagioso." Seus olhos turvos miram Scarpetta. "Mas quem sou eu para dizer isso a uma médica? Imagino que você seja a médica, a pessoa com quem acabei de falar." É uma suposição lógica, já que Marino é homem e está usando calça militar e um boné de beisebol do LAPD.

"Sou a doutora Scarpetta." Ela estende a mão. "Sinto muitíssimo o que houve com Gilly."

Os olhos da sra. Paulsson brilham com lágrimas. "Entrem, por favor. Não tenho sido muito boa dona de casa ultimamente. Acabei de fazer um café."

"Que bom", diz Marino, e se apresenta. "O detetive Browning falou comigo. Mas acho que é melhor começarmos do zero, se a senhora não se importar."

"Como vocês preferem o café?"

Marino tem o bom senso de não responder com sua fala habitual: como minhas mulheres, doces e brancas.

"Preto está ótimo", diz Scarpetta, e eles seguem a sra. Paulsson por um corredor de velhas tábuas de pinho, e à direita há uma salinha de estar confortável, com móveis de couro verde-escuro e utensílios de lareira de latão. À esquerda fica uma sala de visitas mais formal que não parece ser usada, e Scarpetta sente sua frieza quando passa por ela.

"Posso pegar seus casacos?", pergunta a sra. Paulsson.

"Só eu mesmo para oferecer café quando vocês estão na porta e pedir os casacos quando estão na cozinha. Não liguem para mim. Não ando bem ultimamente."

Eles tiram os casacos e ela os pendura em ganchos de madeira na cozinha. Scarpetta nota um cachecol vermelho brilhante tricotado à mão em um dos ganchos, e por algum motivo se pergunta se não seria de Gilly. A cozinha não foi reformada nas últimas décadas e tem um antiquado piso xadrez branco e preto e eletrodomésticos brancos antigos. As janelas dão para um quintal estreito com uma cerca de madeira, e atrás da cerca há um telhado baixo de ardósia ao qual faltam algumas telhas, pontilhado de musgo e com folhas secas empilhadas no beiral.

A sra. Paulsson serve o café e eles se sentam a uma mesa de madeira ao lado de uma janela que propicia uma visão da cerca e do telhado de ardósia musguento. Scarpetta nota que a cozinha é muito limpa e arrumada, com sua prateleira de potes, panelas penduradas em ganchos de ferro sobre uma tábua de açougueiro, e o escorredor de pratos e a pia vazios e limpíssimos. Percebe um vidro de xarope contra tosse no balcão perto do suporte para toalha de papel, um vidro de xarope com expectorante vendido sem receita. Scarpetta toma seu café preto.

"Não sei por onde começar", diz a sra. Paulsson. "Nem sei direito quem são vocês; aliás, só sei que, quando o detetive Browning ligou hoje de manhã, disse que vocês eram peritos de fora da cidade e perguntou se eu ia ficar em casa. Então você ligou." Ela olha para a dra. Scarpetta.

"Então o Browning ligou para a senhora", diz Marino.

"Ele tem sido bastante amável." Ela olha para Marino e parece achar algo interessante nele. "Não sei por que todas essas pessoas estão... Bem, acho que não sei de muita coisa." Seus olhos ficam outra vez marejados. "Eu deveria estar agradecida. Não imagino como seria se isso acontecesse e ninguém se importasse."

"É claro que as pessoas se importam", diz Scarpetta. "É por isso que estamos aqui."

"De onde vocês são?" De olhos fixos em Marino, ela levanta seu café e toma um gole, olhando cuidadosamente para ele.

"Sul da Flórida, um pouco ao norte de Miami", responde Marino.

"Ah, eu pensei que talvez vocês fossem de Los Angeles", diz ela, e seu olhar sobe para o boné de Marino.

"Temos ligações em Los Angeles", diz Marino.

"Estou impressionada", diz, mas não parece impressionada, e Scarpetta começa a ver alguma coisa a mais na sra. Paulsson, um outro ser dentro dela. "Meu telefone não pára de tocar, muitos repórteres, muita gente desse tipo. Eles estiveram aqui nos outros dias." Ela se vira na cadeira, indicando a frente da casa. "Em um caminhão de TV enorme, com uma antena alta, seja lá o que for. É indecente, de verdade. Claro, uma agente do FBI esteve aqui outro dia e disse que é porque ninguém sabe o que houve com Gilly. Ela disse que já viu muita coisa pior, e eu não sei o que poderia ser pior."

"Talvez ela estivesse se referindo à publicidade," diz Scarpetta, afável.

"O que poderia ser pior do que o que aconteceu com minha Gilly?", pergunta a sra. Paulsson, enxugando os olhos.

"O que a senhora acha que aconteceu com ela?", pergunta Marino, batendo com o polegar na borda da xícara.

"Eu sei o que aconteceu com ela. Ela morreu de gripe", responde a sra. Paulsson. "Deus a levou para casa, para ficar com Ele. Não sei por quê. Gostaria que alguém me dissesse."

"Há pessoas que não têm tanta certeza de que ela morreu de gripe", diz Marino.

"Este é o mundo em que nós vivemos. Todos querem coisas dramáticas. Minha filhinha estava de cama com gripe. Muita gente morreu de gripe este ano." Ela olha para Scarpetta.

"Senhora Paulsson", diz Scarpetta, "sua filha não morreu de gripe. Tenho certeza de que já lhe disseram isso. A senhora falou com o doutor Fielding, não falou?"

"Ah, sim. Nós conversamos por telefone logo depois que aquilo aconteceu. Mas não sei como é possível saber se alguém morreu de gripe. Como é possível afirmar isso depois que aconteceu, quando as pessoas não estão tossindo, não têm febre e não podem reclamar do que estão sentindo?" Ela começa a chorar. "Gilly estava com febre de trinta e oito graus e estava quase sufocando de tanta tosse quando eu saí para comprar mais xarope. Foi só o que eu fiz, fui de carro até a farmácia da rua Cary para pegar mais xarope."

Scarpetta olha de novo para o vidro no balcão. Pensa nos slides que viu na sala de Fielding logo antes de vir para a casa da sra. Paulsson. Microscopicamente, havia vestígios de fibrina, linfócitos e macrófagos em partes do tecido pulmonar, e os alvéolos estavam abertos. A broncopneumonia de Gilly, uma complicação comum da gripe, especialmente entre os idosos e os jovens, estava sarando, e não era grave o bastante para comprometer as funções pulmonares.

"Senhora Paulsson, nós saberíamos se sua filha tivesse morrido de gripe", diz Scarpetta. "Poderíamos saber pelo exame dos pulmões." Ela não quer entrar em detalhes mais vívidos sobre como os pulmões de Gilly ficariam uniformemente duros ou consolidados, encaroçados e inflamados se ela tivesse morrido de gripe. "Sua filha estava tomando antibióticos?"

144

"Oh, sim. Na primeira semana, estava." Ela pega o café. "Eu achava que ela estava melhorando. Só pensei que ainda estivesse resfriada, sabe?"

Marino empurra a cadeira para trás. "A senhora se importa se eu deixar vocês duas conversarem?", diz. "Eu gostaria de dar uma olhada por aí, se a senhora não se incomodar."

"Não sei o que tem para olhar, mas pode ir. Você não é o primeiro que vem aqui e quer dar uma olhada. O quarto dela é no fundo."

"Eu encontro." Ele sai, suas botas pesadas soando no velho chão de madeira.

"Gilly estava melhorando", diz Scarpetta. "O exame dos pulmões dela mostra isso."

"Bem, ela ainda estava fraca e franzina."

"Ela não morreu de gripe, senhora Paulsson", diz Scarpetta a ela com firmeza. "É importante que a senhora entenda isso. Se ela tivesse morrido de gripe, eu não precisaria estar aqui. Estou tentando ajudar, e preciso que a senhora responda algumas perguntas."

"Você não parece ser daqui."

"Eu nasci em Miami."

"Oh. E você ainda mora lá, ou muito perto. Eu sempre quis ir a Miami. Especialmente quando o tempo está assim, tão feio." Ela se levanta para servir mais café, e anda com dificuldade, as pernas duras, atravessando a cozinha até a cafeteira perto do vidro de xarope. Scarpetta imagina a sra. Paulsson prendendo a filha de rosto para baixo na cama e não descarta essa possibilidade, mas acha improvável. A mãe não pesa muito mais do que a filha pesava, e quem quer que tenha prendido Gilly era pesado e forte o suficiente para impedi-la de lutar a ponto de sofrer mais ferimentos do que os que ela tem. Mas Scarpetta não descarta a possibilidade de a sra. Paulsson ter assassinado Gilly. Não pode descartar, por mais que queira.

"Eu gostaria de ter levado Gilly para Miami ou Los Angeles, ou para algum lugar especial", está dizendo a sra. Paulsson. "Mas tenho medo de avião e enjôo quando viajo de carro, então nunca viajei muito. E agora eu gostaria de ter tentado mais."

Ela pega a cafeteira, que treme em sua mão pequena e fina. Scarpetta fica olhando para as mãos, os pulsos e qualquer área exposta da pele da sra. Paulsson, procurando algum indício de arranhões, lesões ou outros ferimentos antigos, mas já se passaram duas semanas. Ela rabisca uma anotação em seu bloco, para se lembrar de descobrir se a sra. Paulsson tinha algum ferimento quando a polícia atendeu ao chamado e a entrevistou.

"Eu queria ter ido, porque Gilly teria gostado de Miami, com todas aquelas palmeiras e flamingos cor-de-rosa", diz a sra. Paulsson.

À mesa, ela enche de novo as xícaras, e o café escorre no bule de vidro quando ela o põe de volta na cafeteira ensopada, com um pouco de força demais. "No próximo verão, ela ia viajar com o pai." Ela se senta abatida na cadeira de carvalho de espaldar reto. "Talvez só para ficar com ele em Charleston. Ela também nunca foi a Charleston." Ela apóia os cotovelos na mesa. "Gilly nunca foi à praia, só viu o mar em fotografias, e de vez em quando na televisão, embora eu nunca a deixasse ver muita televisão. Quem pode me culpar?"

"O pai dela mora em Charleston?", pergunta Scarpetta, apesar de já saber disso.

"Ele se mudou no verão passado. É médico lá, vive em uma casa grande perto do mar. Ele está no roteiro turístico, sabe? As pessoas pagam um bom dinheiro para entrar e ver o jardim dele. É claro que ele não faz nada pelo jardim, não pode se incomodar com coisas assim. Ele contrata quem quiser para cuidar das coisas com que não pode se incomodar, como o enterro. Ele manda os advogados dele atrapalharem tudo. Só para me atazanar, sabe? Porque eu quero que ela fique aqui em Richmond, e por causa disso ele quer que ela fique em Charleston."

"Que tipo de médico ele é?"

"Um pouco de tudo, clínico geral, e também é médico da Força Aérea. Você deve saber que eles têm uma grande base aérea em Charleston, e todo dia se forma uma fila na porta de Frank, foi o que ele me disse. Ah, ele se gaba muito disso. Todos aqueles pilotos passam lá para fazer o exame médico por setenta dólares cada um. Então ele se dá muito bem, o Frank se dá bem", continua, mal tomando fôlego entre as frases e balançando um pouco a cadeira.

"Senhora Paulsson, me conte sobre o dia 4 de dezembro, quinta-feira. Comece pelo momento em que a senhora acordou naquela manhã." Scarpetta imagina aonde aquilo vai parar se ela não tomar uma providência. A sra. Paulsson vai ficar dando voltas eternamente, escapando das perguntas e dos detalhes importantes, obcecada com o ex-marido. "A que horas a senhora acordou naquela manhã?"

"Eu sempre acordo às seis. Então acordei às seis, nem preciso de despertador, porque tenho um embutido." Ela toca na cabeça. "Sabe?, nasci exatamente às seis horas da manhã, é por isso que acordo às seis da manhã, tenho certeza disso..."

"E depois?" Scarpetta odeia interromper, mas, se não fizer isso, essa mulher vai fazer digressões enroladas o dia inteiro. "A senhora se levantou?"

"Claro que me levantei. Eu sempre me levanto, venho aqui para a cozinha, preparo meu café. Depois volto para o quarto e leio a Bíblia. Se Gilly tem aula, eu a faço sair de casa às sete e quinze, com seu lanchinho e tudo o mais, e uma das colegas dela lhe dá uma carona. Porque eu tenho sorte. Ela tem uma amiga cuja mãe não se importa de dirigir todas as manhãs."

"Quinta, 4 de dezembro, há duas semanas", Scarpetta a leva de volta para onde precisa dela. "A senhora se levantou às seis horas, fez café e voltou para o quarto para ler a Bíblia. E depois?", pergunta, enquanto a sra. Paulsson concorda, com um aceno. "Sentou-se na cama e leu a Bíblia? Por quanto tempo?"

"Uma boa meia hora."

"A senhora foi ver como Gilly estava?"

"Primeiro eu rezei por ela, deixei-a dormir mais um pouco enquanto rezava por ela. Depois, lá pelas sete e quinze entrei no quarto dela, e ela estava deitada na cama toda enrolada nas cobertas, dormindo como uma pedra." Ela começa a chorar. "Eu disse 'Gilly? Gilly, minha bebezinha? Levante, vamos tomar um mingau quentinho'. Ela abriu aqueles lindos olhos azuis e disse 'Mamãe, eu tossi tanto ontem à noite que meu peito está doendo'. Foi quando eu lembrei que o xarope tinha acabado." Ela pára de repente, seus olhos arregalados e úmidos. "O engraçado é que o cachorro não parava de latir. Não sei por quê, até agora eu nunca tinha pensado nisso."

"Que cachorro? Vocês têm um cachorro?" Scarpetta toma nota, mas o faz com discrição. Ela sabe olhar, escutar e anotar discretamente algumas palavras, em uma letra que poucos conseguem ler.

"A outra coisa é isso", diz a sra. Paulsson, com a voz aos solavancos e os lábios tremendo, chorando mais ainda. "A Fofura fugiu! Meu Deus do céu." Ela chora mais e se agita mais na cadeira. "Fofura estava no quintal quando eu estava falando com Gilly, e depois sumiu. A polícia ou a ambulância não fechou o portão. Como se não bastasse o que tinha acontecido. Como se tudo já não estivesse tão ruim."

Scarpetta fecha lentamente o bloco de anotações de couro e o põe, junto com a caneta, sobre a mesa. Olha para a sra. Paulsson. "Que tipo de cachorro é a Fofura?"

"Ela era de Frank e ele não podia ser incomodado. Ele foi embora, sabe?, não faz nem seis meses, no meu aniversário. Isso é coisa que se faça com outro ser humano? E ele disse 'Fique com a Fofura, a menos que você queira que ela acabe na Sociedade Protetora dos Animais'."

"Que tipo de cachorro é a Fofura?"

"Ele nunca ligou para aquela cachorrinha, e sabe por quê? Porque ele não liga para ninguém além dele, por isso. Agora Gilly ama aquela cachorrinha, como ama! Se ela soubesse..." Lágrimas correm pelo rosto da sra. Paulsson, e sua língua pequena e rosada lambe os lábios. "Se ela soubesse, seu coraçãozinho ia sofrer muito."

"Senhora Paulsson, que tipo de cachorro é a Fofura? A senhora relatou a alguém o desaparecimento dela?"

"Relatei?" Ela pisca, concentrando-se por um instante, e quase ri quando explode: "Relatar a quem? À polícia, que a deixou fugir? Bom, não sei se você chamaria exatamente de relatar, mas contei a um deles, embora não saiba dizer qual. Eu disse 'Minha cachorrinha sumiu!'".

"Qual foi a última vez que a senhora viu a Fofura? E, senhora Paulsson, eu sei que a senhora está muito perturbada, de verdade. Mas, por favor, tente responder a minhas perguntas."

"O que você tem a ver com meu cachorro? Acho que um cachorro desaparecido não é da sua conta, a não ser que esteja morto, e, mesmo assim, acho que médicos como você não se importam muito com cachorros mortos."

"Eu me importo com tudo. Quero ouvir tudo o que a senhora possa me contar."

Bem nesse momento, Marino aparece na porta da cozinha. Scarpetta não ouviu seus pés pesados. Ela fica surpresa por ele conseguir transportar seu corpo imenso naquelas grandes botas e ela não ouvir nada. "Marino", diz ela, olhando bem para ele. "Você sabe alguma coisa sobre o cachorro delas? O cachorro desapareceu. Fofura. É uma... Que tipo de cachorro ela é?" Ela olha para a sra. Paulsson pedindo ajuda.

"Uma bassê, uma filhotinha."

"Doutora, preciso de você um minuto", diz Marino.

16

Lucy olha em volta, para os caros aparelhos de levantamento de peso e a janela na sala de ginástica do terceiro andar. Sua vizinha Kate tem tudo de que precisa para entrar em forma enquanto desfruta uma vista espetacular da Hidrovia Intracosteira, do posto e do farol da Guarda Costeira, do oceano mais à frente e de boa parte da propriedade privada de Lucy.

As janelas da parte sul da sala de ginástica dão para os fundos da casa de Lucy, e é mais que desanimador perceber que Kate consegue ver mais ou menos tudo o que possa acontecer dentro da cozinha, da área de refeição e da sala estar da casa de Lucy, e também no pátio, na piscina e ao longo do quebra-mar. Lucy olha para o estreito caminho ao longo do muro baixo entre as duas casas, e é por essa passagem revestida com cedro que ela acredita que ele, a fera, seguiu para entrar pela porta ao lado da piscina, a porta que Henri deixou destrancada. Ou isso, ou ele chegou de barco. Para ela isso não aconteceu, mas precisa avaliar essa possibilidade. A escada no quebra-mar está dobrada e trancada, mas, se alguém estivesse determinado a ancorar ali e subir para a propriedade de Lucy, certamente seria possível. A escada trancada é um impedimento para pessoas normais, mas não para perseguidores, ladrões, estupradores ou assassinos. Para essas pessoas existem as armas de fogo.

Em uma mesa ao lado do simulador de corridas há um telefone sem fio ligado a uma tomada na parede. Ao lado dela há uma tomada de parede padrão, e Lucy abre sua pochete e pega um transmissor disfarçado de adaptador de tomada. Encaixa-o na tomada da parede. A peça pequena e inócua de equipamento de espionagem é amarelada, da mesma cor padrão da tomada na parede, e não é nada que dê para Kate perceber ou fazê-la preocupar-se caso repare. Se ela decidir ligar alguma coisa no adaptador, tudo bem. Ele é funcional quando ligado à corrente alternada. Lucy fica parada por um instante, depois sai da sala de ginástica, ouvindo. Kate ainda deve estar na cozinha ou em algum lugar no primeiro andar.

Na ala sul fica o quarto principal, um espaço imenso com uma enorme cama com dossel, e uma enorme TV de tela plana na parede em frente à cama. As paredes que dão para a água são de vidro. Dessa posição, Kate tem uma vista perfeita dos fundos e também das janelas do andar de cima da casa de Lucy. Isso não é bom, ela pensa, enquanto olha em volta e nota uma garrafa de champanhe vazia no chão, perto de uma mesa-de-cabeceira onde há uma taça de champanhe suja, um telefone e um romance. Sua vizinha rica e intrometida pode ver além da conta o que estiver acontecendo na casa de Lucy, supondo que as persianas estejam abertas, e normalmente não estão. Graças a Deus, normalmente não estão.

Ela pensa sobre a manhã em que Henri quase foi assassinada e tenta lembrar se as persianas estavam abertas ou fechadas, e localiza a tomada de telefone embaixo da mesa-de-cabeceira e se pergunta se tem tempo para desaparafusar o espelho e repô-lo no lugar. Tenta ouvir o elevador, passos na escada, e não ouve nenhum som. Abaixa-se no chão enquanto saca uma pequena chave de fenda da pochete. Os parafusos no espelho não estão apertados, e só há dois deles, e ela os retira em segundos enquanto tenta ouvir Kate. Substitui o espelho genérico bege por outro muito parecido, que é um transmissor em miniatura que lhe permitirá monitorar qualquer conversa telefônica que ocorra nessa linha dedicada. Mais alguns segun-

151

dos e ela liga o fio do telefone outra vez, levanta-se e sai do quarto no mesmo instante em que a porta do elevador se abre e Kate aparece segurando duas taças de champanhe de cristal cheias quase até a borda com um líquido laranja pálido.

"Esta casa é uma coisa", diz Lucy.

"Sua casa é que deve ser uma coisa", diz Kate, entregando um copo a Lucy.

Você deve saber, pensa Lucy. Você a espia bastante.

"Qualquer hora você precisa me levar para uma visita", diz Kate.

"Quando quiser. Mas eu viajo muito." O cheiro pungente do champanhe ataca os sentidos de Lucy. Ela não bebe mais. Aprendeu do jeito mais difícil o que é beber e não toca mais em álcool.

Os olhos de Kate estão mais brilhantes e ela está mais relaxada do que há quinze minutos. Ela perdeu a compostura e está a meio caminho da bebedeira. Enquanto estava no andar de baixo, tudo indica que entornou várias taças de seja lá o que tenha preparado, e Lucy suspeita que, embora haja champanhe na taça que Kate segura, ela provavelmente pôs vodca na sua. O líquido na taça de Kate é mais diluído, e ela está muito mole e lúbrica.

"Eu olhei pelas janelas de sua sala de ginástica", diz Lucy, segurando a taça enquanto Kate bebe. "Você poderia ter uma boa visão de alguém que entrasse em minha propriedade."

"'Poderia' é a palavra certa, querida. A palavra certa." Ela estica as palavras do modo como as pessoas fazem quando perderam a compostura e estão felizes e ficando bêbadas. "Eu não tenho o hábito de me intrometer. Já tenho coisas demais para fazer, não consigo nem dar conta da minha vida."

"Você se importa se eu usar o banheiro?", pergunta Lucy.

"Queridinha, você pode fazer tudo o que quiser nele. É bem ali." Ela aponta para a ala norte, oscilando um pouco sobre os pés plantados bem abertos.

152

Lucy entra em um banheiro que tem uma sauna, uma banheira imensa, toalhas para ele e para ela e uma paisagem. Derrama metade da bebida na privada e dá descarga. Espera alguns segundos e volta para o patamar no alto da escada, onde Kate está parada, oscilando levemente, bebendo.

"Qual é seu champanhe favorito?", pergunta Lucy, pensando na garrafa vazia ao lado da cama.

"Há mais de um, querida?" Ela ri.

"Sim, há muitos, dependendo de quanto você quer gastar."

"Não diga! Eu lhe contei da vez em que Jeff e eu enlouquecemos no Ritz, em Paris? Não, é claro que não contei. Eu não a conheço de verdade, não é? Mas acho que estamos ficando amigas muito depressa", diz, enquanto se inclina na direção de Lucy e agarra o braço dela, depois começa a passar a mão nele enquanto cospe mais alguma coisa. "Nós estávamos... não, espere." Ela dá outro gole, passando a mão no braço de Lucy e puxando-o para junto do dela. "Foi no Hôtel de Paris em Monte Carlo, é claro. Você já esteve lá?"

"Dirigi minha Enzo uma vez lá", diz Lucy, inveridicamente.

"Qual delas é? A prateada ou a preta?"

"A Enzo é vermelha. Não está aqui." Lucy diz quase a verdade. A Enzo não está lá porque ela não tem nenhuma Enzo.

"Então você já esteve em Monte Carlo. No Hôtel de Paris", diz Kate, esfregando o braço de Lucy. "Bem, Jeff e eu estávamos no cassino."

Lucy assente com a cabeça, erguendo a taça como se fosse beber, mas não bebe.

"E eu estava mexendo nos dois caça-níqueis europeus e tive sorte, menina, eu tive muita sorte." Ela esvazia o copo e esfrega o braço de Lucy. "Você é muito forte, sabia? Então eu disse ao Jeff, nós devíamos comemorar, querido, na época eu o chamava de querido, não de babaca."

153

Ela ri e olha para o copo de cristal vazio. "Então nós voltamos para a nossa suíte, a Suíte Winston Churchill, eu ainda me lembro. Imagine o que nós pedimos?"

Lucy está tentando decidir se deve ir embora agora ou esperar até que Kate faça alguma coisa pior do que está fazendo. Seus dedos frios e ossudos apertam o braço de Lucy e ela o está puxando contra seu corpo magro e bêbado. "Dom?", pergunta Lucy.

"Ah, querida. Não Dom Pérignon. *Mais non!* Isso é refrigerante, só refrigerante de homem rico, não que eu não o adore, sabe? Mas nós estávamos nos sentindo muito malcriados e pedimos o Cristal Rosé a quinhentos e sessenta e tantos euros. Claro, eram os preços do Hôtel de Paris. Você já tomou?"

"Não me lembro."

"Ah, querida, você se lembraria, pode acreditar. Depois de tomar o rosé você não quer mais nada. Depois disso só existe um champanhe. Então, para piorar, passamos do Cristal para o mais divino Rouge du Château Margaux", diz ela, pronunciando extremamente bem seu francês, para alguém que quase chegou a seu destino de bebedeira.

"Você quer o resto do meu?" Lucy estende para ela sua taça enquanto Kate a esfrega e a puxa. "Tome, eu troco." Ela troca sua taça semicheia pela taça vazia de Kate.

17

Ele se lembra daquela vez em que ela desceu para conversar com o chefe dele, o que significa que aquilo que ela tinha em mente era importante o bastante para que tomasse o elevador de carga, uma engenhoca horripilante.

Era de ferro e estava enferrujado, e as portas se fechavam não dos lados, como em um elevador normal, mas de cima e de baixo, encontrando-se no meio, como uma mandíbula que se fecha. É claro que havia escadas. O regulamento contra incêndio determinava que sempre houvesse escadas em prédios públicos, mas ninguém ia pela escada para a Divisão de Anatomia, certamente não Edgar Allan Pogue. Quando ele precisava subir e descer entre o necrotério e o local onde trabalhava no subsolo, sentia-se comido vivo como Jonas quando fechava aquelas portas de ferro do elevador com um puxão na alavanca de ferro interna. O piso era de ferro ondulado e vivia coberto de poeira, a poeira de cinzas e ossos humanos, e normalmente havia uma maca de transporte estacionada dentro daquele claustrofóbico velho elevador de ferro, pois quem se importava com o que Pogue deixava lá dentro?

Bem, ela se importava. Infelizmente se importava.

Assim, naquela manhã específica que Pogue tem em mente enquanto está sentado em sua cadeira de jardim, em seu apartamento de Hollywood, lustrando seu taco de beisebol infantil com um guardanapo, ela saiu do elevador de serviço, vestindo um comprido jaleco de laboratório branco sobre o uniforme cirúrgico azul-esverdeado, e ele nunca vai esquecer como ela se moveu silenciosamente pelo piso de cerâmica marrom no mundo subterrâneo sem janelas onde ele passava seus dias e, depois, algumas de suas noites. Ela usava sapatos com sola de borracha, provavelmente porque eles não escorregavam e eram mais confortáveis para a coluna quando ela ficava de pé longas horas no conjunto de autópsia, cortando pessoas. É engraçado como o fato de ela cortar pessoas é respeitável porque é médica e Pogue não é nada. Ele nem terminou o colegial, embora seu currículo diga que sim, e essa mentira, entre outras, nunca foi questionada.

"Precisamos parar de deixar a maca no elevador", disse ela ao supervisor de Pogue, Dave, um homem estranho e encurvado, com olheiras embaixo de seus olhos escuros, o cabelo tingido de preto emaranhado e duro, cheio de topetes. "Parece que a bandeja de corpos é a que vocês estão usando no crematório, e é por isso que o elevador está cheio de poeira, e essa não é a forma correta. Provavelmente também não é saudável."

"Sim, senhora", respondeu Dave, e ele estava trabalhando nas correntes e polias no alto, içando o corpo nu rosado de uma cuba de chão cheia de formalina cor-de-rosa, um robusto gancho de ferro preso em cada uma das orelhas, porque esse era o modo como eles içavam pessoas das cubas quando Edgar Allan Pogue trabalhava lá. "Mas ela não está no elevador." Dave fez questão de olhar para a maca. Arranhada e entalhada, e enferrujada nas juntas, ela estava estacionada no meio do piso, com um saco mortuário de plástico transparente enrolado em cima.

"Eu estou só lembrando a você enquanto penso sobre isso. O elevador talvez não seja usado pela maioria das pessoas neste edifício, mas mesmo assim precisamos mantê-lo limpo e inofensivo", disse ela.

Nesse momento Pogue soube que ela considerava o trabalho dele ofensivo. De que outra maneira deveria interpretar um comentário como esse? Mas a ironia é que sem aqueles corpos doados à ciência os estudantes de medicina não teriam cadáveres para dissecar, e, sem um cadáver, onde estaria Kay Scarpetta? Exatamente onde ela estaria sem um dos corpos de Edgar Allan Pogue?, embora não chegasse a conhecer nenhum dos corpos dele quando estava na faculdade de medicina. Isso foi antes da época dele e não foi na Virgínia. Ela estudou medicina em Baltimore, não na Virgínia, e é cerca de dez anos mais velha que Pogue.

Ela não falou com ele nessa ocasião, embora ele não possa acusá-la de ser arrogante. Ela fazia questão de cumprimentar Edgar Allan, e bom dia Edgar Allan, e onde está Dave?, Edgar Allan, sempre que descia para a Divisão de Anatomia com algum propósito em mente. Mas não falou com ele nessa ocasião quando andou depressa pelo piso marrom, as mãos nos bolsos de seu jaleco de laboratório, e talvez não tenha falado com Pogue porque não o viu. E também não procurou por ele. Se tivesse procurado, ela o teria encontrado ao lado de sua lareira, como Cinderela, varrendo cinzas e pedaços de osso que tinha acabado de esmagar com seu bastão de beisebol infantil favorito.

Mas o que importa é que ela não procurou. Não, não procurou. Ele, por outro lado, tinha a vantagem da alcova de concreto escura onde ficava o forno, e tinha uma vista direta da sala principal, onde Dave tinha enganchado a mulher rosada, e as polias motorizadas e a corrente batiam regularmente, e ela se movia, cor-de-rosa, pelo ar, braços e joelhos suspensos como se ainda estivesse sentada na cuba, e as luzes fluorescentes do teto brilhavam na etiqueta de identificação de ferro pendurada em sua orelha esquerda.

Pogue observou sua subida e não pôde deixar de sentir um toque de orgulho, até que Scarpetta disse: "No novo edifício não vamos mais fazer isso, Dave. Vamos empilhá-los em bandejas em um refrigerador, como fazemos com os outros corpos. Isso é uma indignidade, uma coisa da Idade Média. Não está certo".

"Sim, senhora. Um refrigerador seria ótimo. Mas nós podemos colocar mais corpos nas cubas", disse Dave, e pressionou um interruptor e a corrente parou, e a mulher velha rosada oscilou como se estivesse em uma cadeira de teleférico que parasse de repente.

"Supondo que eu consiga arranjar espaço. Você sabe como é, eles estão tirando de mim cada centímetro quadrado que conseguem. Tudo depende de espaço", disse Scarpetta, encostando um dedo no queixo, olhando em volta, supervisionando seu reino.

Edgar Allan Pogue se lembra de naquele momento pensar, Tudo bem então, este piso marrom com as cubas, o forno e a sala de embalsamamento são seu reino neste minuto. Mas, quando você não está aqui, e isso é noventa e nove por cento do tempo, este reino é meu. E as pessoas que chegam e são drenadas e ficam nas cubas e sobem nas chamas e voam pela chaminé são meu súditos e amigos.

"Eu esperava que alguém ainda não tivesse sido embalsamado", diz Scarpetta a Dave, enquanto a velha mulher rosada esticada oscilava suspensa na corrente acima da cabeça. "Talvez eu precise cancelar a demonstração."

"Edgar Allan foi muito rápido. Embalsamou-a e a colocou na cuba antes que eu tivesse chance de dizer a ele que você precisava de um esta manhã", disse Dave. "Não tenho nenhum fresco no momento."

"Ela não foi reclamada?" Scarpetta olha para o corpo rosado oscilando.

"Edgar Allan?", chamou Dave. "Este não foi reclamado, foi?"

Edgar mentiu e disse que não, sabendo que Scarpetta não usaria um corpo reivindicado porque isso não estaria no espírito do que a pessoa queria ao doar seu corpo para a ciência. Mas Pogue sabia que essa velha rosada não teria dado importância a isso. Nem um pouco. Ela só queria compensar Deus por algumas injustiças, só isso.

"Imagino que ele sirva", decidiu Scarpetta. "Eu odeio cancelar. Então este vai servir."

"Eu sinto muito", disse Dave. "Sei que fazer uma de-

158

monstração de autópsia com o corpo embalsamado não é ideal."

"Não se preocupe." Scarpetta bateu no braço de Dave. "Você não tinha como saber que não há nenhum caso hoje. O único dia em que não temos nenhum, e eu preciso receber a academia de polícia. Bem, mande-a lá para cima."

"Com certeza. Você me deve um favor", disse Dave, dando uma piscada, e às vezes ele flertava com Scarpetta. "As doações não são muitas."

"Sorte sua as pessoas não verem onde terminam, senão você não conseguiria mais nenhuma doação", respondeu ela, voltando para o elevador. "Precisamos trabalhar naquelas especificações para o novo edifício, Dave. Logo."

Então Pogue ajudou Dave a soltar a doação mais recente deles, e a puseram na mesma maca empoeirada da qual Scarpetta reclamara poucos minutos antes. Pogue rolou a velha senhora rosada pelo piso de cerâmica marrom e para dentro do elevador de serviço enferrujado, e eles subiram juntos, e ele a empurrou para fora no primeiro andar, pensando que aquela era uma viagem que a velha nunca planejara. Não, certamente ela não imaginara esse desvio, certo? E ele devia saber. Tinha conversado bastante com ela, não tinha? Mesmo antes de ela morrer, não era? O saco plástico que ele pusera em cima dela se enferrujava enquanto ele a rolava através do ar pesado e desodorizado, e as rodas tiniam na cerâmica branca enquanto ele a guiava na direção das portas duplas abertas que levavam ao conjunto de autópsia.

"E isso, mãezinha querida, foi o que aconteceu com a senhora Arnette", diz Edgar Allan Pogue, sentado na cadeira de jardim, com fotografias da sra. Arnette de cabelo azul espalhadas sobre a trama amarela e branca entre suas coxas nuas e peludas. "Ah, eu sei, parece injusto e pavoroso, não é? Mas não foi assim. Eu sabia que ela preferiria uma platéia de jovens policiais a ser trinchada por algum estudante de medicina ingrato. É uma história bonita, não é, mãe? Uma história muito bonita."

159

18

O quarto é grande o suficiente para acomodar uma cama de solteiro e, uma mesinha à esquerda da cabeceira e uma penteadeira ao lado do armário. Os móveis são de carvalho, não antigos mas também não novos, e são bastante bonitos, e colados na parede revestida de madeira em volta da cama há cartazes com paisagens pitorescas. Gilly Paulsson dormia aos pés do Dumo de Siena e acordava embaixo do velho Palácio de Domiciano no Monte Palatino de Roma. Ela talvez tenha se vestido e escovado os longos cabelos louros no espelho de corpo inteiro perto da Piazza Santa Croce de Florença, com sua estátua de Dante. Provavelmente não sabia quem era Dante. Talvez nem conseguisse encontrar a Itália em um mapa.

Marino está de pé ao lado de uma janela que dá para o quintal. Ele não precisa explicar o que está vendo porque é óbvio. A janela fica a não mais de um metro do chão e é fechada por dois trincos que, quando pressionados, permitem que ela suba com facilidade.

"Eles não trancam", diz Marino. Ele está usando luvas de algodão brancas e empurra os trincos, demonstrando com que facilidade alguém poderia levantar a janela.

"O detetive Browning deve saber disso", diz Scarpetta, pegando também luvas, um par de luvas de algodão branco levemente manchadas por ficarem sempre em um bolso lateral de sua bolsa. "Mas não há nada nos relatórios que eu vi que mencione que o trinco da janela está quebrado. Será que foi forçada?"

"Não", responde Marino, abaixando a janela. "Está só velha e gasta. Imagino se ela alguma vez abriu essa janela. É difícil acreditar que alguém acaba de perceber que ela está em casa de volta da escola e que a mãe saiu para fazer umas coisinhas, e Ei, vou invadir, e Ei, que sorte eu tenho, o trinco da janela está quebrado."

"É mais provável que alguém já soubesse que a janela não tranca", diz Scarpetta.

"É o meu palpite."

"Então alguém que conhecia esta casa ou que conseguia observá-la e reunia informações."

"Sei", diz Marino, andando até a penteadeira e abrindo a gaveta de cima. "Precisamos ter informações sobre os vizinhos. A casa que tem a melhor visão do quarto dela é aquela." Ele aponta com a cabeça para a janela com trincos quebrados, indicando a casa atrás da cerca do fundo, a que tem teto de ardósia musguento. "Vou descobrir se os tiras perguntaram quem mora lá." Parece estranho ele se referir à polícia como tiras, como se nunca tivesse sido um deles. "Quem vive lá talvez tenha percebido alguém rondando a casa. Eu pensei que você poderia achar isto interessante."

Marino enfia a mão na gaveta e tira uma carteira masculina preta de couro. Está curvada, como as carteiras ficam quando são guardadas habitualmente em um bolso de trás. Abre-a, e dentro está a licença de motorista vencida da Virgínia de Franklin Adam Paulsson, nascido em 14 de agosto de 1966, em Charleston, Carolina do Sul. Não há nenhum cartão de crédito, nem dinheiro, nada mais na carteira.

"O pai", diz Scarpetta, olhando pensativa e séria para a fotografia da licença, para o sorridente homem louro com queixo severo e olhos claros azul-acinzentados, da cor do inverno. Ele é bonito, mas ela não sabe bem o que pensar dele, supondo que se possa julgar alguém pela aparência que tem em uma licença de motorista. Talvez ele seja frio, pensa. Ele é alguma coisa, mas ela não sabe o quê, e se sente perturbada.

"Olhe, acho isso estranho", diz Marino. "Esta gaveta de cima é como um santuário para ele. Estas camisetas?" Ele levanta uma pilha fina de camisetas sem mangas brancas bem dobradas. "Tamanho grande, de homem, talvez do pai, e algumas estão manchadas e esburacadas. E cartas." Ele lhe entrega cerca de uma dúzia de envelopes, vários deles de cartões de saudação, parece, e todos com endereço de devolução em Charleston. "E depois tem isto." Os grossos dedos algodoados de branco pegam uma rosa vermelha de haste comprida morta. "Você nota a mesma coisa que eu?", pergunta ele.

"Não parece muito velha."

"Exatamente." Ele a devolve com cuidado à gaveta. "Duas semanas, três semanas? Você cultiva rosas", acrescenta ele, como se isso a tornasse uma especialista em rosas murchas.

"Não sei. Mas não parece que tem meses de idade. Não está completamente seca. O que você quer fazer aqui, Marino? Espalhar pó para colher impressões digitais? Isso já deve ter sido feito. Que diabo eles fizeram aqui?"

"Fizeram suposições", diz ele. "Foi isso que fizeram. Eu vou pegar minha valise no carro, tirar fotografias. Posso espalhar pó para impressões digitais. A janela, a moldura da janela, esta penteadeira, especialmente a gaveta de cima. É isso."

"Acho melhor. Não podemos bagunçar o local do crime agora. Muitas pessoas estiveram aqui antes." Ela percebe que acaba de se referir ao quarto como um local de crime, e é a primeira vez que o chama assim.

"Depois acho que vou dar uma volta no quintal", diz ele. "Mas já faz duas semanas. É improvável que algum dos cocôs da Fofinha esteja lá, a menos que não tenha chovido nenhuma vez, e nós sabemos que choveu. Então é meio difícil saber se há realmente um cachorro perdido. Browning não disse nada sobre isso."

Scarpetta volta para cozinha, onde a sra. Paulsson está sentada à mesa. Aparentemente ela não se mexeu, está

162

na mesma posição, na mesma cadeira, o olhar perdido. Ela não acredita de fato que a filha morreu de gripe. Como poderia acreditar numa coisa dessas?

"Alguém lhe explicou por que o FBI está interessado na morte de Gilly?", pergunta Scarpetta, sentando-se à mesa em frente a ela. "O que a polícia disse à senhora?"

"Eu não sei. Não assisto a esse tipo de coisa na TV", murmura a mãe, sua voz sumindo.

"Que tipo de coisa?"

"Seriados policiais. Seriados do FBI. Seriados de crime. Nunca assisti a coisas desse tipo."

"Mas a senhora sabe que o FBI está envolvido", diz Scarpetta, enquanto suas preocupações com a saúde mental da sra. Paulsson se tornam mais sombrias. "A senhora falou com o FBI?"

"Uma mulher veio me ver, eu já lhe contei. Ela disse que só queria fazer perguntas de rotina e que sentia muito me incomodar porque eu estava perturbada. Foi isso que ela disse, que eu estava perturbada. Ela se sentou aqui onde estamos, e me perguntou coisas sobre Gilly e Frank e qualquer suspeito que eu tivesse percebido. Sabe, Gilly falou com estranhos? Falou com o pai? Como são os vizinhos? Ela perguntou sobre Frank, muita coisa sobre ele."

"O que a senhora acha que é isso? Que tipo de perguntas sobre Frank?", sonda Scarpetta, visualizando o homem loiro com queixo severo e olhos azul-claros.

A sra. Paulsson olha para a parede à esquerda do fogão, como se alguma coisa na parede branca captasse seu interesse, mas não há nada lá. "Eu não sei por que ela perguntou sobre ele, a não ser pelo fato de que as mulheres sempre perguntam." Ela se endurece e sua voz fica fraca. "Oh, meu Deus, sempre perguntam."

"E onde ele está agora? Neste exato minuto, quero dizer."

"Charleston. Era melhor nós termos nos divorciado de uma vez." Ela começa a arrancar um pedacinho de pele do dedo, seus olhos atraídos pela parede, como se alguma coisa nela prendesse sua atenção, mas não há nada lá, absolutamente nada.

163

"Ela e Gilly eram próximos?"

"Ela o adora." A sra. Paulsson respira fundo, em silêncio, de olhos arregalados, e sua cabeça começa a oscilar, de repente instável sobre o pescoço fino. "Ele não pode fazer nada de errado. O sofá na sala de estar embaixo da janela é só um sofá xadrez, não tem nada de especial, mas era o lugar dele. Onde ele assistia TV, lia jornal." Ela respira profunda e pesadamente. "Depois que ele foi embora, ela costumava ir para lá e deitar nele. Eu mal conseguia tirá-la dele." Ela suspira. "Ele não é um bom pai. Não é assim que acontece? Nós amamos o que não podemos ter."

As botas de Marino ressoam da direção do quarto de Gilly. Desta vez seus pés grandes e pesados são mais barulhentos.

"Nós amamos o que não nos ama", diz a sra. Paulsson.

Scarpetta não fez nenhuma anotação desde que voltou à cozinha. Seus pulsos estão em cima do bloco, a esferográfica, pronta mas parada. "Qual era o nome da agente do FBI?", pergunta.

"Ah, querida, Karen. Deixe-me ver." Ela fecha os olhos e leva os dedos trêmulos à testa. "Eu não consigo mais me lembrar das coisas. Deixe-me ver. Weber. Karen Weber."

"Do escritório de Richmond?"

Marino entra na cozinha, uma caixa de plástico para apetrechos de pesca em uma mão, a outra segurando o boné de beisebol. Finalmente ele tirou o boné, talvez em respeito à sra. Paulsson, a mãe de uma jovem que foi assassinada.

"Ah, querida, imagino que era. Tenho o cartão dela em algum lugar. Onde será que eu pus?"

"A senhora sabe alguma coisa sobre Gilly ter uma rosa vermelha?", pergunta Marino do vão da porta. "Há uma rosa vermelha no quarto dela."

"O quê?", diz a sra. Paulsson.

"Vamos mostrar à senhora", diz Scarpetta, levantando-se da mesa. Ela hesita, esperando que a sra. Paulsson consiga lidar com o que está prestes a acontecer. "Eu gostaria de explicar algumas coisas."

"Oh. Imagino que possamos." Ela se levanta e treme sobre os pés. "Uma rosa vermelha?"

"Qual foi a última vez que Gilly viu o pai?", pergunta Scarpetta, e eles voltam ao quarto, Marino na frente.

"No Dia de Ação de Graças."

"Ela foi vê-lo? Ele veio aqui?", pergunta Scarpetta, em sua voz mais gentil, e fica surpresa ao perceber que o corredor parece mais estreito e mais escuro do que há alguns minutos.

"Eu não sei nada sobre uma rosa", diz a sra. Paulsson.

"Eu precisei olhar nas gavetas dela", diz Marino. "A senhora deve entender que precisamos fazer coisas desse tipo."

"É isso que acontece quando as crianças morrem de gripe?"

"Tenho certeza de que a polícia já olhou nas gavetas dela", diz Marino. "Talvez a senhora não estivesse no quarto quando eles estavam olhando tudo e tirando fotografias."

Ele se afasta para um lado e deixa a sra. Paulsson entrar no quarto da filha morta. Ela anda até a penteadeira à esquerda do vão da porta, encostada na parede. Marino enfia a mão no bolso e tira as luvas de algodão. Calça as mãos enormes e abre a gaveta de cima da penteadeira. Pega a rosa murcha, uma dessas rosas que foram colhidas e nunca se abriram, do tipo que Scarpetta viu embrulhadas em plástico transparente e vendidas em lojas de conveniência, normalmente no balcão, por um dólar e meio.

"Eu não sei o que é isto." A sra. Paulsson olha para a rosa, seu rosto se avermelha, quase no mesmo tom carmim da rosa murcha. "Eu não tenho nenhuma idéia de onde ela conseguiu isto."

Marino não demonstra nenhuma reação.

"Quando a senhora voltou da loja de conveniência", diz Scarpetta, "não viu a rosa no quarto dela? É possível que alguém a tenha trazido para Gilly porque ela estava doente? Poderia ser um namorado?"

"Eu não entendo", responde a sra. Paulsson.

"Tudo bem", diz Marino, pondo a rosa em cima da

penteadeira, bem à vista. "A senhora entrou aqui quando veio da loja de conveniência. Vamos voltar a isso. Vamos começar do momento em que a senhora estacionou o carro. Onde a senhora estacionou quando chegou em casa?"

"Na frente. Bem ao lado da entrada."

"É onde a senhora sempre estaciona?"

Ela assente com a cabeça, sua atenção derivando para a cama. Ela está bem-arrumada e coberta com uma colcha no mesmo tom azul-acinzentado dos olhos de seu ex-marido.

"Senhora Paulsson, a senhora não gostaria de se sentar?", diz Scarpetta, olhando rapidamente para Marino.

"Vou pegar uma cadeira para a senhora", oferece Marino.

Ele sai, deixando a sra. Paulsson e Scarpetta sozinhas com a rosa vermelha morta e a cama perfeitamente arrumada.

"Eu sou italiana", diz Scarpetta, olhando para os cartazes na parede. "Não nasci lá, mas meus pais nasceram, em Verona. A senhora já esteve na Itália?"

"Frank foi à Itália." É a única coisa que a sra. Paulsson tem a dizer sobre os cartazes.

Scarpetta olha para ela. "Eu sei que isso é difícil", diz ela, afável. "Mas, quanto mais a senhora conseguir nos contar, mais vamos poder ajudar."

"Gilly morreu de gripe."

"Não, senhora Paulsson. Ela não morreu de gripe. Eu a examinei. Examinei os slides dela. Sua filha estava com pneumonia, mas já estava quase boa. Ela tem alguns machucados na parte de cima das mãos e nas costas."

O rosto dela está transtornado.

"A senhora tem alguma idéia de como ela pode ter se machucado?"

"Não. Como isso poderia ter acontecido?" Ela olha para a cama, os olhos inundados de lágrimas.

"Ela bateu em alguma coisa? Ou caiu, talvez da cama?"

"Não consigo imaginar."

"Vamos passo a passo", diz Scarpetta. "Quando a senhora saiu para ir à farmácia, trancou a porta da frente?"

"Eu sempre tranco."

"Ela estava fechada quando a senhora voltou para casa?"

Marino se demora para que Scarpetta possa começar sua abordagem. É uma dança que eles dançam com facilidade e sem muita premeditação.

"Eu achava que sim. Usei minha chave. Gritei o nome dela para ela saber que eu estava em casa. E ela não respondeu, então pensei... eu pensei, Ela está dormindo. Ah, bom, ela precisa dormir", diz, chorando. "Pensei que ela estava dormindo com a Fofinha. Então gritei, Espero que você não esteja com a Fofinha na cama, Gilly."

19

Ela deixou as chaves no lugar de sempre, na mesa embaixo do porta-casacos. A luz do sol filtrada através da trave de cima da porta da frente iluminava o vestíbulo revestido de madeira escura, e pontos brancos de pó se moviam na luz brilhante quando ela tirou o casaco e o pendurou em um cabide.

"Eu fiquei gritando, Gilly, querida?", conta à médica. "Estou em casa. A Fofura está com você? Fofura? Onde está a Fofura? Você sabe que se estiver com a Fofinha na cama, e eu sei que você está, ela vai ver só. E uma bassezinha com aquelas perninhas não consegue ficar subindo e descendo dessa cama sozinha."

Ela foi até a cozinha e pôs vários sacos plásticos na mesa. Enquanto estava fora, tinha parado no mercado, imaginando que era melhor fazer isso enquanto estava ali no shopping center na rua West Carey. Tirou duas latas de caldo de galinha de um saco e as pôs perto do fogão. Abrindo a geladeira, pegou um pacote de coxas de frango e pôs na pia para descongelar. A casa estava em silêncio. Ela podia ouvir o tique-taque do relógio na cozinha, o tique-taque monótono, constante, que normalmente não percebia porque tinha muitas outras coisas para perceber.

Numa gaveta ela apanhou uma colher. Num armário apanhou um copo, e encheu o copo com água fria e levou o copo de água, a colher e o vidro novo de xarope para tosse pelo corredor até o quarto de Gilly.

"Quando cheguei ao quarto dela", escuta a si mesma

revelar à médica, "eu disse, Gilly? O que é isso? Porque eu estava vendo... não fazia sentido. Gilly? Onde está seu pijama? Você está com tanto calor assim? Oh, meu Deus, onde está o termômetro? Não me diga que sua febre subiu de novo."

Gilly na cama, de rosto para baixo, nua, as costas esguias, as nádegas e as pernas nuas. O cabelo dourado e sedoso esparramado sobre o travesseiro. Os braços abertos acima da cabeça na cama. As pernas dobradas como pernas de rã.

Ó Deus! ó Deus! ó Deus! De repente as mãos dela começam a tremer violentamente.

A colcha de retalhos, o lençol e um cobertor embaixo dele estavam puxados e caindo da base do colchão, amontoados no chão. Fofura não estava na cama, e ela ficou pensando nisso. Fofura não estava debaixo das cobertas, porque não havia cobertas, não na cama. Estavam no chão, empurradas para o pé da cama e no chão, e ela ficou pensando em Fofura, e não ficou surpresa, e mal se deu conta, quando o vidro de xarope, o copo de água e a colher bateram no chão. Não teve consciência de deixá-los cair, e então eles quicaram, se esparramaram, rolaram pelo chão, a água se espalhando sobre as velhas tábuas de madeira, e ela gritava, e suas mãos não pareciam pertencer a ela quando agarraram os ombros de Gilly, seus ombros mornos, e a sacudiram e viraram, e ela a sacudia e gritava.

20

Rudy saiu há algum tempo, e na cozinha Lucy pega uma cópia do boletim de ocorrência do Escritório do Xerife do Condado de Brower. Ele não diz muita coisa. Uma invasão foi relatada e pode ter ligação com o suposto caso de arrombamento e invasão que aconteceu na mesma residência.

Ao lado do boletim há um envelope grande de papel manilha, e dentro dele está o desenho a lápis do olho que foi colado na porta. O tira não levou. Bom trabalho, Rudy. Ela pode fazer testes destrutivos no desenho, e olha pela janela para a casa de sua vizinha, imagina se Kate começou a viagem de volta da bebedeira, acreditando que fazer loucuras de algum modo a deixará menos bêbada ou seja lá o que as pessoas acham quando estão bêbadas. A lembrança do cheiro do champanhe faz Lucy ter ânsia de vômito e a enche de pavor. Ela sabe tudo sobre champanhe e sobre se envolver com estranhos que parecem melhores quanto mais bebem. Sabe tudo sobre isso e nunca mais quer fazer essa viagem, e quando lembra ela se encolhe e sente um remorso profundo e enjoativo.

Lucy acha uma sorte Rudy ter saído para algum lugar. Se ele soubesse o que acaba de acontecer, se lembraria, e os dois ficariam em silêncio, e o silêncio só aumentaria e se tornaria mais impenetrável até que eles finalmente brigariam, e teriam de superar mais uma lembrança ruim. Quando ela ficava bêbada, buscava o que pensava que queria, só para descobrir depois que não queria o que tinha buscado, e sentia repulsa ou simplesmente indiferença, supondo que conseguisse sempre se lembrar do que fizera ou buscara, e depois de algum tempo ela raramente se lembrava. Para alguém ainda em seus vinte anos, Lucy esqueceu muita coisa na vida. Na última vez em que esqueceu, ela começou a se lembrar de quando estava em um apartamento, na sacada, a cerca de trinta andares de altura, vestindo apenas um short de corrida no fim de uma noite muito fria em Nova York, uma noite de janeiro depois de um dia de farra em Greenwich Village, o local exato em Greenwich Village ela ainda não tem idéia nem quer saber.

Por que estava na sacada, ela ainda não sabe ao certo, mas talvez tenha pensado que estava indo ao banheiro e tomado o caminho errado e aberto a porta errada, e se tivesse decidido subir na sacada, supondo que era uma banheira ou sabe-se lá o quê, ela teria caído trinta andares até morrer. Sua tia pegaria os relatórios de autópsia e determinaria, juntamente com o restante dos profissionais forenses, que Lucy cometera suicídio quando estava bêbada. Nenhum teste deste mundo teria revelado que a única coisa que Lucy fizera fora sair da cama para usar o banheiro em um apartamento estranho que pertencia a uma estranha que ela conhecera no Village. Mas essa é outra história, e ela não tem nenhum interesse em ficar remexendo nela.

Depois dessas histórias não há nenhuma outra. Ela se voltou contra o álcool para se vingar de todas as vezes em que ele tinha se voltado contra ela, e agora não bebe. Agora o cheiro de bebida a faz lembrar do odor ácido de amantes que ela não amava e nas quais não teria tocado se estivesse sóbria. Olha para a casa da vizinha, depois sai da cozinha e sobe até o segundo andar. Pelo menos ela pode ser grata por Henri ter representado uma decisão de que beber não funcionava. Ao menos ela pode ser grata por isso.

Dentro de seu escritório, Lucy acende uma luz e abre uma valise preta do tamanho de uma valise comum, mas que é uma concha áspera e dura que contém um Centro de Comando de Varredura Remota Global, que lhe permite acessar receptores remotos sem fio de transmissão criptografada de qualquer lugar do mundo. Ela verifica para ter certeza de que a bateria está carregada e funcionando, de que os repetidores de quatro canais estão repetindo e de que os gravadores de fita duplos são duplamente capazes de gravar. Liga o centro de comando a uma linha telefônica, aciona o receptor e põe fones de ouvido para verificar se Kate está falando com alguém de dentro da sala de ginástica ou do quarto, mas ela não está e nada foi gravado por enquanto. Lucy está sentada à mesa em seu escritório, olhando para fora, para o sol brincando na água e as palmeiras brincando ao vento, e ouve. Ajustando o nível de sensibilidade, ela espera.

Passam-se alguns minutos de silêncio, e ela tira os fones de ouvido e os põe na mesa. Levanta-se e muda o centro de comando para a mesa onde instalou o imageador Krimesite. A luz do quarto muda quando as nuvens cobrem o sol e seguem adiante, depois mais nuvens passam pelo sol e de novo a luz diminui e volta a brilhar dentro do escritório. Lucy pega luvas de algodão brancas. Retira o desenho do olho do envelope e o põe sobre uma folha grande de papel preto limpo, e senta de novo, põe os fones de ouvido outra vez e pega uma lata de ninidrina de um kit de impressões digitais. Tira a tampa da lata e começa a vaporizar o desenho, umidificando-o, mas não demais. Embora o spray não contenha nenhum clorofluorcarboneto e seja inofensivo ao meio ambiente, ela nunca o considerou especialmente inofensivo aos seres humanos. A névoa chega a seus pulmões e ela tosse.

Volta a tirar os fones de ouvido e a se levantar, levando o papel úmido com cheiro de produtos químicos para um balcão onde um ferro a vapor está ligado e descansando em pé sobre um suporte refratário. Lucy liga o ferro e ele se aquece rapidamente, e ela pressiona o botão de vapor para testar e ouve um chiado. Pondo o desenho

172

do olho sobre o suporte refratário, ela segura o ferro a não menos de dez centímetros acima do papel e começa a vaporizar. Em segundos, áreas do papel começam a ficar roxas, e de imediato ela consegue ver marcas roxas de dedos, marcas que não foi ela que deixou porque sabe onde tocou no papel quando o removeu da porta, e não tocou nele com as mãos nuas, e o policial de Broward não tocou no desenho porque Rudy não permitiria isso. Ela toma cuidado para não vaporizar o pedaço de fita adesiva, que é impermeável e não reagirá à ninidrina, porque o calor pode fundir o adesivo e qualquer possível sulco que exista nele.

De volta à mesa de trabalho, ela senta, põe os fones de ouvido e óculos, e desliza o desenho com pontos roxos para debaixo das lentes do microscópio imageador. Ela o liga, depois acende a lâmpada ultravioleta e olha através da ocular para um campo de cor verde brilhante, e sente o cheiro desagradável da mistura de produto químico e papel. As marcas de lápis do olho são linhas brancas finas, e então há um detalhe de um sulco claro em uma marca de dedo perto da íris do olho. Ajusta o foco, tornando a imagem o mais nítida possível, e o detalhe do sulco exibe várias características e é mais do que suficiente para ser analisado pelo Sistema Automatizado de Identificação de Impressões Digitais do FBI, o Iafis. Quando rodou no Iafis as impressões latentes que recolheu do quarto depois que Henri quase foi assassinada, a busca não produziu nada porque a fera não tem um cartão com dez impressões digitais arquivado. Desta vez, ela vai fazer uma busca que compare impressões latentes com impressões latentes de mais de dois bilhões de impressões na base de dados do Iafis, e vai também mandar que seu escritório faça uma comparação manual das impressões latentes do quarto com aquelas do desenho. Ela monta uma câmera digital em cima da ocular do microscópio e começa a tirar fotografias.

Nem cinco minutos depois, quando está tirando mais

fotografias de outra marca de dedo, esta um borrão com detalhe parcial de um sulco, o primeiro som humano chega através dos fones de ouvido, e ela aumenta o volume, ajusta o nível de sensibilidade e se certifica de que um dos gravadores está gravando o que ela ouve ao vivo.

"O que você está fazendo?", a voz bêbada de Kate soa claramente nos fones de ouvido de Lucy, e ela se inclina para a frente na cadeira e verifica para ter certeza de que tudo no centro de comando está certo e funcionando com precisão. "Eu não posso jogar tênis hoje", diz Kate, numa fala enrolada, e sua conversa unilateral é captada claramente pelo transmissor escondido no adaptador que Lucy encaixou na tomada de parede perto da janela que dá para os fundos de sua casa.

Kate está na sala de ginástica e não há nenhum ruído de fundo, da esteira ou do aparelho simulador de corrida, não que Lucy espere que sua vizinha esteja fazendo exercícios quando está bêbada. Mas Kate não está bêbada demais para espiar. Ela está olhando para fora pela janela, para a casa de Lucy, e não tem nada melhor a fazer do que espiar, e provavelmente nunca teve nada melhor a fazer do que espiar e se embebedar.

"Não, sabe, eu acho que estou ficando resfriada. Escute você. Você devia ter me ouvido falar antes. Eu estou muito entupida e você devia ter me ouvido quando levantei."

Lucy olha para a luz vermelha no gravador. Seus olhos vagueiam para a folha de papel embaixo da lente e do Krimesite. O papel está enrolado devido ao calor, e as manchas roxas nele são grandes, o suficiente para talvez serem de um homem, mas ela sabe que não deve fazer suposições. O que interessa é que há impressões, supondo que sejam as da fera que colou seu desenho abominável na porta de Lucy, supondo que seja a pessoa que entrou em sua casa e tentou matar Henri. Lucy olha para os vestígios roxos dele, suas pistas, os aminoácidos de sua pele oleosa e suada.

174

"Bom, há uma estrela de cinema ao lado de minha casa, o que você acha disso?" A voz de Kate viola o interior da cabeça de Lucy. "Claro que não, querida, não estou nem um pouco surpresa. Escute, eu pensei nisso o tempo todo. Pessoas entrando e saindo, todos aqueles carros fantásticos e gente bonita e uma casa que custa o quê? Oito, nove, dez milhões? E uma casa espalhafatosa, exatamente o que a gente esperaria de pessoas espalhafatosas."

Ele não se importa de deixar impressões. Não se importa, e o coração de Lucy fica apertado, porque se ele se importasse, ela estaria melhor. Se ele se importasse, isso indicaria que muito provavelmente ele tem um registro criminal. Ele não tem um cartão com dez impressões digitais no Iafis nem em nenhum outro lugar. Não está preocupado, o desgraçado. Não se preocupa porque acredita que não vai haver uma coincidência. É isso que a gente vai ver, pensa Lucy, e sente a presença bestial dele quando olha para as manchas roxas no desenho do olho encurvado pelo calor. Ela o sente observando e sente Kate observando, e é picada pela raiva, lá no fundo, onde sua raiva rasteja e se esconde e dorme, até que alguém a provoque.

"...Tina... Acredita? O sobrenome dela acaba de me fugir. Se é que ela me disse. É claro que ela diria. Ela me contou tudo, do namorado dela e daquela moça que foi atacada e voltou para Hollywood..."

Lucy aumenta o volume e o roxo no papel fica borrado quando ela olha firme e ouve atentamente a conversa da vizinha sobre Henri. Como ela sabe que Henri foi atacada? Não deu no noticiário. A única coisa que Lucy disse a Kate foi que houve um perseguidor. Lucy não disse uma palavra sobre ninguém ser atacado.

"Uma coisinha linda, muito linda. Loiro, rosto bonito e um belo porte, lindo e esbelto. Eles são todos assim, esses caras de Hollywood. Disso eu tenho certeza. Mas acho que ele é o namorado da outra, da Tina. Por quê? Bom, isso é muito óbvio, querida. Se ele fosse o namorado da loira, você não acha que ele teria ido embora quando ela foi?, e ela não está aqui desde que a casa foi invadida e todos aqueles carros de polícia e a ambulância apareceram."

A ambulância, que merda. Kate viu a ambulância, viu uma maca sendo carregada para fora da casa, e supõe que isso signifique que Henri foi atacada. Não estou raciocinando direito, pensa Lucy, não estou fazendo as ligações, supõe com raiva, e com frustração e pânico crescentes. O que há de errado com você, diz a si mesma, enquanto ouve e olha para o gravador dentro da valise em cima da mesa ao lado do imageador. Que diabo há de errado com você?, repete, e pensa em sua estupidez na Ferrari quando o latino a estava seguindo.

"Imaginei a mesma coisa, porque não saiu nada no noticiário. Eu procurei, pode acreditar", continua Kate, sua voz enrolada e distorcida porque ela está maluca e mais bêbada que antes. "Sim, acho que dá para pensar isso", diz ela, sua fala enrolada mais enfática. "Estrelas de cinema e nada no noticiário. Mas é isso que eu estou tentando descobrir. Eles estão aqui em segredo, então a mídia não sabe. Bom, faz muito sentido. Se você pensar bem, faz, sua bobinha..."

"Oh, pelo amor de Deus, diga alguma coisa importante", murmura Lucy para a sala.

Preciso me controlar, pensa. Lucy, controle-se. Pense, pense, pense!

Os longos cabelos escuros enrolados na cama. Ah, merda, pensa. Merda, eu não perguntei a ela.

Tira os fones de ouvido e os põe na mesa. Olha em volta da sala enquanto o gravador continua a captar a conversa unilateral da vizinha. "Merda", diz em voz alta, percebendo que não tem o número do telefone de Kate, nem sequer sabe o sobrenome dela, e não tem nenhuma vontade de gastar tempo e energia para descobrir. Não que Kate vá atender ao telefone se Lucy ligar para ela.

Movendo-se para outra mesa, Lucy senta diante de um computador e cria um documento simples a partir de um modelo. Monta dois convites para a *première* de seu filme, *Aterrorizada*, que será no dia 6 de junho em Los Angeles, com uma festa privativa para o elenco e amigos especiais depois. Imprime os convites em papel fotográfico brilhante no tamanho certo e os enfia em um envelope com um bilhete que diz: "Querida Kate, adorei nosso papo! Aqui vai uma pergunta sobre cinema: Quem é a pessoa com cabelo preto enrolado? (Você tem idéia?)", e inclui um número de telefone celular.

Lucy sai correndo de volta à casa de Kate, mas Kate não atende a porta nem o interfone. Ela está louca, para lá de bêbada e prestes a ficar inconsciente, se já não estiver, e Lucy enfia o envelope dentro da caixa de correio de Kate.

21

De algum modo a sra. Paulsson está agora no banheiro ao lado do corredor. Ela não sabe como chegou lá.

Trata-se de um velho banheiro que não é reformado desde o começo da década de 1950, com um piso xadrez de azulejos azuis e brancos, uma pia toda branca, uma privada toda branca e uma banheira toda branca com cortinas de flores cor-de-rosa e roxas fechada. A escova de dentes de Gilly está no suporte para escovas em cima da pia, o tubo de pasta de dentes, dobrado, meio usado. Ela não sabe como chegou ao banheiro.

Olha para a escova de dentes e o tubo de pasta de dentes e grita mais alto. Joga água fria no rosto, mas isso não adianta nada. Ela está sofrendo e não consegue se conter quando sai do banheiro e volta ao quarto de Gilly, onde a médica italiana de Miami espera por ela. Aquele policial grandão é atencioso o bastante para pôr uma cadeira no quarto perto do pé da cama, e ele está suando. Está frio no quarto, e ela percebe que a janela está aberta, mas o rosto dele está congestionado e brilhando de suor.

"Descanse um pouco", diz a ela o policial vestido de preto, com um sorriso que realmente não o torna nada mais amistoso, mas ela gosta da aparência dele. Gosta dele. Não sabe por quê. Gosta de olhar para ele e sente alguma coisa quando o olha ou fica perto dele. "Sente-se, senhora Paulsson, e tente relaxar", diz ele.

"Você abriu a janela?", pergunta ela, sentando-se na cadeira e cruzando as mãos no colo.

"Eu estava imaginando se ela poderia estar aberta quando a senhora voltou para casa da loja de conveniência", responde Martino. "Quando a senhora entrou neste quarto, a janela estava aberta ou fechada?"

"Aqui fica quente. É difícil regular o calor nessas casas antigas." Ela está olhando para o policial e a médica. Não parece certo ficar sentada perto da cama olhando para eles. Sente-se nervosa, amedrontada e pequena enquanto está sentada olhando para eles. "Gilly abria essa janela o tempo todo. Talvez estivesse aberta quando eu cheguei em casa. Estou tentando me lembrar." As cortinas de gaze branco se agitam, flutuam como fantasmas no ar frio e cortante. "Sim", diz ela. "Acho que a janela talvez estivesse aberta."

"A senhora sabia que o trinco está quebrado?", pergunta o policial grandão, perfeitamente sereno, olhando para ela. Ela não consegue se lembrar do nome dele. Qual será? Marinara ou alguma coisa assim.

"Não", responde ela, e seu coração está cercado por um medo frio.

A médica caminha até a janela aberta e a fecha com suas mãos enluvadas de branco. Olha para o quintal.

"Não é muito bonito nesta época do ano", diz a sra. Paulsson, enquanto seu coração bate forte. "Mas você devia ver na primavera."

"Posso imaginar", responde a médica, e ela tem um jeito que a sra. Paulsson acha fascinante mas um pouco assustador. Tudo agora é assustador. "Eu adoro jardinagem. Você gosta?"

"Oh, sim."

"Vocês acham que alguém entrou pela janela?", pergunta a sra. Paulsson, notando um pó preto no peitoril e em volta da moldura da janela. Ela percebe mais pó preto e marcas que parecem ser de fita adesiva por dentro e por fora do vidro.

"Eu colhi algumas impressões digitais", diz o policial grandão. "Não sei por que os policiais não se preocuparam, mas eu colhi algumas. Vamos ver se elas revelam alguma coisa. Vou precisar tirar as suas, só para efeito de exclusão. Imagino que os policiais não tiraram suas impressões digitais."

Ela faz que não com a cabeça enquanto olha para a janela e o pó preto em todos os lugares.

"Quem mora atrás de sua casa, senhora Paulsson?", pergunta o policial grandão de preto. "Aquela casa velha atrás da cerca."

"Uma mulher, uma senhora idosa. Faz muito tempo que não a vejo, muito tempo. Muitos anos. Na verdade, nem sei dizer se ela ainda mora lá. A última vez que vi uma pessoa lá foi há uns seis meses. Sim, há seis meses mais ou menos, porque eu estava colhendo tomates. Eu tenho uma pequena horta perto da cerca, e no último verão tive tantos tomates que nem conseguia contar. Alguém estava do outro lado da cerca, andando por ali, fazendo não sei o quê. Tive a impressão de que quem está lá não é especialmente amistoso. Bem, duvido que seja a mulher que morava lá, que viveu há oito, nove, dez anos. Ela era muito velha. Imagino que já tenha morrido."

"A senhora sabe se a polícia falou com ela, supondo que ela não esteja morta?", pergunta o policial grandão.

"Eu pensei que vocês eram a polícia."

"Não o mesmo tipo de polícia que já esteve aqui. Não, senhora. Não somos a mesma coisa que eles."

"Entendo", diz ela, embora não entenda absolutamente. "Bem, creio que o detetive, o detetive Brown..."

"Browning", diz o policial de preto, e ela percebe que o boné de beisebol dele está enfiado na parte de trás da calça. Sua cabeça está raspada, e ela se imagina passando as mãos na cabeça raspada e macia.

"Ele me perguntou sobre os vizinhos", responde. "Eu disse que a senhora idosa morava lá ou tinha morado. Não tenho certeza de que alguém ainda more lá agora. Acho que eu só disse isso. Nunca ouço ninguém lá, ou quase nunca, e a gente pode ver pelas rachaduras na cerca que a grama não está cortada."

"A senhora veio para casa da loja de conveniência", insiste a médica. "E depois? Por favor, tente ir passo a passo, senhora Paulsson."

"Eu levei as coisas para a cozinha e depois fui ver Gilly. Pensei que ela estivesse dormindo."

Após uma pausa, a médica faz outra pergunta. Ela quer saber por que a sra. Paulsson pensou que a filha estava dormindo, em que posição ela estava, e as perguntas a confundem. Cada pergunta machuca como uma cãibra, como um espasmo em um lugar profundo. Que interesse tem isso? Que tipo de médica faz perguntas como esta? Ela é uma mulher atraente e tem um jeito poderoso, não é grande, mas tem uma aparência forte em seu terninho azul-escuro com blusa azul-escura que destaca os traços bonitos e o cabelo loiro curto. As mãos dela são fortes mas graciosas e ela não usa anéis. A sra. Paulsson olha para as mãos da médica e imagina-a cuidando de Gilly, e começa de novo a chorar.

"Eu mexi nela. Tentei acordá-la." Ela se ouve dizendo a mesma coisa repetidas vezes. Por que seu pijama está no chão, Gilly? O que é isso? Ó Deus! Ó Deus!

"Descreva o que a senhora viu quando entrou", pede a médica de um jeito diferente. "Eu sei que é difícil. Marino? Você poderia pegar alguns lenços de papel e um copo de água?"

Onde está a Fofura? Ó Deus, Gilly, onde está a Fofura? Não está na cama com você de novo!

"Ela parecia estar só dormindo", a sra. Paulsson se ouve dizer.

"De costas? Ou de barriga para cima? Qual era a posição dela na cama? Por favor, tente se lembrar. Eu sei que isso é terrivelmente difícil", diz a médica.

"Ela estava dormindo de lado."

"Ela estava deitada de lado quando a senhora entrou no quarto?", diz a médica.

Ah, querida, a Fofura fez xixi na cama. Fofura? Onde você está? Você está escondida debaixo da cama, Fofura?

Você estava outra vez na cama, não é? Você não deve fazer isso! Eu vou dar você! Não tente esconder as coisas de mim!

"Não", diz a sra. Paulsson, chorando.

Gilly, por favor acorde, oh, por favor acorde. Isso não pode estar acontecendo! Não pode!

A médica está agachada ao lado da cadeira, olhando nos olhos dela. Está segurando a mão dela. A médica está segurando a mão dela e dizendo alguma coisa.

"Não!" A sra. Paulsson soluça descontroladamente. "Ela não estava vestindo nada. Oh, meu Deus! Gilly não ia ficar deitada lá sem vestir nada. Ela nem trocava de roupa sem trancar a porta."

"Está tudo bem", diz a médica, e seus olhos e seu toque são gentis. Não há medo em seus olhos. "Respire fundo. Vamos. Respire fundo. Assim. Assim está bom. Respire fundo e bem devagar."

"Ó Deus, será que eu estou tendo um ataque do coração?", dispara a sra. Paulsson aterrorizada. "Eles levaram minha garotinha. Ela foi embora. Oh, onde está minha garotinha?"

O policial grandão de preto está de volta ao vão da porta, segurando um punhado de lenços de papel e um copo de água. "Quem são eles?", pergunta.

"Ah, não, ela não morreu de gripe, morreu? Ah, não. Ah, não. Minha bebezinha. Ela não morreu de gripe. Eles a tiraram de mim."

"Quem são eles?", pergunta ele. "A senhora acha que mais de uma pessoa tem algo a ver com isso?" Ele entra no quarto e a médica pega a água dele.

Ela ajuda a sra. Paulsson a beber a água bem devagar. "Assim mesmo. Beba bem devagar. Respire devagar. Tente se acalmar. A senhora tem alguém que possa vir ficar com a senhora? Eu não quero que a senhora fique sozinha agora."

"Quem são eles?" A voz dela sobe quando ela repete a pergunta do policial. "Quem são eles?" Ela tenta se levantar da cadeira, mas suas pernas não respondem. Não parecem mais pertencer a ela. "Eu vou dizer quem são eles." A aflição vira raiva, uma raiva tão terrível que a amedronta. "Aquelas pessoas que ele convidava para vir aqui. Elas. Pergunte a Frank quem são elas. Ele sabe."

22

No Laboratório de Provas Vestigiais, o cientista forense Junius Eise segura um filamento de tungstênio na chama de uma lamparina a álcool.

Ele se orgulha de sua proeza de fabricação de ferramentas favorita ter sido usada por microscopistas magistrais durante centenas de anos. Esse fato, entre outros, o torna um purista, um homem do Renascimento, um amante da ciência, da história, da beleza e das mulheres. Segurando o pequeno fio duro e fino com uma pinça, ele observa o metal cinzento logo se tornar vermelho incandescente e imagina que ele está apaixonado ou enraivecido. Retira o fio da chama e enrola a ponta em nitrito de sódio, oxidando o tungstênio e afinando-o. Um mergulho numa placa de Petri com água, e o fio de ponta afinada se resfria com um rápido chiado.

Ele enrosca o fio em um suporte para agulhas de aço inoxidável, sabendo que tirar tempo para fabricar uma ferramenta dessa vez foi uma enrolação. Tirar tempo para fazer uma ferramenta significava que ele podia se afastar do serviço por um momento, concentrar-se em outra coisa, retomar brevemente uma sensação de controle. Ele olha através das lentes binoculares de seu microscópio. Caos e enigmas estão bem ali onde ele os deixou, só que ampliados cinqüenta vezes.

"Não consigo entender isto", diz a ninguém em particular.

Usando sua nova ferramenta de tungstênio, ele manipula partículas de tinta e vidro recuperadas do corpo de um homem que foi morto ao ser esmagado pelo próprio trator há algumas horas. Alguém precisaria ter o cérebro avariado para não saber que o legista-chefe está preocupado com a possibilidade de a família do homem processar alguém, senão as provas vestigiais não seriam relevantes em uma morte acidental, aliás, uma morte por descuido. O problema, pensando bem, é que é possível encontrar alguma coisa, e o que Eise encontrou não faz sentido. Em momentos como este ele se lembra que tem sessenta e três anos, poderia ter se aposentado há dois anos, e se recusou repetidamente a ser promovido a chefe da Seção de Provas Vestigiais, porque não há lugar que ele prefira ao interior de um microscópio. A idéia de realização que ele tem está desligada das brigas com orçamentos e problemas de pessoal, e seu relacionamento com o legista-chefe está pior do que nunca.

Na luz polarizada do microscópio, ele usa a nova ferramenta de tungstênio para manipular partículas de tinta e metal sobre um slide de vidro seco. Elas estão misturadas com outros escombros, algum tipo de pó marrom-acinzentado e esquisito, diferente de qualquer coisa que já tenha visto, com uma única exceção significativa. Ele viu esse mesmo tipo de prova vestigial há duas semanas em um caso completamente desvinculado deste, e supõe que a morte repentina e misteriosa de uma garota de catorze anos não esteja relacionada à morte de um tratorista.

Eise mal pisca, e a parte superior de seu corpo está muito tensa. As lascas de tinta, do tamanho mais ou menos de uma caspa, são vermelhas, brancas e azuis. Não são de tinta automotiva, nem de um trator, disso ele tem certeza, não que ele esperasse que fossem automotivas na morte acidental de um tratorista chamado Theodore Whitby. As lascas de tinta e o estranho pó marrom-acinzentado estavam aderidos a um talho no rosto do tratorista. Lascas de tinta semelhantes, se não idênticas, e um pó marrom-acinzentado esquisito semelhante, se não idêntico, foram

185

encontrados dentro da boca da garota de catorze anos, principalmente na língua. O que mais preocupa Eise é o pó. É um pó muito esquisito. Ele nunca viu um pó assim. Sua forma é irregular e cascuda, como lama seca, mas não é lama. Esse pó tem fissuras e bolhas, áreas regulares e bordas transparentes finas, como a superfície de um planeta crestado. Algumas partículas têm buracos.

"Que diabo é isto?", diz. "Eu não sei o que é isto. Como esta mesma coisa esquisita pode estar em dois casos? Eles não podem estar relacionados. Eu não sei o que aconteceu aqui."

Eise pega uma pinça com pontas finas e remove cuidadosamente várias fibras de algodão das partículas no slide. A luz atravessa as lentes e uma aglomeração de fibras amplificadas lembra fibras de linha branca dobrada.

"Você sabe que eu odeio amostras colhidas com cotonetes?", pergunta ao laboratório quase vazio. "Sabe que pé no saco são essas amostras de cotonete?", pergunta à grande área angulosa ocupada por balcões pretos, coifas químicas, estações de trabalho e dúzias de microscópios, e todos os tipos de vidros, metais e equipamentos químicos de que eles precisam.

A maioria dos funcionários do laboratório não está nas estações de trabalho, mas em outros laboratórios neste mesmo andar, preocupada com absorção atômica, cromatomografia de gás e espectroscopia de massa, difração de raios X, espectrofotometria de luz infravermelha, o microscópio eletrônico de varredura ou o espectrômetro de energia dispersiva de raios X, e outros instrumentos. Num mundo de encomendas infindáveis e pouco dinheiro, os cientistas se agarram ao que podem, recorrendo aos instrumentos como se eles fossem cavalos e tentando fazê-los correr o impossível.

"Todo mundo sabe como você odeia amostras colhidas com cotonetes", observa Kit Thompson, a vizinha mais próxima de Eise no momento.

"Eu poderia fazer uma colcha gigante com todas as fibras de algodão que já coletei em minha curta existência", diz ele.

"Eu gostaria que você fizesse. Já faz tempo que espero ver uma de suas colchas gigantes", responde ela.

Eise agarra outra fibra. Elas não são fáceis de pegar. Quando ele move as pinças ou a agulha de tungstênio, o menor sopro de ar move a fibra. Ele reajusta o foco e diminui a ampliação para quarenta vezes, afinando a profundidade do foco. Mal respira quando olha para o círculo de luz brilhante, tentando encontrar as pistas que ele contém. Que lei da física dita que, quando uma agitação no ar desaloja uma fibra, ela tenha de se mover para longe de você, como se estivesse viva e fugindo da polícia? Por que a fibra não vai para mais perto do confinamento?

Ele recua vários milímetros a lente da objetiva, e as pontas de suas pinças finas como agulhas invadem, imensas, seu campo de visão. O círculo de luz o faz pensar em um picadeiro de circo intensamente iluminado, mesmo depois de tudo o que ele já passou. Por um instante vê elefantes e palhaços ilusórios em uma luz tão brilhante que machuca os olhos. Lembra-se de estar sentado em uma arquibancada de madeira vendo grandes chumaços de algodão-doce flutuando. Gentilmente, ele pega outra fibra de algodão e a tira do slide. Sem cerimônia, solta-a dentro de um pequeno saco de plástico transparente cheio com outros resíduos de algodão compridos e finos que com toda certeza são contaminação de cotonetes e não têm nenhum valor como prova.

O pior contaminador de todos é o dr. Marcus. Que diabo há de errado com esse cara? Eise lhe mandou inúmeros memorandos insistindo em que seu pessoal coletasse provas vestigiais com fita adesiva sempre que possível, e por favor, por favor, não usem cotonetes, porque eles têm zilhões de fibras que são mais leves do que beijos de anjos e se misturam completamente com as provas.

Como pêlo de gato angorá branco em calça de veludo preta, ele escreveu ao dr. Marcus há vários meses. Como tirar pimenta do purê de batatas. Como tirar com a colher o creme de seu café. E outras analogias e exageros pouco convincentes.

"Na semana passada eu lhe mandei dois rolos de fita de baixa aderência", diz Eise. "E mais um pacote de post-it, lembrando a ele que adesivos de baixa aderência são perfeitos para coletar cabelos e fibras das coisas, porque não os quebram, nem os distorcem, nem espalham fibras de algodão por tudo quanto é canto. Sem falar que interferem na difração de raios X e em outros resultados. Então nós não estamos apenas sendo melindrosos quando ficamos aqui o dia inteiro retirando fios de uma amostra."

Kit faz uma careta para ele enquanto desenrosca a tampa de uma garrafa de Permount, um bálsamo usado para montar slides. "Tirar pimenta do purê de batata? Você mandou post-it para o doutor Marcus?"

Quando ele fica exaltado, diz exatamente o que pensa, e nem sempre tem consciência, e provavelmente nem se importa, de que o que está dentro de sua cabeça também lhe sai pelos lábios e é audível para todos. "O que eu quero dizer é que quando o doutor Marcus, ou qualquer outra pessoa, examinou a parte interna da boca daquela garotinha, esfregou-a inteiramente com esses cotonetes. Ora, ele não precisava fazer isso com a língua. A língua foi cortada, certo? Ele estava com ela lá na tábua de corte e podia ver com clareza que há algum tipo de resíduo nela. Podia ter usado uma fita adesiva, mas continua a usar os cotonetes, e a única coisa que eu tenho feito nestes últimos dias é recolher fibras de algodão."

Se uma pessoa, particularmente uma criança, foi reduzida a uma língua em uma tábua de corte, ela se torna anônima. É assim que acontece, sem exceção. Não se diz trabalhamos na garganta de Gilly Paulsson e rebatemos o tecido com um bisturi e finalmente removemos os órgãos da garganta de Gilly e da língua de Gilly, os tiramos da boca daquela garotinha, ou enfiamos uma agulha no olho esquerdo do pequeno Timmy e extraímos o fluido vítreo para fazer testes toxicológicos, ou serramos a parte de cima do crânio da sra. Jones, removemos seu cérebro e descobrimos um aneurisma intracraniano, ou foram necessários dois médicos para cortar os músculos mastóides das mandíbulas do sr. Ford, porque ele era muito vigoroso, muito musculoso, e não conseguimos abrir a boca dele.

Este é um daqueles momentos de consciência que passam pelos pensamentos de Eise como a sombra do Pássaro das Trevas. É assim que ele chama. Se olhar para cima, não há nada lá, só uma consciência. Ele não vai insistir em verdades desse tipo, porque quando a vida das pessoas se torna pedaços e partes e por fim termina em seus slides, é melhor não olhar muito para o Pássaro das Trevas. Apenas a sombra do pássaro já é bastante horrível.

"Eu pensava que o doutor Marcus era ocupado demais e importante demais para fazer autópsias", diz Kit. "Na verdade, posso contar nos dedos de uma mão o número de vezes que o vi desde que ele foi contratado."

"Não importa. É ele o responsável e quem dá as linhas de ação. É ele quem autoriza todos aqueles pedidos de cotonetes ou seus equivalentes genéricos e baratos. Para mim, é tudo culpa dele."

"Bem, acho que ele não fez a autópsia da garota. Nem a do tratorista que morreu no antigo edifício", responde Kit. "De jeito nenhum ele faria nenhuma delas. Ele prefere ficar mandando em todo mundo."

"O que você está achando dos meus 'Tungnetes'?", pergunta a ela Eise, sua mão ágil e firme com a agulha de tungstênio.

Ele é conhecido pelos acessos obsessivo-compulsivos de fabricação de suas agulhas de tungstênio, que de alguma maneira aparecem magicamente nas mesas dos colegas.

"Eu sempre posso precisar de mais um Tungnete", responde Kit de forma ambígua, como se realmente não precisasse de um, mas, nas fantasias dele, ela é reticente porque não quer incomodá-lo. "Sabe de uma coisa? Não vou ficar eternamente montando este cabelo." Ela enrosca de novo a tampa da garrafa de Permount.

189

"Quantos você pegou da garota doente?"

"Três", responde Kit. "Vou ter muita sorte se o pessoal do DNA decidir fazer alguma coisa com os cabelos, embora eles não parecessem interessados na semana passada. Então eu não vou ficar montando este nem nenhum outro. Todo mundo está agindo de um jeito esquisito atualmente. Jessie estava num quarto de despejo quando eu cheguei lá. Eles guardaram lá todas as roupas de cama. Aparentemente o pessoal do DNA está procurando alguma coisa que pode não ter encontrado da primeira vez, e Jessie quase perdeu a calma comigo, e a única coisa que eu fiz foi perguntar o que estava acontecendo. Algo muito estranho está acontecendo. Eles já estavam com aquelas roupas de cama no quarto de despejo há mais de uma semana, como nós dois sabemos. De onde você acha que vêm esses cabelos? É estranho. Talvez sejam as festas. Eu ainda nem pensei nas compras de Natal."

Ela mergulha a pinça de pontas finas em um pequeno saco para provas de plástico transparente e pega gentilmente outro fio de cabelo. De onde Eise está sentado ele parece ter de treze a quinze centímetros e é preto e enrolado, e ele observa Kit colocá-lo sobre o slide e adicionar uma gota de xileno e uma capa, montando um elemento de prova pouco visível que foi recuperado da roupa de cama da mesma garota morta que tinha lascas de tinta e estranhas partículas marrom-acinzentadas de pó na boca.

"Bem, com certeza o doutor Marcus não é a doutora Scarpetta", diz então Kit.

"Você só levou meia década para perceber que eles não são a mesma pessoa? Vamos ver. Você pensou que a doutora Scarpetta tinha sido submetida a uma operação radical e virado aquele velho solteirão excêntrico, o Chefe Bozo, que fica lá na sala do canto, e agora você teve um lampejo e percebeu que eles são pessoas totalmente diferentes. E pensou isso sem fazer um exame de DNA, valha-me Deus, menina. Ora, você é tão inteligente que devia ter seu próprio programa de TV."

"Você é um louco", diz Kit, rindo tão alto que afasta o corpo do microscópio, com medo de que suas provas fossem espalhadas pelas lufadas de sua gargalhada arfante.

"Muitos anos cheirando xileno, menina. Eu peguei câncer de personalidade."

"Ah, meu Deus", diz ela, respirando fundo. "O que eu quero dizer é que você não estaria pegando fibras de algodão de seus slides se o caso tivesse sido autopsiado pela doutora Scarpetta, qualquer um dos casos. Ela está aqui, sabia? Foi trazida por causa da garota doente, a garota Paulsson. É isso que estão falando."

"Você está me gozando." Eise não consegue acreditar no que acaba de ouvir.

"Se você não fosse sempre embora antes de todo mundo e não fosse tão anti-social, talvez soubesse de alguns segredos", diz ela.

"Hô, hô, hô e uma garrafa de rum, menina." Embora seja verdade que Eise não goste de ficar no laboratório depois das cinco da tarde, ele é também o primeiro cientista a chegar de manhã, raramente depois das seis e quinze. "Eu imaginava que a Doutora Poderosa seria a última pessoa chamada por qualquer razão", diz ele.

"Doutora Poderosa? De onde vem isso?"

"Da Galeria dos Bambambãs."

"Você não deve conhecê-la. As pessoas que a conhecem não a chamam disso." Kit põe o slide na platina do microscópio. "Se fosse eu, sabe o que faria? Eu a chamaria mais do que depressa. Não esperaria duas semanas, nem mesmo dois minutos. Este cabelo é preto como pixe, exatamente como os outros dois. Droga! Pode esquecer que eu vá obter qualquer coisa com ele. Não consigo ver os grânulos de pigmentos, e ele também deve ter algum produto alisante na superfície. Aposto que eles vão resolver fazer um mitocondrial nele. De repente, o pessoal do DNA vai mandar meus três preciosos cabelos para o Todo-Poderoso Laboratório de Previsões. Pode contar. Estranho, estranho. Talvez a doutora Scarpetta tenha imaginado que aquela pobre garotinha foi assassinada. Talvez seja isso que está ocorrendo."

"Não monte os cabelos", diz Eise, e antigamente o DNA era apenas ciência forense. Agora o DNA é a bala de prata, o disco de platina, o superstar, e consegue todo o dinheiro e toda a glória. Eise nunca oferece seus "Tungnetes" a ninguém do laboratório de DNA.

"Não se preocupe, não vou montar nada", diz Kit, olhando no microscópio. "Não há nenhuma linha de demarcação, que interessante. Um pouco estranho para um cabelo tingido. Significa que ele não cresceu depois que foi tingido. Nem um micrômetro."

Ela move o slide sob as lentes da objetiva enquanto Eise observa, um tanto interessado. "Nenhuma raiz? Nem caiu, nem foi puxado, ou quebrado, ou afivelado, ou danificado por um ferro de enrolar, chamuscado, afunilado, nem tem a ponta distal partida? Nem foi cortado, quadrado ou angulado? O que é isso, menina, se liga", diz ele.

"Sem sombra de dúvida todo limpo, não tem nenhuma raiz. A ponta distal está cortada em ângulo. Todos os três cabelos são tingidos de preto, sem nenhuma raiz, e o estranho é isso. As duas pontas estão cortadas em todos os três. Não num fio de cabelo só, nos três. Não foi puxado, nem quebrado, nem arrancado pela raiz. Os cabelos não caíram simplesmente. Foram cortados. Agora me diga por que um cabelo seria cortado nas duas pontas?"

"Talvez a pessoa tenha acabado de sair do cabeleireiro e alguns fios extraviados tenham ficado nas roupas dela, ou ainda estivessem no cabelo, ou tenham ficado no tapete ou seja lá o que for por algum tempo."

Kit está fazendo uma careta. "Se a doutora Scarpetta estiver no edifício, eu gostaria de vê-la. Só para dar um alô. Odiei quando ela foi embora. Para mim, foi a segunda vez que esta maldita cidade perdeu a guerra. Aquele idiota do doutor Marcus. Sabe de uma coisa? Não estou me sentindo muito bem. Acordei com dor de cabeça e minhas juntas estão doendo."

"Então talvez ela esteja voltando para Richmond", supõe Eise. "Quem sabe seja esse o verdadeiro motivo de ela estar aqui. Pelo menos, quando ela nos mandava amostras, nunca punha as etiquetas erradas e sabíamos exatamente de onde vinham. Ela não se incomodava em discutir os casos, vinha ela mesma em vez de nos tratar como robôs da General Motors porque não somos grandes nem poderosos médicos-advogados-chefes índios. Ela não coletava amostras com cotonete de tudo quanto é lugar se pudesse fazer isso com fita adesiva, post-it, o que nós recomendássemos. Acho que você está certa. Galeria dos Bambambãs está totalmente errado."

"Que diabo é uma Galeria dos Bambambãs?"

"Para falar a verdade, eu não sei."

"Textura cortical obscurecida, totalmente", diz Kit, olhando para um fio tingido de preto amplificado que no círculo de luz parece tão grande quanto uma árvore de inverno escura. "Como se alguém tivesse mergulhado este fio de cabelo numa panela de tinta preta. Não há nenhuma linha de demarcação, não senhor, então ou ele foi tingido recentemente, ou foi cortado abaixo das raízes não tingidas que cresceram."

Ela faz anotações enquanto move o slide e ajusta o foco e a ampliação, fazendo o melhor possível para obrigar um cabelo tingido a falar. Ele não diz muita coisa. As características distintivas do pigmento na cutícula foram obscurecidas pela tintura, como uma impressão digital com excesso de tinta que borra os detalhes dos sulcos. Cabelo tingido, clareado ou grisalho é completamente inútil na comparação microscópica, e metade da população humana tem cabelo tingido, clareado, grisalho ou com permanente. Mas atualmente, no tribunal, os jurados esperam que um cabelo anuncie quem, o quê, quando, onde, por quê e como.

Eise odeia o que a indústria de entretenimento fez com sua profissão. As pessoas que ele encontra dizem que queriam ser ele, que profissão excitante ele tem, e isso não é verdade, simplesmente não é. Ele não vai a locais de crime nem usa arma. Nunca usou. Não recebe uma ligação especial e veste um uniforme ou macacão especial e sai correndo em um veículo especial para locais de crime para procurar fibras, impressões digitais, DNA ou marcianos. Policiais e técnicos de local do crime fazem isso. Legistas e investigadores de homicídios fazem isso. Antigamente, quando a vida era mais simples e o público deixava os profissionais forenses em paz, detetives de homicídios como Pete Marino dirigiam suas caminhonetes maltratadas para o local, coletavam eles mesmos as provas, e sabiam não só o que coletar mas o que deixar.

Não passem o aspirador em toda a droga do estacionamento. Não enfiem o quarto inteiro da pobre mulher dentro de sacos de cinqüenta galões e tragam toda essa merda para cá. Isso é como alguém garimpar ouro e levar para casa todo o leito do rio, em vez de peneirar cuidadosamente primeiro. Muitos dos absurdos que acontecem atualmente são por preguiça. Mas há outros problemas, mais insidiosos, e Eise pensa que talvez deva se aposentar. Ele não tem tempo para fazer pesquisa ou apenas se divertir, e é repreendido por apresentar papéis que devem ser perfeitos, assim como sua análise deve ser perfeita. Ele sofre de fadiga ocular e insônia. Raramente lhe agradecem ou lhe dão crédito quando um caso é resolvido e o culpado recebe o que merece. Que tipo de mundo é este em que vivemos? Ele piorou. Sem dúvida, piorou.

"Se você encontrar a doutora Scarpetta", observa Eise, "pergunte a ela por Marino. Ele e eu costumávamos nos encontrar quando ele vinha aqui, costumávamos tomar umas cervejas no lounge da OFP."

"Ele está aqui", diz Kit. "Veio com ela. Sabe, eu estou me sentindo meio esquisita, com uma coceira na garganta, e estou dolorida. Espero que não esteja pegando a maldita gripe."

"Ele está aqui? Cacilda! Vou ligar para ele imediatamente. Bem, aleluia! Então ele também está trabalhando na Garota Doente."

194

Gilly Paulsson agora é chamada por esse nome, quando usam um nome para se referir a ela. É mais fácil não usar o nome verdadeiro, supondo que alguém possa se lembrar dele. As vítimas se tornam o lugar onde foram encontradas ou o que foi feito a elas. A Senhora da Mala. A Senhora do Esgoto. O Bebê do Aterro. O Homem dos Ratos. O Homem da Fita Adesiva. Quanto ao nome de batismo dessas pessoas, na maior parte do tempo Eise não tem nenhuma pista. E prefere não ter.

"Se Scarpetta tem alguma opinião sobre o motivo de a Garota Doente ter tinta vermelha, branca e azul e algum outro pó esquisito na boca, estou pronto a ouvir", diz ele. "Aparentemente é tinta metálica vermelha, azul e branca. Também há metal não pintado, pedaços de metal brilhante. E mais alguma coisa. Não sei o que é essa mais alguma coisa." Ele manipula a prova vestigial no slide, movendo-o obsessivamente. "Eu vou fazer espectrometria de energia dispersiva de raios X depois, ver que tipo de metal. Será que há qualquer coisa vermelha, branca e azul na casa da Garota Doente? Acho que vou procurar o Marino e pagar umas geladas para ele. Meu Deus, eu mesmo poderia tomar algumas."

"Não fale em geladas neste momento", diz Kit. "Estou me sentindo meio enjoada. Sei que não podemos contrair doenças de cotonetes e fitas adesivas e tudo o mais. Mas às vezes fico pensando em quando eles mandam toda aquela porcaria do necrotério."

"Não. Todas aquelas bacteriazinhas estão tão mortas como pregos quando chegam a nós", diz Eise, olhando para ela. "Se você olhar para elas bem de perto, todas têm minúsculas etiquetas de identificação. Você está pálida, menina." Ele odeia estimular o repentino acesso de doença dela. É muito solitário aqui quando Kit não está, mas ela não se sente bem. É óbvio. Não é certo ele fingir outra coisa. "Por que não dá uma parada, menina? Você tomou vacina contra gripe? Na última vez em que eu procurei, ela estava em falta."

"Eu também. Não consegui encontrar em lugar nenhum", diz, levantando-se da cadeira. "Acho que vou fazer um pouco de chá quente."

23

Lucy não gosta de deixar que outras pessoas façam seu trabalho. Por mais que confie em Rudy, não passa seu trabalho para ele, não atualmente, por causa de Henri e de como ele se sente em relação a ela. Lucy olha para os resultados impressos da busca que fez sozinha no Iafis enquanto está sentada em seu escritório, com os fones de ouvido na cabeça, olhando registros banais das conversas telefônicas banais de sua vizinha Kate. É quinta-feira de manhã cedo.

Ontem já bem tarde, Kate ligou para ela. Deixou uma mensagem no telefone celular de Lucy. "Abraços e beijinhos pelos ingressos" e "Quem é a piscineira? Alguém famoso?". Lucy não tem piscineira e ela não é ninguém famoso. É uma morena de cinqüenta anos e parece pequena demais para usar um chapéu de palha, e não é estrela de cinema nem uma fera. Lucy continua não tendo sorte com o Iafis, que não lhe devolveu nenhum bom candidato, o que significa que a busca automatizada não deu em nada. Comparar impressões digitais latentes, especialmente quando algumas são parciais, é um lance de dados.

Cada uma das dez impressões digitais de uma pessoa é única. Por exemplo, a impressão digital do polegar esquerdo não bate com a do polegar direito. Sem um cartão de dez impressões arquivado, o Iafis só poderia encontrar uma coincidência em impressões digitais latentes de um desconhecido se o transgressor tivesse deixado a impressão digital latente de seu polegar direito em um local de crime e uma impressão latente do mesmo polegar em outro local de crime, e as duas tivessem sido arquivadas no Iafis, e ambas as impressões latentes ou fossem completas, ou tivessem as mesmas características de sulcos de fricção.

Mas uma comparação manual ou visual de impressões latentes é outra história, e aqui Lucy tem um pouco mais de sucesso. Impressões latentes parciais que ela recuperou do desenho do olho batem com algumas das impressões parciais que recuperou do quarto depois que Henri foi atacada. Isso não a surpreende, mas ela está feliz com a verificação. A fera que entrou em sua casa é a mesma que deixou o desenho do olho, e essa mesma fera também arranhou sua Ferrari preta, embora não tenha sido recuperada nenhuma impressão digital do carro. Mas quantas feras saem por aí desenhando olhos? Portanto, foi ele quem fez isso, embora nenhuma dessas coincidências diga a Lucy quem ele é. Ela só sabe que a mesma fera está causando todos esses problemas, e que ele não tem um cartão de dez impressões arquivado no Iafis e em nenhum outro lugar, ao que parece, e continua perseguindo Henri e não deve saber que ela está muito longe daqui agora. Ou talvez suponha que Henri vai voltar ou pelo menos sabe das últimas investidas dele.

Na mente da fera, se Henri pelo menos souber que ele colou um desenho na porta, vai ficar apavorada e perturbada outra vez, e talvez nunca mais volte. O que interessa à fera é dominar Henri. Esse é o único objetivo da perseguição, dominar outra pessoa. Em certo sentido, o perseguidor mantém sua vítima refém sem jamais tocar um dedo nela ou, em alguns casos, sem sequer encontrá-la. Pelo que Lucy sabe, a fera nunca encontrou Henri. Pelo que Lucy sabe. O que ela sabe, realmente? Quase nada.

Ela folheia um impresso de outra busca em computador que fez ontem à noite e pensa se deve ligar para a tia. Faz muito tempo desde a última vez que Lucy ligou para Scarpetta, e não há nenhuma boa desculpa para isso, embora Lucy tenha imaginado muitas desculpas. Ela e a tia passam a maior parte do tempo no sul da Flórida, a menos de uma hora uma da outra. Scarpetta se mudou de Del Rey para Los Olas no verão passado, e Lucy só visitou sua casa nova uma vez, e isso já faz meses. Quanto mais o tempo passa, mais difícil é ligar para ela. Perguntas não feitas pairam entre elas, e a conversa será estranha, mas Lucy conclui que não é certo não ligar para a tia nas atuais circunstâncias. Então liga.

"Serviço despertador", diz ela quando a tia atende.

"Se isso é o melhor que você consegue fazer, não vai enganar ninguém", responde Scarpetta.

"O que quer dizer?"

"Você não parece a telefonista e eu não pedi para ser acordada pelo telefone. Como vai você? Onde está?"

"Ainda na Flórida", diz Lucy.

"Ainda? Quer dizer que talvez vá sair de novo?"

"Eu não sei. Provavelmente."

"Para onde?"

"Não tenho certeza", diz Lucy.

"Tudo bem. Em que está trabalhando?"

"Um caso de perseguição", responde Lucy.

"Esses são muito difíceis."

"Nem me fale. Este especialmente, mas eu não posso falar sobre ele."

"Você nunca pode."

"Você não fala sobre seus casos", diz Lucy.

"Normalmente não."

"O que mais há de novo?"

"Nada. Quando eu vou vê-la? Não a vejo desde setembro."

"Eu sei. O que você tem feito na grande cidade má de Richmond?", pergunta Lucy. "Pelo que estão brigando aí atualmente? Algum monumento novo? Quem sabe a última obra de arte no muro de contenção?"

"Tenho tentado imaginar o que está acontecendo com a morte de uma garota. Ontem à noite eu devia ter jantado com o doutor Fielding. Você deve se lembrar dele."

"Ah, claro. Como vai ele? Não sabia que ele ainda estava aí."

"Não muito bem", responde Scarpetta.

"Lembra quando ele me levava para a academia de ginástica dele e nós levantávamos pesos juntos?"

"Ele não freqüenta mais a academia."

"Cacilda! Estou chocada. Jack não ir à academia? Isso parece... bem, não sei o quê. Não parece com nada, suponho. Estou chocada além das palavras. Está vendo o que acontece quando você vai embora? Tudo e todos desmoronam."

"Você não vai conseguir me bajular hoje. Eu não estou de muito bom humor", reage Scarpetta.

Lucy sente uma pontada de culpa. Ela é a culpada por Scarpetta não estar em Aspen.

"Você falou com Benton?", pergunta Lucy casualmente.

"Ele está ocupado trabalhando."

"Isso não significa que você não possa ligar para ele." A culpa aperta forte o estômago de Lucy.

"Neste momento significa."

"Ele disse para você não ligar para ele?" Lucy imagina Henri na casa de Benton. Ela ficaria escutando escondida. Sim, ficaria, e Lucy se sente mal de culpa e ansiedade.

"Eu fui à casa de Jack ontem à noite e ele não atendeu a porta." Scarpetta muda de assunto. "Tenho uma sensação engraçada de que ele estava em casa. Mas não veio até a porta."

"O que você fez?"

"Vim embora. Talvez ele tenha esquecido. Com certeza deve andar estressado. Sem dúvida anda preocupado."

"Não é disso que se trata. Ele provavelmente não queria falar com você. Talvez seja tarde demais para ele falar com você. Talvez tudo esteja ferrado demais. Eu me encarreguei de fazer uma pequena verificação do passado do doutor Joel Marcus", diz então Lucy. "Eu sei que você não me pediu. Mas pelo jeito você não pediria mesmo, certo?"

Scarpetta não responde.

"Olhe, ele deve saber muita coisa sobre você, tia Kay. Então é melhor você saber alguma coisa sobre ele", diz ela, e está irritada. Não pode evitar o modo como se sente, e está com raiva e magoada.

"Tudo bem", diz Scarpetta. "Eu não acho que essa é necessariamente a coisa certa a fazer, mas você pode muito bem me contar. Eu seria a primeira a dizer que não está sendo fácil trabalhar com ele."

"O que me interessa mais", diz Lucy, sentindo-se um pouco melhor, "é como há pouca coisa sobre ele. Esse cara não tem vida. Ele nasceu em Charlottesville, o pai era professor de escola pública, a mãe morreu em um acidente de automóvel em 1965, ele foi para a Universidade da Virgínia fazer a graduação e se formar em medicina, portanto ele é da Virgínia e se formou aí, mas nunca trabalhou no sistema de medicina legal da Virgínia até ser nomeado chefe há quatro meses."

"Eu mesma poderia lhe dizer que ele nunca trabalhou no sistema de medicina legal da Virgínia até o verão passado", retruca Scarpetta. "Você não precisava fazer uma dispendiosa verificação de antecedentes nem invadir o computador do Pentágono ou seja lá o que você fez para que eu soubesse disso. Não sei se deveria estar ouvindo isso."

"O fato de ele ter sido indicado chefe, aliás", diz Lucy, "é totalmente esquisito, não faz nenhum sentido. Ele passou algum tempo como patologista particular em algum hospitalzinho em Maryland e não fez nenhuma pós-graduação forense nem prestou exame de habilitação até ter quarenta e poucos anos, e, a propósito, da primeira vez que fez os exames, ele foi reprovado."

"Onde ele fez a pós-graduação?"

"Oklahoma City", responde Lucy.

"Acho que não devia estar ouvindo isso."

"Foi patologista forense durante algum tempo no Novo México, não sei o que ele fez de 1993 a 1998, além de se divorciar de uma enfermeira. Não tem filhos. Em 1999 ele se mudou para St. Louis e trabalhou no gabinete do legista de lá até ser transferido para Richmond. O carro dele é um Volvo de doze anos e ele nunca foi proprietário de uma casa. Talvez você se interesse em saber que a casa que ele está alugando agora fica no condado de Henrico, não muito longe do Willow Lawn Shopping Center."

"Eu não preciso ouvir isso", diz Scarpetta. "Já chega."

"Ele nunca foi preso. Pensei que você gostaria de saber disso. Só algumas violações de trânsito, nada marcante."

"Isso não está certo", diz Scarpetta. "Eu não preciso ouvir isso."

"Sem problema", responde Lucy, na voz que usa quando sua tia acabou de pisotear seu espírito e magoar seus sentimentos. "De qualquer jeito, é mais ou menos isso. Eu poderia encontrar muita coisa mais, mas preliminarmente é isso."

"Lucy, sei que você está tentando ajudar. Você é fantástica. Eu não gostaria que você estivesse no meu encalço. Ele não é um cara legal. E sabe Deus qual é o objetivo dele, mas, a menos que descubramos algo que tenha a ver diretamente com a ética ou a competência dele, ou alguma coisa que possa torná-lo perigoso, eu não preciso saber nada da vida dele. Você entende? Por favor, não desencave mais nada."

"Ele é totalmente perigoso", diz Lucy como pode. "Ponha um perdedor como ele em um cargo com poder e ele é perigoso. Meu Deus, quem foi que resolveu contratá-lo? E por quê? Eu só imagino como ele deve odiar você."

"Não quero falar sobre isso."

"Quem está no governo é uma mulher", continua Lucy. "Por que uma mulher indicaria um perdedor como ele?"

"Não quero falar sobre isso."

"É claro que na metade do tempo os políticos não fazem as escolhas. Eles apenas assinam os papéis, e a governadora provavelmente tinha coisas maiores em que pensar."

"Lucy, você ligou só para me chatear? Por que está fazendo isso? Por favor, não. Eu já estou com muitas dificuldades aqui."

Lucy fica em silêncio.

"Lucy? Você está aí?", pergunta Scarpetta.

"Estou aqui."

"Eu odeio telefone", diz Scarpetta. "Eu não a vejo desde setembro. Acho que você está me evitando."

24

Ele está sentado na sala de estar, com o jornal aberto no colo, quando ouve o caminhão de lixo chegando.

O motor tem um som grave de diesel. O caminhão pára no fim da entrada para carros, e o gemido de um elevador hidráulico é acrescentado à pulsação do diesel, e latas de lixo batem contra as laterais de metal do enorme caminhão. Então os homens grandões soltam as latas vazias no fim da entrada para carros e o caminhão ronca pela rua afora.

O dr. Marcus está sentado na grande poltrona de couro estofado de sua sala de estar, confuso e mal conseguindo respirar, seu coração baqueando de terror enquanto espera. A coleta de lixo é às segundas e às quintas, por volta de oito e meia, em seu bairro de classe média alta de Westham Green, bem a oeste da cidade, no condado de Henrico. Ele está sempre atrasado para as reuniões da equipe nos dois dias em que os coletores de lixo vêm, e há não muito tempo ele nem ia trabalhar nos dois dias em que o caminhão grande e os grandes homens escuros vinham.

Agora eles se autodenominam agentes sanitários, não lixeiros, mas não importa do que eles se chamem, nem o que é politicamente correto, nem como qualquer outra pessoa chame os grandes homens escuros em suas roupas escuras e grandes luvas de couro. O dr. Marcus fica aterrorizado com os lixeiros e seus caminhões, e sua fobia piorou desde que se mudou para cá, há quatro meses, e nos dias de coleta de lixo ele não sai da casa antes que o caminhão e seus homens tenham ido embora. Ele está se sentindo melhor desde que começou a consultar o psiquiatra em Charlottesville.

O dr. Marcus está sentado na poltrona e espera que seu coração desacelere e que a confusão e a náusea diminuam e seus nervos se acalmem, depois se levanta, ainda de pijama, robe e chinelos. Não adianta se vestir até depois da coleta de lixo, porque ele sua tão profusamente quando prevê o horroroso som gutural e as batidas metálicas do grande caminhão e de seus grandes homens escuros, que na hora em que eles vão embora ele está encharcado de suor e tremendo de frio, as unhas dos dedos azuis. O dr. Marcus anda toda a extensão do piso de carvalho de sua sala de estar e olha para fora pela janela, para os latões verdes deixados com desleixo no canto de sua entrada para carros, e tenta ouvir o barulho horroroso para ter certeza de que o caminhão não está em nenhum lugar próximo nem voltando nesta direção, embora ele conheça bem a rota da coleta de lixo em seu bairro.

Agora, o caminhão e os homens nele estão parando e arrancando, os homens descendo do caminhão e voltando para ele, e esvaziando latões a várias ruas de distância, e vão continuar a fazer isso até virarem na avenida Patterson, e para onde eles vão a partir daí o dr. Marcus não sabe nem quer saber, desde que vão embora. Ele olha pela janela para seus latões largados com desleixo e conclui que não é seguro sair.

Ele ainda não se sente bem para sair, e caminha até seu quarto e verifica outra vez para ter certeza de que o alarme contra ladrão ainda está acionado, tira o pijama molhado e o robe e entra no chuveiro. Não fica muito tempo no chuveiro, mas, quando está limpo e aquecido, se enxuga e se veste para ir ao trabalho, contente de a crise ter passado, e tomando o cuidado de não imaginar o que poderia acontecer se a crise ocorresse repentinamente quando ele está em público. Bem, isso não vai acontecer. Desde que esteja em casa ou perto de seu escritório, pode fechar a porta e esperar em segurança até a tempestade passar.

Na cozinha, ele toma um comprimido laranja. Já tomou um Klonopin e seu antidepressivo esta manhã, mas toma outro comprimido de meio miligrama de Klonopin. Nos últimos meses ele subiu para três miligramas por dia, e não está contente de ser dependente de benzodiazepinas. Seu psiquiatra em Charlottesville diz para ele não se preocupar. Desde que o dr. Marcus não abuse de álcool ou outras drogas, e ele não toca em nenhuma delas, não tem problema tomar Klonopin. É melhor tomar Klonopin do que ficar tão aterrorizado por ataques de pânico a ponto de precisar se esconder dentro de casa e perder seu trabalho ou ser humilhado. Ele não pode se dar ao luxo de perder o emprego nem de ser humilhado. Não é saudável como Scarpetta, e nunca poderia agüentar as humilhações que ela parece encarar como fatos da vida. Antes de sucedê-la como legista-chefe da Virgínia, ele não precisava de Klonopin nem de antidepressivos, mas agora tem um distúrbio de comorbidade, segundo seu psiquiatra, o que significa que não tem só um distúrbio, mas dois. Em St. Louis, ele faltava ao trabalho às vezes e quase nunca viajava, mas conseguia se virar. A vida antes de Scarpetta era administrável.

Na sala de estar, ele volta a olhar pela janela para os enormes latões verdes e tenta escutar o caminhão grande e os homens que estão nele, mas não os ouve. Depois de vestir seu velho sobretudo de lã cinza e calçar um velho par de luvas de pele de porco preta, ele pára diante da porta para ver como está se sentindo. Parece ótimo, então desliga o alarme contra ladrão e abre a porta. Caminha animado até o final de sua entrada para carros, olhando para um lado e para outro da rua em busca do caminhão, mas não o ouve nem o vê, e se sente muito bem enquanto rola os latões para o lado da garagem onde devem ficar.

Volta para sua casa e tira o casaco e as luvas, e agora está muito mais calmo, até feliz; lava cuidadosamente as mãos, e seus pensamentos retornam a Scarpetta, e ele se sente relaxado e animado porque vai conseguir fazer o que quer. Todos esses meses ele ouviu Scarpetta isso, Scarpetta aquilo, e, como não a conhecia, não podia se queixar. Quando o secretário de Saúde disse: "Vai ser difícil para você assumir o cargo dela, provavelmente impossível, e ainda há algumas pessoas que não vão respeitá-lo apenas porque você não é ela", o dr. Marcus não disse uma palavra, pois o que poderia dizer? Ele não a conhecia.

Quando a nova governadora fez a cortesia de convidar o dr. Marcus para tomar café na sala dela depois que foi indicado, ele teve de declinar porque ela marcou para as oito e meia de uma segunda-feira, o mesmo dia e a mesma hora da coleta de lixo em Westham Green. É claro que não dava para explicar por que não poderia tomar café com ela, mas isso estava fora de questão, era simplesmente impossível, e ele se lembra de ficar sentado na sala de estar ouvindo o grande caminhão e seus grandes homens, imaginando como seria a vida dele na Virgínia, já que recusara um convite para tomar café com a governadora, que é mulher e provavelmente não o respeitaria de jeito nenhum porque ele não é mulher e não é Scarpetta.

O dr. Marcus não sabe ao certo se a nova governadora é uma admiradora de Scarpetta, mas é bem possível que seja, e ele não tinha idéia do que teria de enfrentar quando aceitou o cargo de chefe e se mudou de St. Louis para cá, deixando para trás um gabinete cheio de legistas mulheres e investigadoras de homicídios, e todas sabiam a respeito de Scarpetta e lhe disseram como ele era um homem sortudo de conseguir o emprego dela, porque graças a ela a Virgínia tinha o melhor sistema de medicina legal dos Estados Unidos, e era uma pena ela não ter se dado bem com o governador na época, aquele que a demitira, e as mulheres em seu gabinete o estimularam a assumir o emprego de Scarpetta.

Elas queriam que ele fosse embora. Ele sabia disso na época. Não conseguia, por mais que tentasse, imaginar por que a Virgínia estava interessada nele, logo ele, a menos que fosse porque era uma pessoa que não criava atritos, não fazia política e era uma nulidade. Ele sabia o que as mulheres de seu gabinete diziam na época. Elas cochichavam e se preocupavam com a possibilidade de ele fracassar e elas terem de ficar com ele, e ele sabia exatamente o que era dito naquela época.

Então ele se mudou para a Virgínia, e nem um mês depois se viu em desacordo com a governadora, tudo por causa da coleta de lixo em Westham Green, e pôs a culpa em Scarpetta. Ele era amaldiçoado por causa dela. A única coisa que ele fazia era ouvir falar dela e queixas sobre ele, porque ele não é ela. Mal havia assumido o emprego quando passou a odiar tudo o que ela tinha feito, e se tornou um mestre em mostrar seu desprezo de modo mesquinho, negligenciando tudo o que estava associado à época de Scarpetta, fosse uma pintura, uma planta, um livro, um patologista ou um paciente morto, que estaria melhor se Scarpetta ainda fosse a chefe. Ficou obcecado com a idéia de provar que ela é um mito, uma fraude e um fracasso, mas não podia destruir uma perfeita estranha. Não conseguia nem pronunciar uma palavra negativa sobre ela porque não a conhecia.

Então Gilly Paulsson morreu e o pai dela ligou para o secretário de Saúde, que por sua vez ligou para a governadora, que imediatamente ligou para o diretor do FBI, tudo porque a governadora chefia uma comissão nacional contra o terrorismo e Frank Paulsson tem ligações com o Departamento de Segurança Interna, e não seria horrível se acabasse se revelando que Gilly foi morta por algum inimigo do governo dos Estados Unidos?

O FBI não demorou a concordar que o assunto merecia uma verificação, e instantaneamente o Bureau interferiu na polícia local, e ninguém sabia o que a outra pessoa estava fazendo, e algumas provas seguiram para os laboratórios locais e algumas foram para os laboratórios do FBI, e outras nem foram coletadas, e o dr. Paulsson não queria que o corpo de Gilly fosse liberado do necrotério até que todos os fatos fossem conhecidos. No meio disso tudo havia o relacionamento disfuncional do dr. Paulsson com sua ex-esposa, e logo a morte de uma desconhecida garota de catorze anos estava tão distorcida e politizada que o dr. Marcus não teve escolha senão perguntar ao secretário de Saúde o que devia ser feito.

"Nós precisamos trazer um consultor influente", respondeu o secretário de Saúde. "Antes que as coisas realmente piorem."

"Elas já estão bastante ruins", respondeu o dr. Marcus. "No momento em que o Departamento de Polícia de Richmond soube que o FBI estava envolvido, eles recuaram, correram para se acobertar. E, para piorar as coisas, não sabemos o que matou a garota. Acho a morte dela suspeita, mas não temos uma causa de morte."

"Precisamos de um consultor. Imediatamente. Alguém que não seja daqui. Alguém que consiga agüentar o impacto, se for necessário. Se a governadora se sujar com esse caso, uma sujeira nacional, cabeças vão rolar, e a minha não vai ser a única, Joel."

"Que tal a doutora Scarpetta?", sugeriu o dr. Marcus, e ficou surpreso na época de o nome dela lhe ter vindo à língua sem premeditação. A resposta dele foi assim espontânea e rápida.

"Excelente idéia. Uma idéia inspirada", concordou o secretário de Saúde. "Você a conhece?"

"Vou conhecê-la logo", disse o dr. Marcus, e ficou surpreso de ser um estrategista tão brilhante.

Ele nunca se imaginou um estrategista brilhante antes desse momento, mas, como nunca criticava Scarpetta, porque não a conhecia, estava justificado ao recomendar entusiasticamente o nome dela como consultora. Como jamais dissera uma palavra negativa sobre ela, ele mesmo podia ligar para ela, e foi isso o que fez naquele dia, anteontem. Logo ele conheceria Scarpetta, ah, sim, conheceria, e então poderia criticá-la, humilhá-la e fazer o que quisesse com ela.

Ele a culparia por tudo o que desse errado com Gilly Paulsson e com o Gabinete do Legista-Chefe, e qualquer outra coisa que pudesse surgir, e a governadora esqueceria que o dr. Marcus tinha recusado o convite para tomar café com ela. Se ela o convidasse outra vez e escolhesse as oito e meia de uma quinta ou uma segunda, o dr. Marcus simplesmente diria ao responsável pela agenda da governadora que a reunião da equipe do Gabinete do Legista-Chefe é às oito e meia, e será que a governadora não poderia tomar café um pouco mais tarde?, porque é muito importante que ele presida as reuniões da equipe. Por que não pensou nisso da primeira vez, ele não tem certeza, mas vai saber o que dizer na próxima ocasião.

O dr. Marcus pega o telefone em sua sala de estar e olha para a rua vazia, aliviado em saber que a coleta de lixo não vai preocupá-lo nos próximos três dias, e se sente muito bem quando abre uma pequena agenda telefônica que tem há tantos anos em que metade dos nomes e números nela foram riscados. Ele digita um número, olha para a rua e observa um velho Chevrolet Impala azul chegando, e se lembra de quando sua mãe costumava ficar presa com o velho Impala dela na neve no sopé da colina, todos os invernos na mesma colina, quando ele era criança em Charlottesville.

"Scarpetta", responde ela em seu telefone celular.

"Aqui é o doutor Marcus", diz ele na sua voz prática, autoritária, mas bastante agradável, e ele tem muitas vozes, porém no momento escolheu a voz bastante agradável.

"Sim", responde ela. "Bom dia. Eu espero que o doutor Fielding tenha dado ao senhor um resumo de nosso reexame de Gilly Paulsson."

"Acho que deu. Ele me contou sua opinião", diz ele, saboreando as palavras "sua opinião" e desejando poder ver a reação dela, porque as palavras "sua opinião" são as que um advogado de defesa calculista diria. Um promotor, por outro lado, diria "sua conclusão", porque isso é uma validação da experiência e da capacitação, ao passo que dizer "sua opinião" é um insulto velado.

"Eu queria saber se você soube das provas vestigiais", diz ele então, pensando no e-mail que recebeu ontem do sempre impróprio Junius Eise.

"Não", diz ela.

"É muito desconcertante", informa ele, agourento. "É por isso que vamos fazer uma reunião", diz o dr. Marcus, e ele marcou a reunião ontem mas só está contando a ela agora. "Eu gostaria que você estivesse em meu gabinete esta manhã às nove e meia." Ele observa o velho Impala parar numa entrada para carros duas casas abaixo, e se pergunta por que ele está parando lá e a quem pertence.

Scarpetta hesita, como se a sugestão de última hora feita por ele não lhe fosse conveniente, depois responde: "É claro. Estarei lá em meia hora".

"Posso lhe perguntar o que você fez ontem à tarde? Eu não a vi em meu gabinete", comenta, observando uma negra idosa sair do velho Impala azul.

"Papelada, muitos telefonemas. Por quê, o senhor precisava de alguma coisa?"

O dr. Marcus se sente levemente modorrento enquanto olha para a mulher idosa e o velho Impala azul. A grande Scarpetta está lhe perguntando se ele precisava de alguma coisa, como se trabalhasse para ele. Mas ela trabalha. Neste momento trabalha. Ele acha difícil acreditar nisso.

"Eu não preciso de nada de você neste momento", diz ele. "Vamos nos ver na reunião", e desliga, e sente um grande prazer em desligar na cara de Scarpetta.

Os saltos de seu velho sapato marrom de amarrar antiquado batem no piso de carvalho enquanto ele anda até a cozinha e prepara um segundo bule de café descafeinado. A maior parte do primeiro foi para o lixo porque ele estava preocupado demais com o caminhão de lixo e com os homens nele para se lembrar do café, que começou a ficar com cheiro de queimado, e ele derramou tudo na pia. Então ele prepara o café e volta para a sala de estar para verificar o Impala.

Pela mesma janela pela qual olha normalmente, a que

fica em frente a sua poltrona de couro favorita, ele observa a negra idosa tirar sacos de compras do porta-malas do Impala. Ela deve ser a empregada, pensa, e incomoda-o que uma empregada negra dirija o mesmo carro que sua mãe dirigia quando ele era criança. Antes era um belo carro. Nem todo mundo tinha um Impala branco com uma faixa azul do lado, e ele sentia orgulho desse carro, a não ser quando ficava preso na neve no sopé da colina. Sua mãe não era uma boa motorista. Não deviam permitir que ela dirigisse aquele Impala. O Impala tem esse nome por causa de um antílope africano que consegue saltar grandes distâncias e se assusta com facilidade, e a mãe dele ficava bastante nervosa quando estava sozinha. Ela não precisava estar atrás da direção de nada batizado em homenagem a um antílope africano que é vigoroso e se espanta facilmente.

A velha empregada se move lentamente, pegando sacos plásticos de compras do porta-malas do Impala e caminhando com um gingado cansado do carro para uma porta lateral da casa, depois de volta para o carro, pegando mais sacos, então fecha a porta do carro com o quadril. Antes esse era um ótimo carro, pensa o dr. Marcus, olhando pela janela. O Impala da empregada deve ter quarenta anos e parece estar em bom estado, e ele não consegue se lembrar da última vez que viu um Impala 63 ou 64. O fato de ver um hoje lhe parece significativo, mas ele não sabe qual o significado, e volta para a cozinha para pegar o café. Se esperar mais vinte minutos, seus médicos estarão ocupados com autópsias e ele não vai precisar falar com ninguém, e seu coração se acelera outra vez enquanto espera. Seus nervos começam a se tensionar de novo.

A princípio ele atribui a aceleração do coração, a agitação e as contrações ao resíduos de cafeína no café descafeinado, mas só tomou alguns goles, e percebe que algo mais está acontecendo. Pensa no Impala do outro lado da rua e fica mais agitado e perturbado, e deseja que a empregada nunca tivesse aparecido, logo hoje, quando ele estava em casa por causa da coleta de lixo. Volta à sala de estar e se senta em sua grande poltrona de couro e se recosta, tentando relaxar, e seu coração bate tão violentamente que ele pode ver a frente da camisa branca se mexer, e ele respira fundo e fecha os olhos.

Ele mora aqui há quatro meses e nunca viu esse Impala. Imagina a fina direção azul que não tem airbag, e o painel azul do lado do passageiro, que não é estofado e não tem airbag, e os cintos de segurança que passam sobre a cintura porque não há ponto de fixação acima dos ombros. Imagina o interior do Impala, e não é o Impala do outro lado da rua que ele imagina, é o branco com a faixa azul do lado que sua mãe dirigia. Seu café está esquecido e frio na mesa ao lado da grande poltrona de couro, e ele volta a se sentar e fecha os olhos. Várias vezes o dr. Marcus se levanta e olha pela janela, e, quando não vê mais o Impala azul, liga o alarme, tranca a casa e caminha para a garagem, e lhe ocorre com uma pontada de medo que talvez o Impala não exista e nunca tenha estado ali, mas estava. É claro que estava.

Alguns minutos depois, ele dirige lentamente pela rua e pára na frente da casa, várias portas depois da sua, e olha para a entrada de carros vazia onde viu o Impala azul e a empregada negra carregando compras. Fica lá em seu Volvo, que tem a melhor classificação em termos de segurança entre praticamente todos os carros já fabricados, e olha para a entrada de carros vazia, depois finalmente entra nela e sai do carro. Ele é antiquado mas elegante com o longo sobretudo cinza, chapéu cinza e luvas de pele de porco pretas que usa quando faz frio desde antes de morar em St. Louis, e sabe que parece bastante respeitável quando toca a campainha da porta da frente da casa. Ele espera, depois toca de novo, e a porta se abre.

"Pois não?", diz a mulher que atende a porta, uma mulher que deve ter seus cinqüenta anos, está vestida com um agasalho e calça um par de tênis. Ela parece familiar e é graciosa, mas não excessivamente amistosa.

213

"Meu nome é Joel Marcus", diz ele em sua voz bastante agradável. "Moro do outro lado da rua e há pouco notei por acaso um Impala azul muito antigo em sua entrada para carros." Ele está preparado para sugerir que talvez tenha confundido a casa dela com alguma outra, caso ela diga que não sabe nada sobre um Impala azul muito antigo.

"Ah, a senhora Walker. Ele teve aquele carro a vida inteira. Não o trocaria nem por um Cadillac novinho em folha", diz, sorrindo, a vizinha um tanto familiar, para enorme alívio do dr. Marcus.

"Entendo", diz ele. "Eu só fiquei curioso. Coleciono carros antigos." Ele não coleciona carros, nem velhos nem novos, mas não está imaginando coisas, graças a Deus. É claro que não.

"Bem, o senhor não vai colecionar aquele", diz ela, animada. "A senhora Walker com certeza adora aquele carro. Acho que nós não fomos apresentados, mas eu sei quem é o senhor. É o novo legista. O senhor pegou o lugar daquela famosa legista, ah, qual era o nome dela? Fiquei chocada e decepcionada quando ela saiu da Virgínia. O que será que aconteceu com ela? Ora, o senhor está aí parado no frio. Onde está minha educação? O senhor gostaria de entrar? Ela também era uma mulher muito atraente. Ah, meu Deus, qual era o nome dela?"

"Eu realmente preciso ir", retruca o dr. Marcus em uma voz diferente, esta dura e tensa. "Acho que estou bastante atrasado para uma reunião com a governadora", mente ele com frieza.

25

O sol é fraco no céu cinza-claro e a luz é tênue e fria. Scarpetta anda pelo estacionamento, seu casaco escuro comprido adejando em volta das pernas. Ela caminha depressa e decidida na direção da porta da frente de seu antigo edifício e fica irritada ao ver que a vaga de estacionamento número um, a vaga reservada ao legista-chefe, está vazia. O dr. Marcus ainda não chegou. Como de hábito, ele está atrasado.

"Bom dia, Bruce", diz ao segurança que está à mesa.

Ele sorri para ela e acena para que entre. "Vou registrar a senhora", diz, pressionando um botão que abre a porta seguinte, a que leva à ala do legista.

"Marino já chegou?", pergunta ela enquanto anda.

"Não o vi", responde Bruce.

Como Fielding não atendeu a porta na noite passada, ela ficou na varanda da frente da casa dele tentando lhe falar pelo telefone, mas o número antigo estava inoperante, então tentou o de Marino e mal pôde ouvi-lo por causa do vozerio e das risadas no fundo. Talvez ele estivesse em um bar, mas ela não perguntou e lhe disse apenas que Fielding parecia não estar em casa, e que, se ele não aparecesse logo, ela ia voltar para o hotel. A única coisa que Marino disse foi o.k. doutora, até mais ver, doutora, e me ligue se precisar, doutora.

Então Scarpetta tentou abrir a porta da frente e a porta de trás da casa de Fielding, mas elas estavam trancadas. Tocou a campainha e bateu na porta, ficando cada vez mais inquieta. Notou que havia um carro coberto com lona no abrigo para carro de seu ex-assistente-chefe, braço direito e amigo, e não teve dúvida de que o carro era o adorado Mustang vermelho dele, mas levantou uma beirada da lona para ter certeza, e estava certa. Ela havia notado o Mustang na vaga número seis do estacionamento atrás do edifício aquela manhã, portanto ele o estava dirigindo, mas o fato de o Mustang estar em casa coberto com lona não queria dizer necessariamente que ele estava em casa e se recusava a atender a porta. Talvez tivesse um segundo carro, talvez um utilitário esportivo. Faria sentido ele ter um carro reserva, um veículo mais robusto, e ele poderia ter ido a algum lugar em seu utilitário esportivo, ou fosse qual fosse o carro que estivesse usando atualmente, e estar a caminho de casa, um pouco atrasado, ou podia ter esquecido que a convidara para jantar.

Ela imaginou todas essas possibilidades enquanto esperava que ele atendesse a porta, depois começou a temer que alguma coisa tivesse acontecido a Fielding. Talvez tivesse se machucado. Talvez estivesse tendo uma reação alérgica violenta e estivesse coberto de urticária ou tendo um choque anafilático. Talvez tivesse cometido suicídio. Talvez tivesse programado suicidar-se no momento em que ela chegasse a sua casa, por pensar que ela poderia lidar com o suicídio. Se a pessoa se mata, alguém tem de lidar com isso. Todo mundo sempre a supõe capaz de lidar com qualquer coisa, portanto a sina dela seria encontrá-lo na cama com uma bala na cabeça ou o estômago cheio de comprimidos e administrar a situação. Só Lucy parece saber que Scarpetta tem suas limitações, e Lucy raramente lhe diz alguma coisa. Ela não vê Lucy desde setembro. Algo está acontecendo, e Lucy não acha que Scarpetta seja capaz de lidar com ela.

"Bem, parece que eu não consigo encontrar Marino", diz Scarpetta a Bruce. "Então, se você tiver notícia dele, por favor diga que estou à sua procura, que vai haver uma reunião."

"Junius Eise talvez saiba onde ele está", responde Bruce. "Sabe, o das Provas Vestigiais? Eise ia se encontrar com ele ontem à noite. Acho que eles iam ao lounge da OFP."

Scarpetta pensa no que o dr. Marcus disse quando ligou para ela não faz nem uma hora, alguma coisa sobre as provas vestigiais, que aparentemente são a razão da reunião, e ela não consegue encontrar Marino. Ele estava no bar de sua antiga Ordem Fraterna da Polícia ontem à noite, provavelmente bebendo com o próprio sr. Provas Vestigiais, e ela não tem idéia do que está acontecendo e Marino não atende o telefone. Ela abre a porta de vidro fosco e entra em sua antiga área de espera.

Scarpetta fica chocada ao ver a sra. Paulsson sentada no sofá, com o olhar vazio, as mãos agarrando a bolsa, que está no colo. "Senhora Paulsson?", diz Scarpetta preocupada, andando até ela. "Alguém está atendendo a senhora?"

"Me disseram para ficar aqui quando abriram", diz a sra. Paulsson. "Depois me disseram para esperar porque o chefe ainda não chegou."

Scarpetta não foi informada de que a sra. Paulsson estaria presente na reunião com o dr. Marcus. "Venha", diz ela. "Vou levá-la para dentro. A senhora vai se reunir com o doutor Marcus?"

"Acho que sim."

"Eu também vou me reunir com ele", diz Scarpetta. "Suponho que vamos para a mesma reunião. Venha. A senhora pode vir comigo."

A sra. Paulsson se levanta devagar do sofá, como se estivesse cansada e dolorida. Scarpetta gostaria que houvesse plantas de verdade na área de espera, apenas algumas plantas de verdade para trazer um pouco de calor e vida. Plantas de verdade fazem as pessoas se sentirem menos sozinhas, e não há lugar mais solitário na Terra do que um necrotério, e ninguém deveria jamais ter de visitar um necrotério, muito menos esperar para visitar um. Ela pressiona uma campainha ao lado de uma janela. Do outro lado do vidro há um balcão, depois um trecho de carpete azul-acinzentado, depois um vão de porta que leva aos escritórios da administração.

"Pois não", soa uma voz de mulher pelo interfone.

"Doutora Scarpetta", anuncia-se.

"Entre", diz a voz, e a porta de vidro à direita da janela se abre com um clique.

Scarpetta segura a porta para a sra. Paulsson passar. "Espero que a senhora não tenha esperado muito tempo", diz a ela Scarpetta. "Sinto muito a senhora ter de esperar. Eu gostaria de ter sabido que a senhora vinha. Poderia tê-la encontrado ou tomado providências para que ficasse em um lugar confortável e tomasse um café."

"Eles me disseram para estar aqui cedo se eu quisesse estacionar o carro", retruca a sra. Paulsson, olhando em volta enquanto caminham para o escritório dos fundos, onde secretárias estão arquivando pastas e trabalhando nos computadores.

Scarpetta percebe que a sra. Paulsson nunca visitou o Gabinete do Legista-Chefe. Isso não a surpreende. O dr. Marcus não é o tipo de pessoa que passe muito tempo recebendo familiares de mortos, e o dr. Fielding está muito esgotado para fazer reuniões emocionalmente desgastantes com familiares. Ela suspeita que as razões para chamarem a sra. Paulsson para uma reunião são políticas e que provavelmente vão deixá-la irritada e desgostosa. De seu cubículo, uma secretária lhes diz que podem ir para a sala de reunião, que o dr. Marcus está um pouco atrasado. Scarpetta fica chocada de ver que as secretárias aparentemente nunca saem dos cubículos. Quando entra na sala da frente, é como se um cubículo trabalhasse aqui, não pessoas.

"Venha", diz, tocando nas costas da sra. Paulsson. "A senhora gostaria de um café? Vamos pegar um para a senhora e depois vamos nos sentar."

"Gilly ainda está aqui", diz a sra. Paulsson, caminhando rígida e olhando em volta com olhos assustados. "Eles

218

não me deixam levá-la." Ela começa a chorar, torcendo a alça de sua bolsa. "Não está certo ela ficar aqui."

"Que motivo deram para a senhora?", pergunta Scarpetta, enquanto seguem lentamente para a sala de reunião.

"É tudo por causa de Frank. Ela era muito ligada a ele, e ele disse que ela podia ir morar com ele. Ela queria ir." Ela chora mais forte enquanto Scarpetta pára na máquina de café e começa a servir dois copos de isopor. "Gilly disse ao juiz que queria se mudar para Charleston depois que terminasse este ano letivo. Ele quer ela lá, em Charleston."

Scarpetta leva os cafés para a sala de reunião, e desta vez se senta no meio da longa mesa envernizada. Ela e a sra. Paulsson estão sozinhas na grande sala vazia, e a sra. Paulsson olha sem expressão para o Homem-Vísceras, depois para o esqueleto anatômico pendurado em um suporte num canto da sala. Sua mão treme quando ela leva o café aos lábios.

"A família de Frank está enterrada em Charleston, sabe", diz ela. "Gerações deles. Minha família está enterrada no Cemitério de Hollywood, e eu também tenho um lote aqui. Por que isso tem de ser tão difícil? Já está difícil demais. Ele só quer Gilly para fazer maldade comigo, para poder se vingar de mim, me deixar mal. Ele sempre disse que me deixaria louca e que acabariam me trancando em um hospício. Bom, ele quase fez isso desta vez."

"Vocês ainda conversam?", pergunta Scarpetta.

"Ele não conversa. Só me diz coisas, me dá ordens. Ele quer que todos pensem que ele é um pai maravilhoso. Mas não se importa com ela como eu. Ela está morta por culpa dele."

"A senhora já disse isso. Como assim, a culpa é dele?"

"Eu só sei que ele fez alguma coisa. Ele quer me destruir. Primeiro foi pegar Gilly para morar com ele. Agora quer levar Gilly embora para sempre. Ele quer me enlouquecer. E ninguém vê que ele é um mau marido e um mau pai. Ninguém vê a verdade, e há uma verdade. Só vêem que eu sou louca e sentem pena dele. Mas com certeza há uma verdade."

Elas se viram quando a porta da sala de reunião se abre e uma mulher bem vestida entra. Ela parece estar por volta dos quarenta anos e tem a aparência fresca de alguém que tem muito tempo para dormir, faz uma dieta adequada e retoques regulares em seu cabelo louro com luzes. A mulher põe uma valise de couro sobre a mesa, sorri e cumprimenta a sra. Paulsson, como se já se conhecessem. O fecho da valise se abre com um som alto, e ela retira uma pasta e um bloco de anotações e se senta.

"Eu sou a agente especial do FBI Weber. Karen Weber." Ela olha para Scarpetta. "A senhora deve ser a doutora Scarpetta. Me disseram que vocês estavam aqui. Senhora Paulsson, como a senhora está? Eu não esperava vê-la."

A sra. Paulsson pega um lenço da bolsa e enxuga os olhos. "Bom dia", responde.

Scarpetta tem de controlar o impulso de perguntar de pronto à agente especial Weber por que o FBI se inseriu ou foi inserido no caso. Mas a mãe de Gilly está presente. Há pouca coisa que Scarpetta possa perguntar diretamente. Ela tenta uma abordagem indireta.

"Você é do escritório de Richmond?", pergunta à agente especial Weber.

"De Quantico", responde ela. "Da Unidade de Ciência Comportamental. Talvez a senhora conheça nossos novos laboratórios forenses em Quantico."

"Não, não conheço."

"Eles são o máximo. Realmente o máximo."

"Tenho certeza de que são."

"Senhora Paulsson, o que a traz aqui hoje?", pergunta a agente especial Weber.

"Eu não sei", responde ela. "Vim ver o relatório. Eles devem me dar as jóias de Gilly. Ela estava usando um par de brincos e um bracelete, um pequeno bracelete de couro que ela nunca tirava. Eles me disseram que o chefe queria falar comigo."

220

"A senhora está aqui para esta reunião?", pergunta a agente do FBI, com um olhar confuso em seu rosto atraente e bem conservado.

"Eu não sei."

"A senhora está aqui para ver os relatórios de Gilly e pegar os pertences dela?", pergunta Scarpetta, quando começa a perceber que foi cometido um erro.

"Sim, me disseram para vir pegá-los às nove. Eu não consegui vir antes, realmente não consegui. Eu trouxe um cheque porque há uma taxa", diz a senhora Paulsson com o mesmo olhar assustado nos olhos. "Talvez eu não devesse estar aqui. Ninguém me disse nada sobre uma reunião."

"Sim, bem, enquanto a senhora está aqui", diz a agente especial Weber, "deixe-me lhe fazer uma pergunta, senhora Paulsson. A senhora se lembra de quando nós conversamos outro dia? A senhora disse que seu marido, seu ex-marido, é piloto? Isso está correto?"

"Não. Ele não é piloto. Eu disse que ele não era."

"Ah. Tudo bem. Porque eu não consegui encontrar nenhum registro de nenhuma licença de piloto dele", diz a agente especial Weber. "Então eu fiquei um pouco confusa." Ela sorri.

"Muita gente acha que ele é piloto", diz a sra. Paulsson.

"É compreensível."

"Ele gosta de passar tempo com pilotos, especialmente os militares. Gosta sobretudo de mulheres piloto. Eu sempre soube qual é a dele", diz monotonamente a sra. Paulsson. "É preciso ser cego, surdo e mudo para não saber qual é a dele."

"A senhora poderia explicar melhor isso?", pergunta a agente especial Weber.

"Ah, ele faz exame médico dos pilotos. Você pode imaginar", diz ela. "É isso o que o anima. Uma mulher chega usando um traje de vôo. É só imaginar."

"A senhora ouviu histórias sobre ele assediar sexualmente mulheres piloto?", pergunta com seriedade a agente especial Weber.

"Ele sempre nega e consegue escapar das acusações", acrescenta. "Você sabe que ele tem uma irmã na Força Aérea. Eu sempre me perguntei se essa história tem algo a ver com isso. Ela é muito mais velha do que ele."

Nesse exato momento o dr. Marcus entra na sala de reunião. Ele usa outra camisa branca de algodão, uma camiseta por baixo dela, e sua gravata é azul-escura e estreita. Os olhos dele passam por Scarpetta e se fixam na sra. Paulsson.

"Creio que não nos conhecemos", diz a ela num tom de voz autoritário mas cordial.

"Senhora Paulsson", diz Scarpetta, "este é o legista-chefe, doutor Marcus."

"Uma de vocês convidou a senhora Paulsson?" Ele olha para Scarpetta, depois para a agente especial Weber. "Acho que estou confuso."

A sra. Paulsson se levanta da mesa com movimentos lentos e atrapalhados, como se seus membros estivessem transmitindo mensagens diferentes uns aos outros. "Eu não sei o que aconteceu. Só vim pegar a papelada e os brincos de ouro e o bracelete dela."

"Acho que a culpa é minha", diz Scarpetta, levantando-se também. "Eu a vi esperando e fiz uma suposição. Peço desculpas."

"Está certo", diz o dr. Marcus. "Eu soube que a senhora viria esta manhã. Por favor, permita-me expressar minhas condolências." Ele sorri seu sorriso presunçoso. "Sua filha é uma alta prioridade aqui."

"Oh", responde a sra. Paulson.

"Eu a acompanho até lá fora." Scarpetta abre a porta para ela. "Peço realmente desculpas", diz ela, enquanto andam pelo carpete azul-acinzentado, passando pela máquina de café e entrando no corredor principal. "Espero não ter constrangido ou incomodado a senhora."

"Me diga onde está Gilly", diz ela, parando no meio do corredor. "Eu tenho de saber. Por favor, me diga exatamente onde ela está."

Scarpetta hesita. Essas perguntas não são incomuns para ela, mas nunca são simples de responder. "Gilly está do outro lado daquelas portas." Ela se vira e aponta para o fim do corredor, onde há um conjunto de portas. Além dele há outro conjunto de portas, depois o necrotério e seus refrigeradores e freezers.

"Eu suponho que ela esteja em um caixão. Ouvi falar sobre os caixões de pinho que há em um lugar como este", diz a sra. Paulsson, seus olhos marejados de lágrimas.

"Não, ela não está em um caixão. Não há caixões de pinho aqui. O corpo de sua filha está em um refrigerador."

"Minha bebezinha deve estar tão fria", chora.

"Gilly não sente frio, senhora Paulsson", diz Scarpetta afavelmente. "Ela não está sentindo nenhum desconforto nem dor. Eu juro."

"Você a viu?"

"Sim, vi", responde Scarpetta. "Eu a examinei."

"Me diga que ela não sofreu. Por favor me diga que ela não sofreu."

Mas Scarpetta não pode dizer isso a ela. Dizer isso a ela seria uma mentira. "Ainda há muitos exames que precisam ser feitos", responde. "Os laboratórios vão fazer exames por um bom tempo. Todos estão trabalhando muito para descobrir exatamente o que aconteceu com Gilly."

A sra. Paulsson chora baixinho enquanto Scarpetta a conduz pelo corredor, de volta aos escritórios da administração, e pede a uma das secretárias que deixe seu cubículo para entregar à sra. Paulsson cópias dos relatórios que ela pediu e que libere os pertences pessoais de Gilly, que são um par de brincos de ouro em forma de coração e um bracelete de couro, nada mais. O pijama e a roupa de cama e o que mais a polícia tenha recolhido de Gilly são considerados provas e neste momento não vão a lugar nenhum. Scarpetta está começando a voltar para a sala de reunião quando Marino aparece, caminhando depressa pelo corredor, com a cabeça inclinada e o rosto congestionado.

"Não foi uma manhã boa por enquanto", comenta ela quando ele a alcança. "Nem para você, ao que parece. Tentei encontrar você. Imagino que tenha ouvido minha mensagem."

"O que está acontecendo aqui?', dispara ele, referindo-se à sra. Paulsson, e está visivelmente perturbado.

"Ela veio pegar os pertences de Gilly e cópias dos relatórios."

"Ela pode fazer isso quando eles nem conseguem decidir quem vai ficar com o corpo dela?"

"Ela é a parente mais próxima. Não sei ao certo que relatórios eles estão liberando para ela. Não tenho certeza de nada que está acontecendo aqui", diz ela. "O FBI apareceu para a reunião. Não sei quem mais veio ou virá. A última esquisitice é que Frank Paulsson parece ter assediado sexualmente mulheres piloto."

"Sei." O comportamento de Marino é bastante estranho. E ele está com pressa, cheira a bebida e parece desesperado.

"Você está bem?", pergunta ela. "Que pergunta absurda. É lógico que você não está."

"Não é nada demais", diz ele.

26

Marino empilha açúcar em seu café. Ele deve estar em péssima forma para tomar açúcar refinado branco, porque é proibido em sua dieta, sem dúvida a pior coisa que ele pode pôr na boca neste instante.

"Tem certeza de que quer fazer isso com você?", pergunta Scarpetta. "Você vai se arrepender."

"Que diabo ela está fazendo aqui?" Ele põe outra colherada de açúcar no café. "Eu entro no necrotério e lá está a mãe da garota caminhando pelo corredor. Não me diga que ela estava vendo Gilly, porque sei que ela não é visível. Então que diabo estava fazendo aqui?"

Marino está usando a mesma calça cargo, o mesmo casaco e o mesmo boné de beisebol do LAPD, e não se barbeou e seus olhos estão exaustos e inquietos. Talvez depois do *lounge* da OFP ele tenha saído para ver uma de suas mulheres, uma daquelas mulheres de reputação duvidosa com quem costumava se encontrar na pista de boliche para se embebedar e dormir com elas.

"Se você vai ficar de mau humor, talvez seja melhor não ir à reunião comigo", diz Scarpetta. "Eles não o convidaram. Então eu não preciso piorar as coisas aparecendo com você quando você está de mau humor. Você sabe como fica quando come açúcar atualmente."

"Sei", diz ele, olhando para a porta fechada da sala de reunião. "É, bom, eu vou mostrar àqueles panacas o que é mau humor."

"O que aconteceu?"

"Está rolando uma conversa", diz ele com a voz baixa e irritada. "Sobre você."

"Rolando uma conversa onde?" Ela odeia o tipo de conversa de que ele está falando e normalmente não dá muita atenção a ela.

"Conversa sobre você voltar para cá, e esse seria o verdadeiro motivo de você estar aqui." Ele olha para ela de modo acusador, bebendo seu café envenenado. "Que diabo você está escondendo de mim, hein?"

"Eu não voltaria para cá", diz ela. "Fico surpresa de você dar ouvidos a conversa fiada e infundada."

"Eu não vou voltar para cá", diz ele, como se a conversa fosse sobre ele e não ela. "De jeito nenhum. Isso nem me passa pela cabeça."

"Nem passaria pela minha. Não vamos pensar nisso neste momento." Ela anda até a sala de reunião e abre a porta de madeira escura.

Marino pode segui-la se quiser, ou pode ficar ao lado da máquina de café comendo açúcar o dia inteiro. Ela não vai persuadi-lo nem adulá-lo. Vai ter de descobrir mais sobre o que o está incomodando, mas não agora. Agora ela tem uma reunião com o dr. Marcus, o FBI e Jack Fielding, que a evitou ontem à noite e cuja pele está mais inflamada que da última vez em que ela o viu. Ninguém fala com Scarpetta enquanto ela procura uma cadeira. Ninguém fala com Marino quando ele a segue e puxa uma cadeira ao lado da dela. Bem, ela pensa, isto é uma inquisição.

"Vamos começar", diz o dr. Marcus. "Imagino que você tenha sido apresentada à agente especial Weber, da Unidade de Perfis do FBI", diz ele a Scarpetta, chamando a unidade pelo nome errado. É a Unidade de Ciência Comportamental, não a Unidade de Perfis. "Estamos com um grande problema nas mãos, como se já não tivéssemos problemas suficientes." Seu rosto está soturno, seus olhinhos brilhando friamente atrás dos óculos. "Doutora Scarpetta", diz ele em voz alta. "Você reautopsiou Gilly Paulsson. Mas também examinou o senhor Whitby, o tratorista, não foi?"

Fielding olha fixamente para uma pasta de arquivo e não diz nada, seu rosto áspero e vermelho.

"Eu não diria que o examinei", responde ela, olhando para Fielding. "Nem tenho nenhuma idéia do que o senhor está falando."

"Você tocou nele?", pergunta a agente especial Karen Weber

"Desculpe. O FBI também está envolvido na morte do tratorista?", pergunta Scarpetta.

"Possivelmente. Esperamos que não, mas é bem possível", diz a agente especial Weber, que parece ter prazer em questionar Scarpetta, a ex-chefe.

"Você tocou nele?" Desta vez quem pergunta é o dr. Marcus.

"Sim", responde Scarpetta. "Eu toquei nele."

"E é claro que você também", diz a Fielding o dr. Marcus. "Você fez o exame externo e começou a autópsia, e depois em algum momento se juntou a ela na sala de decomposição para reexaminar a garota Paulsson."

"Ah, claro", murmura Fielding, erguendo a vista de sua pasta, mas sem olhar para ninguém em particular. "Isso é besteira."

"O que você disse?", pergunta o dr. Marcus.

"Você me ouviu. Isso é besteira", diz Fielding. "Eu lhe disse isso ontem quando surgiu essa história. Hoje eu lhe digo a mesma coisa. É besteira. Eu não vou ser crucificado na frente do FBI nem de qualquer outra pessoa."

"Acho que isso não é besteira, doutor Fielding. Temos um problema importante com as provas. As provas vestigiais recuperadas do corpo de Gilly Paulsson parecem idênticas às provas vestigiais recuperadas do tratorista, o senhor Whitby. E eu não vejo como isso é possível, a menos que haja algum tipo de contaminação cruzada. E, a propósito, também não entendo por que você estava procurando provas vestigiais no caso Whitby. Ele é um acidente, não um homicídio. Corrija-me se eu estiver errado."

"Eu não estou disposto a jurar nada", responde Fielding, seu rosto e suas mãos tão inflamados que é doloroso olhar para eles. "Ele morreu esmagado. Eu colhi uma amostra do rosto dele para ver se poderia haver algum tipo de graxa, por exemplo, para o caso de aparecer alguém dizendo que ele foi atacado, atingido no rosto por alguma coisa e não simplesmente atropelado."

"Que história é essa? Que vestígio?", pergunta Marino, e ele está surpreendentemente calmo para um homem que acaba de causar um choque em seu sistema com uma potente dose de açúcar.

"Com toda a franqueza, eu acho que você não tem nada a ver com isso", o dr. Marcus diz a ele. "Mas, como sua colega insiste em levá-lo a reboque aonde quer que vá, tenho de aceitar que você está aqui. Por outro lado, devo insistir que o que eu disse nesta sala não deve sair desta sala."

"Pois insista", diz Marino, sorrindo para a agente especial Weber. "E a que devemos o prazer?", pergunta a ela. "Eu conhecia o chefe da unidade lá em Marine Corps Land. É engraçado como todo mundo esquece que Quantico tem mais a ver com os marines do que com o FBI. Já ouviu falar de Benton Wesley?"

"É claro."

"Já leu toda a porcaria que ele escreveu sobre perfis psicológicos?"

"Eu conheço bem a obra dele", diz ela, seus dedos entrelaçados sobre um bloco de anotações, as longas unhas tratadas impecavelmente e pintadas de vermelho.

"Bom. Então você provavelmente sabe que ele acha os perfis psicológicos tão confiáveis quanto biscoitos da sorte", diz Marino.

"Eu não vim aqui para ser ofendida", diz ao dr. Marcus a agente especial Weber.

"Puxa, sinto muito mesmo", diz Marino ao dr. Marcus. "Minha intenção não é expulsá-la. Tenho certeza de que podemos usar uma especialista da Unidade de Perfis do FBI para nos dizer tudo sobre provas vestigiais."

"Já chega", diz irritado o dr. Marcus. "Se você não consegue se comportar como um profissional, tenho de lhe pedir que saia."

"Não, não. Não se preocupe comigo", diz Marino. "Vou ficar sentado bem bonitinho e bonzinho e só ouvir. Pode continuar."

Jack Fielding está sacudindo lentamente a cabeça, olhando para a pasta a sua frente.

"Eu continuo", diz Scarpetta, e não está mais preocupada em ser amável ou sequer diplomática. "Doutor Marcus, esta é a primeira vez que o senhor menciona provas vestigiais no caso Gilly Paulsson. O senhor me chama para vir a Richmond ajudar no caso dela e depois não me conta sobre provas vestigiais?" Ela olha para ele, depois para Fielding.

"Não tenho nada a ver com isso", diz a ela Fielding. "Eu colhi o material. Não recebi o relatório do laboratório, nem um telefonema. Não que eu ainda costume receber. Pelo menos não diretamente. Só fiquei sabendo disso ontem, quando ele", ele se refere ao dr. Marcus, "me falou, quando eu estava entrando no carro."

"Eu só descobri no fim do dia", diz o dr. Marcus, irritado. "Um desses bilhetinhos insanos que o tal de Ice ou Eise sempre me envia falando do modo como fazemos as coisas, como se ele pudesse fazer melhor. Não havia nada especialmente útil no que os laboratórios tinham encontrado até então. Alguns cabelos e outros detritos, entre eles possíveis lascas de tinta que eu suponho que poderiam vir de qualquer lugar, inclusive um automóvel, suponho, ou alguma coisa dentro da casa das Paulsson. Talvez até de uma bicicleta ou um brinquedo."

"Eles devem saber se a tinta é automotiva", retruca Scarpetta. "Com certeza devem conseguir ver se ela corresponde a qualquer coisa encontrada na casa."

"Defendo a idéia de que não há nenhum DNA. As amostras foram negativas para isso. E é claro que, se estamos pensando em homicídio, o DNA em uma amostra vaginal ou oral teria sido muito significativo. Eu estava mais focado em saber se havia DNA do que nessas supostas lascas de tinta, até receber um e-mail ontem no fim da tarde das provas vestigiais e descobrir o fato surpreendente de que as amostras que você coletou do tratorista aparentemente contêm os mesmos detritos." O dr. Marcus fica olhando para Fielding.

"E essa chamada contaminação cruzada teria acontecido como, exatamente?", pergunta Scarpetta.

O dr. Marcus ergue as mãos em um gesto lento e exagerado. "Diga você."

"Eu não vejo como", responde ela. "Nós trocamos as luvas, o que não significa que tenha importância, porque não coletamos de novo amostras do corpo de Gilly Paulsson. Isso teria sido um exercício de inutilidade depois de ela ter sido lavada, autopsiada, coletadas amostras dela, depois lavada outra vez, e reautopsiada após ser guardada dentro de um saco mortuário por duas semanas."

"É claro que vocês não coletariam amostras dela de novo", diz o dr. Marcus, como se fosse muito grande e Scarpetta, muito pequena. "Mas eu estou supondo que vocês não tinham terminado a autópsia do senhor Whitby e talvez tenham voltado a ele depois de reexaminar a garota Paulsson."

"Eu coletei amostras do senhor Whitby, depois trabalhei na garota Paulsson", diz Fielding. "Não coletei amostras dela. Isso é claro. E não podia haver nenhum vestígio nela para ser transferido a ele ou a qualquer outra pessoa."

"Não cabe a mim explicar isso", conclui o dr. Marcus. "Não sei que diabo aconteceu, mas alguma coisa aconteceu. Temos de avaliar cada cenário possível, porque vocês podem estar certos de que os advogados vão fazer isso, se o caso algum dia for levado ao tribunal."

"A morte de Gilly vai ao tribunal", diz a agente especial Weber, como se soubesse disso com certeza e estivesse pessoalmente ligada à garota de catorze anos morta. "Talvez tenha havido algum tipo de mistura no laboratório", cogita ela. "Alguma amostra com etiqueta errada ou uma amostra contaminando outra. Os mesmos cientistas forenses fizeram as duas análises?"

"Eise, acho que o nome é esse, fez as duas", responde o dr. Marcus. "Ele analisou, ou está analisando, os vestígios, mas não o cabelo."

"O senhor mencionou cabelo duas vezes. Que cabelo?", pergunta Scarpetta. "Agora o senhor está me dizendo que foi recuperado cabelo."

"Vários fios de cabelo do local de Gilly Paulsson", responde ele. "Acho que da roupa de cama."

"Vamos torcer para que não seja cabelo do tratorista", observa Marino. "Ou talvez você deva esperar que seja. Ele mata a garota e depois não consegue suportar a culpa e se atropela com o trator. Caso excepcionalmente encerrado."

Ninguém acha graça nele.

"Eu pedi que a roupa de cama dela fosse verificada para ver se havia epitélio respiratório ciliado", diz Scarpetta a Fielding.

"A fronha", diz ele. "A resposta é sim."

Ela devia estar aliviada. A presença dessa prova biológica sugere que Gilly foi asfixiada, mas a verdade a machuca profundamente. "Um jeito horrível de morrer", diz ela. "Simplesmente horrível."

"Desculpe", diz a agente especial Weber. "Será que deixei de perceber alguma coisa?"

"A garota foi assassinada", responde Marino. "Fora isso, não sei que diabo você deixou de perceber."

"Sabe, eu realmente não tenho de agüentar isso", diz ela ao dr. Marcus.

"Ah, ela tem sim", Marino diz a ele. "A menos que você mesmo queira me pôr para fora desta sala. Senão, eu vou continuar aqui sentado belo e formoso e dizer o que me der na telha."

"Enquanto temos esta conversa aberta e honesta", diz Scarpetta à agente especial, "eu gostaria de ouvir diretamente de você o motivo de o FBI estar envolvido no caso Gilly Paulsson."

231

"É muito simples. A polícia de Richmond pediu nossa ajuda", responde a agente especial Weber.

"Por quê?"

"Eu suponho que você deva perguntar a eles."

"Estou perguntando a você", diz Scarpetta a ela. "Alguém vai falar francamente comigo ou eu vou sair desta sala e não vou voltar."

"Não é assim tão simples." O dr. Marcus olha demorada e firmemente para ela, com olhos comprimidos, o que a faz pensar em um lagarto. "Você se envolveu. Examinou o tratorista, e agora temos uma possível contaminação cruzada de provas. Sinto muito, mas não se trata simplesmente de sair e não voltar. Não cabe mais a você fazer a escolha."

"Isso é uma grande besteira", murmura outra vez Fielding, olhando para baixo, para suas mãos inflamadas e escamadas no colo.

"Eu vou lhe dizer por que o FBI está envolvido." Quem sugere isso é Marino. "Pelo menos vou lhe falar o que o Departamento de Polícia de Richmond tem a dizer sobre isso, se você realmente quer saber. Talvez você fique magoada", diz à agente especial Weber. "A propósito, eu já disse como gosto de seu conjuntinho? E de seus sapatos vermelhos? Eu adorei, mas o que vai acontecer se você tiver de fazer uma perseguição a pé vestida com essas coisas?"

"Para mim já chega", diz ela, exaltada.

"Não! Eu é que não agüento mais!" Jack Fielding de repente bate com o punho na mesa e se levanta. Recua da mesa e olha em volta com olhos faiscantes, irados. "Que se dane tudo isso. Eu me demito. Está ouvindo, seu babaquinha ignorante?", diz ele ao dr. Marcus. "Eu me demito. E vá se danar você também." Ele aponta firme o indicador para a agente especial Weber. "Seus federais estúpidos, vindo aqui como se fossem Deus, e não sabem porra nenhuma. Você não conseguiria resolver um homicídio nem que ele acontecesse bem na sua cama! Eu me demito!" Ele recua na direção da porta. "Vá em frente, Pete. Eu sei que você sabe", diz ele, olhando para Marino. "Conte a Scarpetta a verdade. Continue. Alguém tem que contar."

Ele sai e bate a porta com força.

Depois de um silêncio de surpresa, o dr. Marcus diz: "Bem, foi impressionante. Eu peço desculpas", diz ele à agente especial Weber.

"Ele está tendo um ataque nervoso?", pergunta ela.

"Você precisa dizer alguma coisa?" Scarpetta olha para Marino, e está bastante infeliz com o fato de ele ter informações que não se preocupou em passar a ela. Imagina se ele ficou a noite toda bebendo e não se preocupou em lhe dar informações que poderiam fazer diferença.

"Pelo que eu soube", responde ele, "os federais estão interessados na pequena Gilly porque o pai dela é uma espécie de informante da Segurança Interna. Ele está lá em Charleston supostamente delatando pilotos que podem ter inclinações terroristas, e essa é uma grande preocupação lá, já que eles têm a maior frota de aviões de carga C-17 do país, cada um custando cerca de cento e oitenta e cinco milhões de dólares. Não seria uma boa idéia algum piloto terrorista de repente jogar um avião naquela frota, o que você acha?"

"Provavelmente seria uma boa idéia você calar a boca agora", diz a ele a agente especial Weber, seus dedos ainda entrelaçados em cima do bloco de anotações, mas os nós estão brancos. "Você não vai querer se meter nisso."

"Ah, já me meti", responde ele, tirando o boné de beisebol e esfregando o parco cabelo ruivo espetado em sua cabeça, de resto totalmente careca. "Desculpe. Eu estava meio atrasado e não pude usar o barbeador hoje de manhã." Ele passa a mão no queixo barbado e é como se esfregasse uma lixa. "Eu, o cientista forense Eise e o detetive Browning tivemos um momento de proximidade na OFP, e depois eu tive algumas outras conversas das quais não vou falar por motivos confidenciais."

"Pode parar agora", adverte-o a agente especial do FBI

233

Weber, como se pudesse simplesmente prendê-lo por falar, como se falar fosse um novo crime federal. Talvez na cabeça dela ele esteja prestes a cometer traição.

"Eu preferiria que você não parasse", diz Scarpetta.

"O FBI e a Segurança Interna não se gostam muito", diz Marino. "Veja só, um grande pedaço do orçamento da Justiça foi garfado para a Segurança Interna, e todos nós sabemos como o FBI gosta de um orçamento grande e gordo. O que eu soube?" Ele olha friamente para a agente especial Weber. "Cerca de setenta lobistas no Capitólio, todos eles mendigando dinheiro enquanto vocês, todos arrumadinhos, correm por aí tentando assumir a jurisdição de todo o mundo, tomar conta do mundo?"

"Por que ficamos aqui sentados ouvindo isso?", pergunta ao dr. Marcus a agente especial Weber.

"A história", diz Marino a Scarpetta, "é que o Bureau andou de olho em Frank Paulsson. E você está certa. Há um boato a respeito dele, sem dúvida. Parece que ele abusa de seus privilégios como médico da força aérea, o que é especialmente assustador se pensarmos que é um informante da Segurança Interna. Com certeza seria odioso que ele aprovasse um piloto — especialmente um piloto militar — porque talvez esteja obtendo favores. E não há nada de que o Bureau gostaria mais do que pegar a Segurança Interna com a boca na botija e fazê-los parecer idiotas, então, quando a governadora ficou um pouco preocupada com as coisas e chamou o FBI, isso abriu a porteira, não foi?" Ele olha para a agente especial. "Mas eu duvido que a governadora saiba exatamente o tipo de ajuda que pediu. Não deve ter percebido que a idéia de ajuda do Bureau era fazer outra agência federal parecer uma merda. Em outras palavras, é tudo uma questão de dinheiro e de poder. Mas o que não é?"

"Não, nem tudo é", rebate Scarpetta num tom agressivo, e ela já ouviu tudo que pretendia ouvir. "A questão aqui é uma garota de catorze anos que teve uma morte dolorosa e horrível. A questão aqui é o assassinato de

Gilly Paulsson." Ela se levanta, fecha sua valise, pega-a pelas alças de couro e olha para o dr. Marcus, depois para a agente especial Weber. "A questão aqui deveria ser essa."

27

Quando chegam à rua Broad, Scarpetta está disposta a arrancar dele a verdade. Não importa o que ele quer. Vai ter de dizer a ela.

"Você fez alguma coisa ontem à noite", diz ela, "e eu não estou falando só de ficar na OFP com seja lá quem estivesse bebendo com você."

"Eu não sei do que você está falando." Marino parece grande e abatido no banco de passageiro, o boné puxado bem para baixo sobre o rosto tristonho.

"Ah, sabe sim. Você foi vê-la."

"Agora com toda a certeza eu não sei do que você está falando." Ele olha para fora pela janela do carona.

"Ah, sabe sim." Ela atravessa a Broad em alta velocidade, e está dirigindo porque insistiu em fazer isso, porque de jeito nenhum ia permitir que Marino ou qualquer outra pessoa se sentasse no banco do motorista neste exato minuto. "Eu conheço você. Dane-se, Marino. Você já fez isso. Se tiver feito de novo, basta me contar. Eu vi o jeito como ela olhava para você quando estávamos na casa dela. Você também viu, viu muito bem, e ficou feliz com aquilo. Eu não sou idiota."

Ele não responde, continua olhando pela janela, seu rosto sombreado pelo boné evitando Scarpetta.

"Me conte, Marino. Você foi ver a senhora Paulsson? Encontrou-se com ela em algum lugar? Me conte a verdade. Eu vou acabar arrancando a verdade de você. Sei que vou", diz Scarpetta, parando abruptamente o carro quando um sinal amarelo muda para vermelho. Ela olha para ele. "Tudo bem. Seu silêncio diz muito. Foi por isso que você agiu de um jeito estranho quando deu com ela no gabinete hoje de manhã, não foi? Você esteve com ela ontem à noite e talvez as coisas não tenham saído exatamente como você esperava, então ficou surpreso hoje de manhã quando a viu no gabinete."

"Não é isso."

"Então me conte."

"Suz só precisava de alguém com quem conversar e eu precisava de informações. Então nos ajudamos um ao outro", diz ele para a janela.

"Suz?"

"Ela me ajudou, não foi?", continua ele. "Eu entendi alguma coisa sobre essa história da Segurança Interna, sobre como o ex-marido dela só pensa com a cabeça de baixo, sobre como ele é sujo e por que o FBI podia estar em cima dele."

"Podia estar?" Ela vira à esquerda na rua Franklin, seguindo na direção de seu primeiro gabinete em Richmond, seu antigo edifício, que está sendo demolido. "Você parecia muito seguro de si na reunião, se o que acaba de acontecer pode ser chamado de reunião. Isso foi um palpite seu? Podia estar? O que está dizendo exatamente?"

"Ela me ligou no celular ontem à noite", responde Marino. "Eles demoliram muita coisa desde que chegamos aqui. Muita coisa foi demolida em mais de um sentido." Ele olha para a demolição à frente.

O edifício pré-moldado está menor e mais deplorável do que quando eles o viram pela primeira vez. Ou talvez eles não mais estejam surpresos com a destruição, e ele só pareça menor e mais deplorável. Scarpetta reduz a velocidade quando se aproxima da rua 14 e procura um lugar para estacionar o carro.

"Vamos ter de pegar a Cary", decide ela. "Há um estacionamento pago a um ou dois quarteirões, subindo a Cary, ou pelo menos havia."

"Esqueça isso. Dirija direto para o edifício e saia da rua", diz Marino. "Eu tenho uma cobertura." Ele estica o braço para baixo, abre o zíper de sua sacola de pano preta e tira uma placa vermelha de Legista-Chefe. Coloca-a entre o pára-brisa e o painel.

"Como conseguiu isso?" Ela não consegue acreditar. "Como diabo você fez isso?"

"Quando a gente tem tempo para conversar com as moças da recepção, acontecem coisas."

"Você é muito mau", diz ela, sacudindo a cabeça. "Eu senti falta de ter uma dessas", acrescenta, porque houve um tempo em que estacionar não era o problema ou a inconveniência que se tornou. Ela podia seguir para qualquer local de crime e estacionar onde quisesse. Podia ir ao tribunal na hora do rush e enfiar o carro em algum local não permitido, porque tinha uma plaquinha vermelha com LEGISTA-CHEFE estampado em grandes letras brancas. "Por que a senhora Paulsson ligou para você ontem à noite?" Ela não consegue se resolver a chamá-la de Suz.

"Ela queria conversar", diz ele, abrindo a porta. "Venha, vamos acabar com isso. Você devia ter vindo de bota."

28

Desde a noite passada, Marino ficou o tempo todo pensando em Suz. Ele gosta do modo como ela usa o cabelo, comprido só até os ombros, e gosta que ele seja louro. Louro é seu favorito, sempre foi.

Quando a viu na casa dela pela primeira vez, ele gostou da curva de sua bochecha e de seus lábios cheios. Gostou do jeito como ela olhava para ele. Ela o fazia sentir-se grande, importante e forte, e nos olhos dela ele viu que ela acreditava que ele sabia como lidar com problemas, embora os problemas dela não possam ser resolvidos, não importa a quem recorra. Ela teria de recorrer ao próprio Deus para resolver seus problemas, e isso não vai acontecer porque Deus provavelmente não se comove da mesma forma que homens como Marino.

O fato de ela olhar para Marino do jeito como olhou provavelmente foi o que mais o afetou, e, quando ela se moveu para perto dele enquanto eles vasculhavam o quarto de Gilly, ele sentiu sua proximidade. Ele sabia que havia problemas à vista. Sabia que, se Scarpetta percebesse a verdade, ele ia ouvir um monte.

Ele e Scarpetta estão caminhando sobre barro grosso, e ele sempre fica impressionado com o fato de ela conseguir caminhar sobre qualquer coisa usando os sapatos mais terríveis e simplesmente ir em frente sem reclamar. O barro vermelho úmido suga as botas de Marino, e seus pés escorregam enquanto ele dá passos cuidadosos, e Scarpetta nem parece notar que não está usando botas. Ela usa sapatos de amarrar pretos de salto baixo práticos e que combinam bem com o terninho, ou combinavam. Agora ela poderia muito bem estar caminhando sobre torrões de barro vermelho, e o barro vermelho está salpicando a barra de sua calça e seu casaco comprido enquanto ela e Marino caminham na direção de seu velho edifício danificado e semi-arruinado.

A equipe de demolição pára de trabalhar enquanto Marino e Scarpetta caminham como bobos sobre cascalho e barro, em direção a toda aquela violência, e um homem grande de capacete olha para eles. Ele está segurando uma prancheta, conversando com outro homem de capacete. O homem com a prancheta começa a andar na direção deles e acena para eles, como se os enxotasse, como faria a turistas. Marino começa a fazer sinal para que o homem continue se aproximando porque eles precisam conversar. Quando o homem com a prancheta chega aonde eles estão e nota o boné preto de beisebol do LAPD, presta mais atenção. Esse boné está se revelando uma coisa muito boa, pensa Marino. Ele não precisa se identificar falsamente nem se identificar de jeito nenhum porque o boné se encarrega das apresentações. E se encarrega de outras coisas também.

"Eu sou o investigador Marino", diz ao homem com a prancheta. "Esta é a doutora Scarpetta, a legista."

"Ah", diz o homem com a prancheta. "Vocês estão aqui por causa de Ted Whitby." Ele começa a sacudir a cabeça. "Eu não pude acreditar. Vocês provavelmente souberam da família dele."

"Me conte", diz Marino.

"A mulher está grávida do primeiro filho deles. É o segundo casamento de Ted. Seja como for, está vendo aquele cara ali?" Ele se vira para o edifício arruinado e aponta para um homem de cinza descendo da cabine de um guindaste. "Aquele é o Sam Stiles, e ele e Ted tinham problemas, vamos dizer assim. Ela — a mulher de Ted — está dizendo que Sam balançou a bola de demolição perto demais do trator de Ted, e que foi por isso que ele caiu e foi atropelado."

"O que o faz pensar que ele caiu?", pergunta Scarpetta.

Ela está matutando sobre o que viu, pensa Marino. Ainda está certa de ter visto Ted Whitby pouco antes de ele ser atropelado, que quando o viu ele estava sobre seus dois pés fazendo alguma coisa no motor. O que ela viu talvez esteja inteiramente correto. Conhecendo-a como ele a conhece, é bem provável que esteja.

"Não penso isso necessariamente, senhora", responde o homem com a prancheta, e ele é mais ou menos da idade de Marino, mas tem muito cabelo e rugas. Sua pele está queimada de sol e desgastada como a de um vaqueiro, e seus olhos são de um azul vivo. "Só estou lhe contando o que a mulher, a viúva, suponho, está dizendo a todo mundo. É claro que ela quer dinheiro. Não é sempre isso o que acontece? Não que eu não sinta pena dela. Mas não está certo ficar culpando pessoas pela morte de alguém."

"Onde você estava quando o fato aconteceu?", pergunta a doutora.

"Bem aqui, a não mais que uns cinqüenta metros de onde aconteceu." Ele aponta para o canto direito da frente do edifício, ou do que sobrou dele.

"Você viu?"

"Não, senhora. Ninguém que eu conheça viu exatamente. Ele estava no estacionamento de trás trabalhando no motor porque ele estava afogando. Então ele o ligou, e o resto é história. A próxima coisa que eu, ou qualquer pessoa, vi, aliás, foi o trator andando sem ninguém nele, e ele bateu naquele poste amarelo perto da porta da baia e parou. Mas Ted estava no chão, muito machucado. Sangrava muito. Quer dizer, a coisa foi feia."

"Ele estava consciente quando você chegou perto dele?", arrisca a doutora, e, como sempre, faz anotações em seu bloco preto, e pendurado em seu ombro há um kit de local do crime preto de náilon com uma alça comprida.

"Eu não o ouvi dizer nada." O homem com a pran-

241

cheta faz uma cara de dor e desvia a vista deles. Engole com força e pigarreia. "Os olhos dele estavam abertos e ele tentava respirar. É isso principalmente que não me sai da cabeça e pelo jeito nunca vai sair. É ele tentando respirar e o rosto dele ficando azul. Então ele morreu, rápido assim. A polícia esteve aqui, claro, e uma ambulância, mas ninguém pôde fazer nada."

Marino está só parado ali no barro, ouvindo, e percebe que é melhor fazer uma ou duas perguntas, porque fica incomodado quando passa muito tempo com a boca fechada, como se fosse um estúpido. Scarpetta o faz sentir-se estúpido. Ela não tenta fazer isso e jamais tentaria, e isso é que é o pior.

"Esse Sam Stiles", diz Marino, apontando com o boné do LAPD na direção do guindaste parado, com sua bola de demolição balançando levemente da lança. "Onde ele estava quando Ted foi atropelado? Em algum lugar perto dele?"

"Não. Isso é ridículo. A idéia de que Ted de algum jeito foi jogado para fora do trator pela bola de demolição é tão ridícula que seria engraçada se alguma coisa nisso fosse engraçada. Você tem idéia do que uma bola de demolição faria com um homem?"

"Não seria nada bom", comenta Marino.

"Arrancaria o cérebro da cabeça. Não seria preciso nenhum trator para atropelá-lo depois disso."

Scarpetta está anotando tudo. De vez em quando ela olha em volta pensativa e escreve mais alguma coisa. Uma vez Marino deu com as anotações dela bem à vista na mesa de Scarpetta enquanto ela estava fora da sala. Curioso de saber o que passa pela cabeça dela, ele aproveitou a oportunidade para dar uma boa olhada. Não conseguiu entender mais de uma palavra, e essa única palavra por acaso era o nome dele, Marino. Não apenas a caligrafia dela é ruim, mas quando ela faz anotações tem sua própria linguagem secreta, sua taquigrafia esquisita que ninguém além da secretária dela, Rose, consegue decifrar.

Agora ela pergunta ao homem com a prancheta o nome dele, e ele está dizendo a ela que é Bud Light, que é bastante fácil para Marino lembrar, mesmo que ele não ache bom Bud Lite, ou Miller Lite, ou Michelob Lite, ou qualquer coisa *light*. Ela explica que precisa saber exatamente onde o corpo foi encontrado porque precisa colher amostras de solo. Bud não parece nem um pouco curioso. Talvez ele suponha que legistas mulheres com boa aparência e policiais grandões de bonés do LAPD sempre coletam amostras de solo quando um trabalhador de construção é atropelado por um trator. Então eles começam a caminhar de novo sobre o barro vermelho úmido, chegando mais perto do edifício, e o tempo todo, enquanto isso acontece, Marino pensa em Suz.

Na noite passada ele estava apenas começando mais uma rodada de uísque no *lounge* da OFP, tendo uma conversa muito honesta com Junius Eise, ou Eise-Ass, como Marino o chama há anos. Browning já tinha ido para casa, e Marino estava falando quando seu telefone celular tocou. Nessa altura, ele estava se sentindo muito bem e provavelmente não devia ter atendido. O telefone deveria ter sido desligado, mas ele não havia feito isto porque Scarpetta tinha ligado antes, quando Fielding não atendera a porta, e Marino dissera a ela para ligar de novo se precisasse dele. Essa é a verdadeira razão de ele ter atendido o celular quando ele tocou, embora também seja verdade que, quando está tomando mais uma rodada, é provável, nesse momento mais do que em qualquer outro, que ele atenda a porta ou o telefone, ou fale com um estranho.

"Marino", ele disse acima do alarido dentro do *lounge* da OFP.

"Aqui é Suzanna Paulsson. Desculpe incomodar você." Ela começou a chorar.

Não importa o que ela disse depois disso, e parte do que ela disse ele não consegue lembrar quando caminha sobre o barro vermelho úmido, enquanto Scarpetta procura dentro de sua bolsa a tiracolo pacotes de depressores de língua de madeira esterilizados e sacos para freezer. A parte mais importante do que aconteceu ontem à noite, Marino não consegue lembrar e provavelmente nunca vai conseguir, porque Suz tinha uísque em casa, bourbon, e tinha muito. Ela estava usando jeans e um suéter cor-de-rosa macio quando o conduziu para a sala de estar e fechou as cortinas, depois se sentou ao lado dele no sofá e lhe falou sobre o escroto de seu ex-marido, a Segurança Interna, as mulheres piloto e outros casais que ele costumava convidar para visitá-los. Ela falava o tempo todo desses casais como se fossem importantes, e Marino lhe perguntou se era desses casais que ela falava quando disse "eles" várias vezes enquanto ele e Scarpetta estavam na casa dela. Suz não respondeu diretamente. Disse a mesma coisa. Disse: "Pergunte a Frank".

"Estou perguntando a você", retrucou Marino.

"Pergunte a Frank", ela continuou a dizer. "Ele trazia todo tipo de gente para cá. Pergunte a ele."

"Ele os trazia por algum motivo?"

"Você vai descobrir", ela disse.

Marino fica de longe observando Scarpetta enquanto ela pega luvas de látex e abre um pacote de papel branco. Nada resta do local de crime do tratorista além de asfalto barrento na frente de uma porta traseira que fica ao lado da enorme porta da baia. Ele a observa se abaixar e olhar em volta do piso barrento, e se lembra de ontem de manhã, quando eles estavam passando por ali em um carro alugado, conversando sobre o passado, e, se ele pudesse voltar a ontem de manhã, voltaria. Se ao menos pudesse voltar. Ele sente azia e enjôo. Sua cabeça lateja em ritmo acelerado, acompanhando a batida do coração. Ele respira o ar frio e sente o gosto do pó e do concreto do edifício que está ruindo a seu redor.

"Desculpe perguntar, mas o que a senhora está procurando exatamente?", diz Bud, olhando para Scarpetta.

Com um depressor de língua de madeira, ela raspa cuidadosamente uma pequena área de pó e areia que está manchada, talvez de sangue. "Estou só verificando o que há aqui", explica ela.

"Sabe, eu assisto a alguns desses seriados de TV. Consigo pelo menos ver uns pedaços de vez em quando, quando minha mulher está assistindo."

"Não acredite em tudo que você vê." Scarpetta deposita mais pó no saco, depois deixa cair nele o depressor de língua. Sela o saco e o marca com mais daquela sua escrita que Marino não consegue entender. Coloca gentilmente o saco dentro do kit de local de crime de náilon, que está de pé no chão.

"Então a senhora não vai levar esse pó e colocar dentro de uma máquina mágica", brinca Bud.

"Não há nenhuma mágica", diz ela, abrindo outro pacote branco enquanto se agacha no estacionamento, perto da porta que costumava destrancar e atravessar todas as manhãs quando era chefe.

Várias vezes nesta manhã Marino teve flashes na escuridão latejante de sua alma. Eles são elétricos, como uma imagem piscando em uma TV que está funcionando muito mal, seriamente danificada, e piscando tão rápido que ele não consegue ver o que está lá, só tem impressões indistintas do que pode estar. Lábios e língua. Fragmentos de mãos e olhos fechados. E sua boca na dela. O que sabe de fato é que acordou nu na cama dela às sete horas e sete minutos desta manhã.

Scarpetta trabalha como uma arqueóloga, tanto quanto Marino sabe dos métodos de uma arqueóloga. Raspa cuidadosamente o topo de uma área barrenta onde ele pensa que pode ver pontos escuros de sangue. O casaco dela drapeja em volta do corpo e arrasta asfalto sujo, e ela não se importa. Se pelo menos todas as mulheres se importassem tão pouco como ela com coisas que não têm importância. Se pelo menos todas as mulheres se importassem tanto quanto ela com coisas que têm importância. Marino imagina que Scarpetta entenderia uma noite ruim. Ela faria café e ficaria por perto o tempo suficiente para

245

conversar sobre o problema. Não se trancaria no banheiro e choraria e gritaria, nem mandaria que ele saísse de sua casa.

Marino sai caminhando depressa do estacionamento, voltando pelo barro vermelho, suas botas grandes escorregando. Ele escorrega e se equilibra com um grunhido que vira um espasmo quando ele vomita, dobrando-se muito em engulhos sonoros, e um líquido marrom amargo espirra sobre suas botas. Marino está tremendo e nauseado, e acha que vai morrer, quando sente a mão dela em seu cotovelo. Ele conheceria essa mão em qualquer lugar, essa mão forte, segura.

"Venha", diz ela tranqüila, agarrando o braço dele. "Eu vou levá-lo até o carro. Está tudo bem. Apóie sua mão em meu ombro e pelo amor de Deus olhe onde pisa, senão nós dois vamos cair."

Ele enxuga a boca na manga do casaco. Lágrimas lhe enchem os olhos enquanto ele move um pé de cada vez para andar, segurando-se nela e se segurando enquanto caminha devagar pelo campo de batalha barrento cor de sangue em volta do edifício arruinado onde eles se conheceram.

"E se eu a tiver estuprado, doutora?", diz ele, tão enjoado que poderia morrer. "E se eu tiver feito isso?"

29

Está muito quente dentro do quarto do hotel e Scarpetta desistiu de ajustar o termostato. Ela está sentada numa cadeira perto da janela e observa Marino em cima da cama, estendido com sua calça e camisa pretas, o boné de beisebol abandonado no aparador, as botas pretas solitárias no chão.

"Você precisa comer alguma coisa", diz ela da cadeira perto da janela.

Ao seu lado, sobre o carpete, está seu kit para análise de local do crime, o náilon preto sujo de barro, e seu casaco salpicado de lama está dobrado sobre outra cadeira. Por onde andou pelo quarto ela deixou rastros de lama vermelha, e, quando seus olhos encontram a trilha que fez, ela se lembra do local de um crime, depois pensa no quarto de Suzanna Paulsson e num crime que pode ou não ter sido cometido lá nas últimas doze horas.

"Não consigo comer nada", diz Marino deitado de costas. "E se ela for à polícia?"

Scarpetta não tem intenção de dar falsas esperanças. Nem pode fazer isso porque não sabe de nada. "Você não pode se sentar, Marino? Seria melhor se sentasse. Vou pedir alguma coisa para comer."

Ela se levanta da cadeira, deixando para trás mais pedaços e flocos de lama seca ao caminhar até o telefone, ao lado da cama. Encontra um par de óculos de leitura em um bolso do blazer e os põe na ponta do nariz, depois observa o telefone. Incapaz de descobrir o número do serviço de quarto, disca zero para falar com a telefonista e é transferida para o serviço de quarto.

"Três garrafas grandes de água", pede. "Dois bules de chá Earl Grey quente, uma torrada e uma tigela de mingau de aveia. Não, obrigada. Só isso."

Marino levanta-se até ficar sentado e empilha alguns travesseiros para se encostar. Scarpetta sente que ele a observa voltar para a cadeira e se sentar, cansada porque está deprimida, e seu cérebro é uma manada de cavalos selvagens galopando em cinqüenta direções diferentes. Está pensando em lascas de tinta e outras provas vestigiais, sobre as amostras de solo em sua sacola de náilon, sobre Gilly e o motorista do trator, sobre o que Lucy está fazendo, sobre o que Benton pode estar fazendo, e tentando imaginar Marino como um estuprador.

"Temos que fazer o melhor possível para esclarecer isso", começa. "Só para constar, eu não acredito que você tenha estuprado Suzanna Paulsson. O problema óbvio é se ela acredita que você fez isso, ou se quer acreditar. Se acredita, precisamos chegar ao motivo. Mas vamos começar pelo que você lembra, pela última coisa que você lembra. Outra coisa, Marino." Ela olha para ele. "Se você a estuprou mesmo, nós vamos ter que lidar com isso."

Marino apenas olha para ela de sua posição ereta na cama. Seu rosto está corado, os olhos vítreos de dor e medo, uma veia intumescida pulsa em sua têmpora direita. De vez em quando ele toca na veia.

"Sei que provavelmente você não tem vontade nenhuma de me contar todos os detalhes do que fez ontem à noite, mas não posso ajudar se não fizer isso. Não sou supersensível", acrescenta, e, depois de tudo que os dois passaram, um comentário assim deveria ser engraçado. Mas nada vai ser engraçado por um bom tempo.

"Não sei se consigo." Ele afasta o olhar.

"O que sou capaz de imaginar é muito pior do que qualquer coisa que você possa ter feito", observa ela num tom calmo porém objetivo.

248

"Isso é verdade. Provavelmente você não nasceu ontem."

"Não mesmo", concorda ela. "Se faz você se sentir melhor, eu mesma já aprontei umas poucas e boas." Ela dá um pequeno sorriso. "Por mais que seja difícil para você imaginar isso."

30

Não é difícil para ele imaginar. Todos esses anos, ele preferiu não imaginar o que ela fez com outros homens, principalmente com Benton.

Marino olha pela janela, por cima da cabeça de Scarpetta. Seu quarto de solteiro fica no terceiro andar e não dá para ver a rua, apenas o céu cinzento além da cabeça dela. Sente-se muito pequeno por dentro, e tem uma vontade infantil de se esconder debaixo das cobertas e dormir, com a esperança de acordar e descobrir que está aqui em Richmond com a doutora, trabalhando em algum caso, e que nada aconteceu. Engraçado quantas vezes já abriu os olhos num quarto de hotel desejando encontrá-la ali olhando para ele. Agora ela está no quarto do hotel olhando para ele. Marino tenta pensar por onde começar, depois é tomado novamente por aquela vontade infantil e perde a voz. Sua voz morre em algum lugar entre o coração e a boca, como um vaga-lume apagando no escuro.

Seus pensamentos a respeito de Scarpetta têm sido longos e persistentes há anos, desde que foram apresentados, para falar a verdade. Suas fantasias eróticas com ela resultam na relação sexual mais habilidosa e criativa que já teve, e ele jamais iria querer que ela soubesse disso, não poderia jamais deixar que soubesse, e nunca deixou de ter esperanças de que alguma coisa poderia acontecer entre os dois, mas, se começar a falar sobre o que se lembra, ela poderia ter uma idéia de como seria estar com ele. Isso arruinaria qualquer chance. Não importa que fosse remotíssima, a chance estaria acabada. Confessar em detalhes o pouco que ele lembrava revelaria como seria estar com ele. Isso seria uma ruína. Suas fantasias também não sobreviveriam, ele não mais as teria, nunca mais. Marino imagina se não seria melhor mentir.

"Vamos voltar até o momento em que você chegou ao *lounge* da OFP", diz Scarpetta, os olhos fixos nele. "A que horas você foi até lá?"

Ótimo. Sobre o *lounge* da OFP ele pode falar. "Perto das sete", responde Marino. "Encontrei Eise lá, depois Browning chegou e comemos alguma coisa."

"Detalhes", diz ela sem se mover na cadeira, os olhos diretamente sobre ele. "O que você comeu e o que tinha comido durante o dia?"

"Pensei que estávamos começando pela OFP, não pelo que comi antes."

"Você tomou café-da-manhã ontem?", persiste ela, com a mesma firmeza e paciência que tem quando fala com os que ficam para trás depois de alguém ser aniquilado pelo acaso, por um Ato de Deus ou por um assassinato.

"Tomei café no quarto", responde ele.

"Algum sanduíche? Almoço?"

"Não."

"Em algum momento ainda vou fazer um sermão sobre isso", diz ela. "Não comeu o dia inteiro, só café, e chegou ao *lounge* da OFP às sete. Você bebeu com o estômago vazio?"

"Comecei tomando umas cervejas. Depois comi um filé com salada."

"Sem pão nem batata? Nenhum carboidrato? Estava mantendo a dieta."

"Hã-hã. Talvez o único hábito saudável que consegui manter ontem à noite."

Scarpetta não responde e Marino percebe que está pensando que sua dieta de pouco carboidrato não é exatamente um bom hábito, mas que não vai falar sobre nutrição neste momento em que ele está na cama, infeliz, de

251

ressaca, sofrendo e em pânico porque talvez tenha cometido um delito ou esteja prestes a ser acusado por isso, supondo que já não tenha sido acusado. Ele olha para o céu cinzento além da janela e imagina um Ford Crown Victory da polícia de Richmond sem identificação rondando pelas ruas à sua procura. Que inferno, o próprio detetive Browning poderia estar lá fora pronto para cumprir um mandado contra ele.

"E depois?", pergunta Scarpetta.

Marino se imagina no banco traseiro do Crown Victory e tenta adivinhar se Browning o algemaria. Por uma questão de respeito profissional talvez deixasse Marino no banco traseiro com as mãos livres, ou poderia esquecer o respeito e usar as algemas. Marino chega à conclusão de que Browning teria que algemá-lo.

"Você tomou algumas cervejas e comeu um filé com salada às sete horas", Scarpetta continua sondando em sua maneira relaxada porém implacável. "Quantas cervejas, exatamente?"

"Quatro, acho."

"Acho, não. Quantas, exatamente?"

"Seis", admite.

"Copos, garrafas ou latas? Grandes? Normais? Em outras palavras, de que tamanho?"

"Seis garrafas de Budweiser, tamanho normal. Não é muito para mim, na verdade. Eu seguro. Seis cervejas para mim são como meia cerveja para você."

"É pouco provável", rebate ela. "Mais tarde falamos sobre essa sua matemática."

"Bom, eu não preciso de um sermão", murmura ele, olhando-a de relance e depois a encarando fixamente, num silêncio emburrado.

"Seis cervejas, um filé com salada na OFP com Junius Eise e o detetive Browning. E quando foi que ouviu os rumores de que eu estava voltando para Richmond? Pode ter sido enquanto jantava com Eise e Browning?"

"Agora você finalmente está somando dois mais dois", diz Marino, irritado.

Eise e Browning estavam sentados em frente a ele no reservado, uma vela tremulando no globo de vidro vermelho, os três tomando cerveja. Eise pergunta a Marino o que ele acha de Scarpetta, o que acha realmente. Ela é mesmo uma grande médica e muito importante, como ela é na verdade? É muito importante, mas não se comporta como se fosse, foram as exatas palavras de Marino. Isso ele lembra bem, e lembra a maneira como se sentiu quando Eise e Browning começaram a falar sobre ela, sobre Scarpetta reassumir a chefia e voltar a Richmond. Ela não havia dito uma palavra sobre isso a Marino, nem dado a menor dica, e ele se sentiu humilhado e furioso. Foi aí que mudou de cerveja para bourbon.

Eu sempre achei que ela é muito gostosa, o idiota do Eise teve a coragem de dizer, e depois disso Marino mudou para bourbon. E que belos pára-choques, acrescentou alguns minutos depois, botando as mãos em concha na frente do peito, sorrindo. Gostaria muito de tirar aquele avental dela. Bom, você trabalhou a vida toda com ela, então talvez não tenha reparado nisso, de tanto estar junto o tempo todo. Browning disse que nunca tinha visto Scarpetta, mas também estava sorrindo.

Marino não sabia o que dizer, por isso tomou o primeiro bourbon e pediu mais um. Imaginar Eise admirando o corpo dela fez com que tivesse vontade de dar um soco nele. Claro que ele não fez isso. Simplesmente continuou bebendo e tentando não pensar nela tirando o avental, pendurando-o na cadeira ou no cabide atrás da porta. Fez o possível para bloquear imagens de Scarpetta tirando o blazer no local de um crime, desabotoando as mangas da blusa, fazendo e desfazendo o que fosse necessário sempre que havia um cadáver à sua espera. Ela sempre pareceu à vontade consigo própria, sem demonstrar nada, sem perceber o que tinha para mostrar ou se alguém poderia estar olhando aquilo enquanto se desabotoava, gesticulando e se movimentando, porque estava trabalhando e porque os mortos não se perturbavam ao

253

ver aquilo. Eles estão mortos. Só que Marino não estava morto. Talvez ela ache que ele está morto.

"Vou dizer outra vez, não tenho planos de voltar para Richmond", diz Scarpetta da cadeira, as pernas cruzadas, a bainha da calça azul salpicada de lama, os sapatos tão sujos de barro que é difícil lembrar que estavam pretos e brilhantes algum tempo atrás. "Além do mais, você não acha mesmo que eu faria planos desse tipo sem lhe contar, acha?"

"Nunca se sabe", rebate Marino.

"Você sabe."

"Eu não vou voltar para cá. Principalmente agora."

Alguém bate à porta e o coração de Marino salta e ele pensa na polícia, na cadeia e no tribunal. Mas fecha os olhos aliviado quando uma voz do outro lado da porta diz: "Serviço de quarto".

"Eu atendo", diz Scarpetta.

Marino fica imóvel na cama e seus olhos a seguem enquanto ela atravessa o pequeno quarto e abre a porta. Se estivesse sozinha, se ele não estivesse sentado bem ali, ela provavelmente perguntaria quem era e espiaria pelo olho mágico. Mas ela não está preocupada, porque Marino está bem ali com um Colt .280 semi-automático num coldre no quadril, mesmo sem haver a necessidade de atirar em ninguém. Mas bem que ele gostaria de dar uma surra em alguém. Naquele momento ficaria feliz em soltar seus grandes punhos no queixo e no plexo solar de alguém, como costumava fazer quando lutava boxe.

"Tudo bem com os senhores?", pergunta o jovem espinhento de uniforme enquanto empurra um carrinho para dentro.

"Tudo bem", responde Scarpetta, enfiando a mão num bolso da calça e tirando uma nota de dez dólares cuidadosamente dobrada. "Pode deixar aí mesmo. Obrigada." Ela entrega a nota dobrada.

"Muito obrigado. Tenham um bom dia." E sai. E a porta se fecha suavemente.

Marino não se mexe na cama, apenas seus olhos se movem para observá-la. Observa quando ela abre o invólucro plástico do pão e do mingau de aveia. Observa quando abre uma caixinha de manteiga e mistura com o mingau, depois põe um pouco de sal. Em seguida abre outra caixinha de manteiga, passa no pão e serve duas xícaras de chá. Ela não põe açúcar no chá. Aliás, não há açúcar nenhum no carrinho.

"Tome", diz, pondo o mingau e uma xícara de chá forte na mesa ao lado da cama. "Coma." Depois volta até o carrinho e leva o pão até ele. "Quanto mais você comer, melhor. Talvez comece a se sentir bem, talvez sua memória tenha uma milagrosa recuperação."

A visão do mingau de aveia faz com que suas vísceras se revirem em sinal de protesto, mas ele pega a tigela e mexe a mistura lentamente com a colher, e a colher mergulhando no mingau pastoso o faz pensar em Scarpetta mergulhando a espátula na lama da calçada, depois imagina outra coisa parecida com o mingau, o que provoca outra onda de nojo e remorso. Se ao menos ele estivesse bêbado demais para fazer aquilo. Mas ele tinha feito. A visão do mingau faz com que tenha a certeza de ter feito aquilo ontem à noite, de ter terminado o que havia começado.

"Eu não consigo comer isso", diz.

"Coma", insiste ela, voltando para a cadeira e sentando-se, ereta como uma juíza, olhando diretamente para ele.

Ele experimenta o mingau e fica surpreso, pois está muito bom. É ótimo engolir aquilo. Quando percebe, já comeu a tigela inteira e passou para o pãozinho, e o tempo todo sente que está sendo observado por Scarpetta, que não fala nada. Marino sabe muito bem por que ela não diz nada e apenas o observa. Ele ainda não disse a verdade. Está escondendo os detalhes que tem certeza de que vão acabar com a sua fantasia. Assim que ela souber, ele não vai ter mais chance, e o pãozinho de repente resseca em sua garganta e ele não consegue engolir.

"Está se sentindo um pouco melhor? Tome um pouco de chá", sugere Scarpetta, que agora parece realmente uma juíza vestida de roupas escuras, sentada ereta na cadeira embaixo da janela cinzenta. "Coma todo o pão e beba pelo menos uma xícara de chá. Você precisa comer, senão vai ficar desidratado. Eu tenho Advil, se você quiser."

"É, um Advil cairia bem", diz Marino, mastigando.

Scarpetta estende a mão até sua sacola de náilon e as pílulas chacoalham quando ela retira um pequeno frasco de Advil. Marino mastiga o pão e toma um gole de chá, repentinamente muito faminto, e observa Scarpetta caminhar até onde está sentado, encostado nos travesseiros, e remover a tampa de segurança com facilidade, pois qualquer dispositivo de segurança para crianças é como se não existisse quando chega às mãos dela. Scarpetta despeja duas pílulas e coloca na palma da mão dele. Os dedos são ágeis e fortes, mas parecem pequenos perto da enorme mão de Marino, e roçam levemente sua pele, e aquele toque desperta nele uma sensação melhor do que a maior parte das coisas que já sentiu na vida.

"Obrigado", diz ele quando ela retorna para a cadeira.

Marino acha que ela ficaria sentada naquela cadeira durante um mês, se precisasse. Talvez eu possa simplesmente deixar que fique sentada ali por um mês. Ela não irá a lugar nenhum até eu contar tudo. Mas gostaria que parasse de me olhar desse jeito.

"Como vai indo a sua memória?", pergunta ela.

"Algumas coisas estão perdidas para sempre. Você sabe, isso acontece", responde ele, terminando a xícara de chá e concentrando-se para não entalar com as pílulas na garganta.

"Algumas coisas nunca mais voltam", concorda. "Ou nunca desaparecem de todo. Outras coisas simplesmente são difíceis de ser comentadas. Você estava tomando bourbon com Eise e Browning, e depois? Mais ou menos a que horas começou com o bourbon?"

"Acho que eram umas oito e meia, nove horas. Meu

celular tocou, era Suz. Estava deprimida e disse que precisava falar comigo, perguntou se eu podia ir até a casa dela." Marino faz uma pausa, esperando a reação de Scarpetta. Ela não precisa dizer nada. Está pensando.

"Continue, por favor", recomenda.

"Eu sei no que você está pensando. Está pensando que eu não deveria ter ido lá depois de tomar alguns drinques."

"Você não faz idéia do que estou pensando", responde ela da cadeira.

"Eu estava me sentindo bem."

"Defina alguns drinques", acrescenta Scarpetta.

"A cerveja, alguns bourbons."

"Alguns?"

"Não mais do que três."

"Seis cervejas somam cento e setenta gramas de álcool. Três bourbons são mais cem ou cento e quarenta gramas, dependendo do seu grau de amizade com o barman", calcula. "Digamos num período de três horas. Isso dá uns duzentos e oitenta gramas, num cálculo conservador. Vamos dizer que você metabolizou vinte e oito gramas por hora, é o normal. Você ainda tinha pelo menos duzentos gramas a bordo quando saiu do *lounge* da OFP."

"Que merda", diz ele. "Eu poderia ter passado sem essa matemática. Eu estava me sentindo bem. Estou dizendo que estava bem."

"Você tem uma boa resistência. Mas estava legalmente bêbado, mais do que legalmente bêbado", observa a médica-advogada. "Pelos meus cálculos, mais de 0,10. Você chegou à casa dela inteiro, suponho. E a que horas teria sido?"

"Dez e meia, talvez. Quer dizer, droga, eu não estava olhando para o relógio a cada minuto." Marino olha para ela e se sente deprimido e moroso afundado nos travesseiros da cama. O que aconteceu em seguida o empurra para uma escuridão interior, mas ele não quer entrar nessa escuridão.

257

"Estou ouvindo", diz Scarpetta. "Como está se sentindo? Quer mais chá? Mais comida?"

Ele nega com a cabeça e tenta sentir onde estão as pílulas, preocupado com a possibilidade de entalarem em algum lugar e queimarem sua garganta. Há tantos lugares ardendo em seu corpo que seria difícil detectar duas pequenas queimaduras a mais, mas ele não precisa de mais esse problema.

"A dor de cabeça melhorou?"

"Alguma vez você consultou um psicanalista?", pergunta ele subitamente. "Porque é isso que estou sentindo. Como se estivesse no consultório de um psicanalista. Mas, já que nunca consultei um psicanalista, não sei o que é isso. Achei que você poderia saber." Marino não sabe ao certo por que falou aquilo, mas saiu assim mesmo. Ele olha para ela, indefeso, furioso e desesperado para fazer algo que o afaste da escuridão.

"Não vamos falar sobre mim", responde ela. "Eu não sou psicanalista, e você sabe disso melhor que ninguém. Não estamos falando sobre por que você fez o que fez ou por que não fez. É sobre o que fez. É aí que está o problema, ou não está. Os psicanalistas não se importam muito com o quê."

"Eu sei. É sobre o quê. Esse é exatamente o problema, inferno, tudo bem. Eu não sei o que fiz, doutora. Juro por Deus, essa é a verdade", mente.

"Vamos retroceder um pouco. Você chegou à casa dela. Como? Você não estava com um carro alugado."

"De táxi."

"Você tem o recibo?"

"No bolso do meu casaco, provavelmente."

"Depois você procura. O que aconteceu depois?"

"Desci e andei até a porta. Toquei a campainha, ela atendeu e eu entrei." A pesada escuridão está bem à frente de seu rosto agora, como uma tempestade prestes a desabar. Ele respira fundo e sua cabeça lateja.

"Marino, está tudo bem", diz Scarpetta com calma.

"Pode me contar. Vamos descobrir o que aconteceu. Exatamente o que aconteceu. É só isso que vamos tentar fazer."

"Ela... hã... estava de botas, tipo botas de pára-quedistas, tipo botas de couro pretas com biqueiras de aço. Botas militares. E usava uma camiseta larga, de camuflagem." A escuridão o engole, parece engoli-lo por inteiro, engole mais do que ele supunha conter. "Nada mais, só isso, e eu fiquei meio chocado, e não entendia por que estava vestida daquele jeito. Mas não pensei muito a respeito, não do jeito que você poderia imaginar. Depois ela fechou a porta e pôs as mãos em mim."

"Em que parte ela pôs as mãos em você?"

"Ela disse que me desejou desde o minuto em que caminhamos juntos naquela manhã", diz ele, enfeitando um pouco, mas não muito, porque fossem quais fossem as palavras dela, a mensagem que entendeu foi mesmo aquela. Ela o desejava. Desejou desde o primeiro instante em que o viu, quando ele e Scarpetta foram à casa dela fazer perguntas sobre Gilly.

"Você disse que ela pôs as mãos em você. Onde? Em que parte do seu corpo?"

"Meus bolsos. Nos meus bolsos."

"Bolsos da frente ou de trás?"

"Da frente." Seu olhar recai sobre o colo e ele pisca os olhos ao contemplar os grandes bolsos frontais de sua calça tática preta.

"A mesma calça que está usando agora?", pergunta Scarpetta, sem afastar os olhos.

"É. Esta calça. Não deu tempo para trocar de roupa. Nem consegui chegar ao meu quarto hoje de manhã. Peguei um táxi e fui direto para o necrotério."

"A gente chega lá", comenta ela. "Depois que ela pôs as mãos nos seus bolsos, o que aconteceu?"

"Por que você quer saber tudo isso?"

"Você sabe por quê. Sabe exatamente por quê", responde Scarpetta no mesmo tom calmo e firme, os olhos fixos nele.

Ele se lembra. As mãos de Suz tateando o fundo de seus bolsos e puxando-o para dentro da casa, rindo, dizendo como ele era bonito enquanto fechava a porta com o pé. Uma névoa rodopia em seus pensamentos, como a névoa que rodopiava nos faróis do táxi que o levou até a casa dela, e ele sabia que estava indo rumo ao desconhecido, mas foi assim mesmo, e logo depois estava com as mãos dela nos bolsos e sendo puxado para a sala de estar enquanto ela ria, vestindo apenas uma camiseta de camuflagem e botas de combate. Ela o abraçou e Marino sabia que ela estava sentindo o seu corpo, e ela sabia que ele sentia seu abraço suave e apertado.

"Ela pegou uma garrafa de bourbon na cozinha", continua Marino, escutando a própria voz, mas sem conseguir enxergar nada dentro do quarto de hotel enquanto conta sua história a Scarpetta. Ele está em transe. "Ela serviu bebida para a gente e eu disse que não queria beber mais. Talvez eu não tenha dito isso. Não sei. Ela me seduziu. O que posso dizer? Ela me seduziu. Perguntei o porquê daquela camuflagem e ela disse que ele curtia aquilo, Frank curtia. Uniformes. Ele pedia que se vestisse daquele jeito para eles brincarem."

"Ele pedia a Suz que vestisse uniforme para eles brincarem, com Gilly por perto?"

"O quê?"

"Talvez a gente fale da Gilly mais tarde. Do que Frank e Suz brincavam?"

"Faziam joguinhos."

"E ela queria brincar com você ontem à noite?", pergunta Scarpetta.

O quarto está escuro, ele sente a escuridão e não consegue enxergar o que fez porque é insuportável, e, quando tenta dizer a verdade, só consegue pensar que sua fantasia vai acabar para sempre. Ela vai imaginar como seria estar com ele e nunca mais vai acontecer nada, nunca, não adianta ter esperanças, nem remotamente, porque ela vai saber como seria estar com ele.

"Isso é importante, Marino", fala em voz baixa Scarpetta. "Fale sobre esses joguinhos."

Marino engole em seco e imagina estar sentindo as pílulas na garganta, bem no fundo, queimando. Gostaria de tomar mais chá, mas não consegue se mover e não se atreve a pedir para ela pegar o chá ou qualquer outra coisa. Scarpetta está sentada, ereta porém não tensa, suas mãos fortes e habilidosas descansando sobre os braços da cadeira. Está ereta porém relaxada em sua roupa salpicada de lama. Os olhos estão atentos enquanto escuta a história dele.

"Ela pediu que eu a perseguisse", começa. "Eu estava bebendo. E perguntei o que ela queria dizer com perseguir. E ela me disse para entrar no quarto, no quarto dela, e me esconder atrás da porta e marcar o tempo. Disse para esperar cinco minutos, exatamente cinco minutos, e depois começar a procurar por ela como se... Como se eu fosse matá-la. E eu disse que aquilo não estava certo. Bom, não cheguei a dizer isso para ela." Ele respira fundo mais uma vez. "Provavelmente eu não disse isso para ela, porque ela continuou me provocando."

"E que horas eram a essa altura?"

"Eu tinha chegado lá fazia uma hora, talvez."

"Ela põe as mãos nos seus bolsos no minuto em que você entra pela porta da frente, aproximadamente às dez e meia, e depois se passa uma hora? Não aconteceu nada durante essa hora?"

"Nós estávamos bebendo. Na sala, sentados no sofá." Agora Marino não está olhando para ela. Ele nunca mais vai olhar para ela.

"Luzes acesas? Cortinas abertas ou fechadas?"

"Ela acendeu a lareira. As luzes estavam apagadas. Não me lembro se as cortinas estavam abertas." Ele pensa a respeito. "Estavam fechadas."

"O que vocês fizeram no sofá?"

"Conversamos. E demos uns amassos, suponho."

"Sem suposições. E eu não sei o que quer dizer isso.

O que significa quando você diz que deram uns amassos?", intervém Scarpetta. "Beijos, carícias? Você tirou a roupa? Houve intercurso? Sexo oral?"

Ele sente o rosto se afoguear. "Não. Quer dizer, a primeira parte nós fizemos. Beijos, principalmente. Você sabe, uns amassos. Como as pessoas fazem. Amassos. Nós estávamos no sofá e ela falou do joguinho." O rosto dele queima. Ele sabe que ela pode perceber quanto seu rosto está quente e se recusa a encará-la.

As luzes estavam apagadas e a luz do fogo movia-se pela pele dela, a pele clara, e, quando ela o agarrou, foi doloroso e excitante, e depois foi só doloroso. Marino pediu que tomasse cuidado porque estava machucando, e ela riu e disse que gostava de jogo pesado, muito pesado, e pediu que a mordesse, e ele disse que não, que não queria mordê-la, não com força. Você vai gostar, ela garantiu, você vai gostar de morder forte. Você não sabe o que está perdendo se nunca jogou pesado, e durante todo o tempo em que falava sua pele refletia a luz do fogo quando ela se movia, e ele tentava manter a língua dentro dos lábios dela e tentava agradá-la enquanto cruzava as pernas e se posicionava para que ela não o machucasse. Não seja tão bunda-mole, ela ficava dizendo enquanto tentava empurrá-lo com força para o sofá e abrir seu zíper, mas ele conseguiu mantê-la afastada. Marino pensava nos dentes dela brilhando à luz do fogo e como seria se ela cravasse aqueles dentes brancos nele.

"O jogo começou no sofá?", pergunta Scarpetta, distante em sua cadeira.

"Foi ali que nós conversamos a respeito. Depois eu levantei, ela me levou para o quarto e disse para ficar atrás da porta e esperar cinco minutos, como eu falei."

"Você ainda estava bebendo?"

"Ela me serviu mais uma dose, acho."

"Não ache. Doses grandes? Doses pequenas? Quantas, a essa altura?"

"Nada que aquela mulher faz é pequeno. Doses grandes. Pelo menos três até o momento em que me disse para ficar atrás da porta. Nessa hora as coisas começam a ficar confusas", continua. "Depois que o jogo começou, tudo fica muito difuso. Talvez seja melhor assim, droga."

"Não, não é melhor assim. Tente se lembrar. Precisamos saber o que aconteceu. O que aconteceu. Não o porquê. Não me importa o porquê, Marino. Confie em mim. Não há nada que você possa me contar que eu não tenha ouvido antes. Ou visto. Não é fácil me chocar."

"Não, doutora. Tenho certeza que não. Mas talvez eu fique chocado. Talvez eu não achasse isso, mas pode ser que eu me choque facilmente. Lembro-me de olhar para o relógio e ter muita dificuldade para ver a hora. Minha vista não é mais o que era, mas tudo estava muito embaçado e eu estava a toda, a toda mesmo, não estava numa boa. Para dizer a verdade, não sei como acabei concordando com aquilo tudo."

Marino estava suando profusamente atrás da porta, tentando consultar o relógio, depois começou a contar em silêncio, de um a sessenta e perdendo a conta e começando de novo até ter certeza de que haviam se passado cinco minutos. Sua excitação era diferente do que já havia sentido com outra mulher, com qualquer outra ou em qualquer encontro de que pudesse se lembrar. Saiu de trás da porta e percebeu que a casa estava toda escura. Não conseguia enxergar nem as próprias mãos, a não ser que as pusesse bem perto do rosto, e saiu tateando pelas paredes e percebeu que ela podia ouvi-lo, e foi então que percebeu em seu estupor alcoólico, mesmo bêbado como estava, percebeu que seu coração batia forte e que respirava com dificuldade porque estava excitado e assustado, mas ele não quer que Scarpetta saiba que estava assustado. Depois se abaixou até tocar o tornozelo, perdeu o equilíbrio e caiu no chão do corredor, procurando a arma, mas a arma não estava no coldre. Ele não sabe quanto tempo ficou ali. É possível que tenha adormecido por um breve período.

Quando voltou a si, não estava com a arma e seu co-

263

ração latejava forte no pescoço e ele ficou imóvel sobre o piso de madeira, mal conseguindo respirar, o suor escorrendo pelos olhos, ouvindo, tentando localizar onde estava o filho-da-puta. A escuridão era tão completa que parecia espessa e rarefeita e o envolvia como uma manta negra enquanto tentava se levantar sem fazer barulho para não revelar sua posição. O canalha estava ali em algum lugar, e Marino estava desarmado. Com os braços abertos como dois remos, ele mal roçava as paredes enquanto avançava, atento, pronto para saltar, sabendo que iria ser baleado se não pegasse aquele merdinha de surpresa.

Marino movia-se lentamente, como um gato, o cérebro concentrado no inimigo, e enquanto isso se perguntava como tinha chegado àquela casa e que casa era aquela e quem era o filho-da-puta e onde estava o seu reforço? Onde estava todo mundo, porra? Oh, Deus, talvez eles tenham sido abatidos. Talvez só tivesse restado ele, que agora iria ser baleado porque estava desarmado e de alguma forma havia perdido o rádio e não sabia onde estava. Então sentiu alguma coisa atingi-lo. Depois entrou e saiu de uma escuridão pesada, uma escuridão quente que fez com que perdesse o fôlego quando se moveu, e tomou consciência da dor, uma dor ardente, quando a escuridão se aproximou e o envolveu fazendo terríveis ruídos molhados.

"Não sei o que aconteceu", ouve a si mesmo dizer, e se surpreende por sua voz parecer lúcida, pois por dentro se sente maluco. "Simplesmente não sei. Eu acordei na cama dela."

"Vestido?"

"Não."

"Onde estavam suas roupas, seus pertences?"

"Numa cadeira."

"Numa cadeira? Bem arrumados na cadeira?"

"Sim, bem arrumados. Minhas roupas e minha arma estavam em cima da cadeira. Sentei na cama e vi que não tinha ninguém mais lá", explica.

"O lado dela da cama estava desarrumado? Parecia que alguém tinha dormido ali?"

"As cobertas estavam puxadas e bagunçadas, muito bagunçadas. Mas não tinha ninguém. Olhei ao redor sem saber bem onde estava e depois lembrei que tinha tomado um táxi até a casa dela, e lembrei dela abrindo a porta vestida daquele jeito, você sabe, na noite anterior. Olhei ao redor e vi um copo de bourbon na mesa no meu lado da cama, e uma toalha. A toalha estava suja de sangue e fiquei muito assustado. Tentei levantar e não consegui. Simplesmente fiquei lá. Não conseguia me levantar."

Marino percebe que sua xícara de chá está cheia e fica aterrorizado por não ter lembrança de Scarpetta levantando-se da cadeira para completar o chá, nem de ter feito isso, e duvida de que tenha feito isso. A sensação é de que está na mesma posição em que estava na cama, e, quando olha para o relógio, vê que mais de três horas se passaram desde que ele e Scarpetta começaram a conversar naquele quarto de hotel.

"Acha possível que ela tenha drogado você?", pergunta Scarpetta. "Infelizmente acho que um teste para drogas não adiantaria mais a essa altura. Já se passou muito tempo. Depende da droga."

"Ah, isso seria demais. Se for para fazer um teste de drogas, é melhor chamar de uma vez a polícia, se é que ela já não fez isso."

"Me fale sobre a toalha ensangüentada", pede ela.

"Não sei de quem era o sangue. Talvez fosse meu. Minha boca doía." Ele toca os lábios. "Doía muito. Acho que essa é que é a dela, machucar, mas tudo o que posso dizer é... Bom, eu não sei o que fiz porque não vi mais a mulher. Ela estava no banheiro, e, quando comecei a chamar seu nome para saber onde estava, ela começou a gritar comigo, me mandando sair da casa dela e dizendo que eu... Ela estava dizendo todas essas coisas."

"Imagino que você não pensou em levar a toalha ensangüentada com você."

"Eu nem sei como consegui chamar um táxi e sair de lá. Na verdade não me lembro de ter feito isso. Mas claro que fiz. Não, eu não peguei a toalha, droga."

"E você foi direto para o necrotério." Ela franze um pouco o cenho, como se essa parte não fizesse sentido.

"Eu parei para tomar um café. Num Seven-Eleven. Finalmente pedi que o taxista me deixasse a alguns quarteirões do escritório para poder andar, imaginei que isso me clareasse a cabeça. Ajudou um pouco. Ao menos me senti parcialmente humano de novo, depois andei até o escritório e ela estava lá, droga."

"Você ouviu suas mensagens telefônicas antes de ir ao Instituto Nacional de Criminalística?"

"Ah. Talvez tenha ouvido."

"Senão você não saberia da reunião."

"Não. Eu sabia da reunião", diz Marino. "Eise me disse no *lounge* da OFP que tinha passado algumas informações ao Marcus. Um e-mail, foi o que ele disse." Ele tenta se lembrar. "Ah, é, agora me lembro. Marcus estava ao telefone no momento em que abriu o e-mail e disse que ia marcar uma reunião para a manhã seguinte e falou para o Eise estar no prédio no caso de precisar dele para explicar algumas coisas."

"Então você sabia da reunião ontem à noite", diz Scarpetta.

"Sabia. Eu fui o primeiro a saber disso ontem à noite, e acho que o Eise disse algo que me fez pensar que você estaria lá, então eu sabia que também teria de ir."

"Você sabia que a reunião seria às nove e trinta?"

"Acho que sim. Desculpe estar tão confuso, doutora. Mas eu sabia da reunião." Marino olha para Scarpetta e não consegue imaginar o que se passa pela cabeça dela. "Por quê? O que há de tão importante nessa reunião?"

"Ele só me falou dessa reunião às oito e meia de hoje", responde ela.

"Ele está atirando nos seus pés, fazendo você dançar", diz Marino, com ódio do dr. Marcus. "Vamos pegar um avião e voltar para a Flórida. Ele que se foda."

"Quando encontrou a sra. Paulsson no escritório hoje de manhã, ela falou com você?"

"Ela olhou para mim e saiu. Como se não me conhecesse. Eu não estou entendendo nada disso, doutora. Só sei que aconteceu algo ruim, e estou morrendo de medo de ter feito alguma coisa ruim e acabar me dando mal por causa disso. Depois de ter feito toda essa merda, isso vai pegar mal. É isso."

Scarpetta levanta-se lentamente da cadeira e parece cansada, mas está alerta, e Marino percebe a preocupação em seus olhos, mas pode ver também que está pensando, fazendo conexões que ele certamente não está percebendo. Seus olhos estão pensativos quando ela olha pela janela e caminha até o carrinho de serviço e despeja a última porção de chá em sua xícara.

"Ela machucou você, não foi?", pergunta Scarpetta, postando-se perto da cama, olhando para ele. "Me mostre o que ela fez com você."

"De jeito nenhum! De jeito nenhum, não posso", retruca Marino num falsete que soa como se ele tivesse dez anos de idade. "Não posso fazer isso. De jeito nenhum."

"Quer que eu ajude você ou não? Acha que vai me mostrar alguma coisa que nunca vi antes?"

Ele cobre o rosto com as mãos. "Eu não consigo fazer isso."

"Você pode chamar a polícia e eles o levam até a delegacia e fotografam seus ferimentos. Aí você pode abrir um processo. Talvez seja isso que você quer. Não é um mau plano, supondo que ela já tenha comunicado à polícia. Mas acho que ela não fez isso."

Ele abaixa as mãos e olha para ela. "Por quê?"

"Por que eu acho isso? Muito simples. As pessoas sabem que nós estamos aqui. O detetive Browning não sabe que você está hospedado aqui? Ele não tem o número do seu telefone? Então por que a polícia ainda não veio prender você? Não acha que eles já estariam aqui se a mãe da Gilly Paulsson tivesse ligado para a emergência dizendo que foi estuprada? E por que ela não gritou quando viu você no escritório? Ela acabou de ser estuprada e não faz uma cena nem chama a polícia na hora?"

"Eu não vou chamar a polícia de jeito nenhum", diz ele.

"Então eu sou seu único trunfo." Ela volta para a cadeira e apanha seu kit de náilon. Abre o zíper e tira uma câmera digital.

"Que merda", diz ele, olhando para a câmera como se fosse uma arma apontada em sua direção.

"Parece que a vítima aqui é você", diz Scarpetta. "Parece que a mulher quer fazer você achar que fez alguma coisa com ela. Por quê?"

"Sei lá. Mas não posso fazer isso."

"Você está de ressaca, mas não é burro, Marino."

Ele olha para ela. Depois olha para a câmera ao lado dela. Olha para Scarpetta em pé no meio do quarto, com suas roupas salpicadas de lama.

"Nós estamos aqui investigando a morte da filha dela, Marino. Essa mamãe claramente está querendo tirar alguma vantagem, dinheiro, atenção ou qualquer coisa, e eu pretendo descobrir o que ela quer. Ah, sim. E vou descobrir. Tire a camisa, as calças, tire tudo o que precisar para me mostrar o que aquela mulher fez com você durante o joguinho doentio dela ontem à noite."

"E agora, o que você vai pensar de mim?", pergunta ele, tirando a camisa pólo pela cabeça, com cuidado, o tecido machucando-o ao roçar marcas de mordidas e chupadas que cobrem seu peito.

"Meu Deus. Fique quieto. Que coisa, por que não me mostrou isso antes? Vamos ter que cuidar desses ferimentos antes que infeccionem. E você tem receio de que ela chame a polícia? Você ficou louco?" Tudo isso enquanto tira fotografias, movendo-se ao redor dele, fazendo closes de cada ferimento.

"O negócio é que eu não sei o que fiz com ela", diz Marino, um pouco mais calmo, percebendo que ser examinado pela doutora podia não ser tão ruim quanto pensava.

"Se você tivesse feito metade disso com ela, seus dentes estariam doendo."

Marino se concentra nos próprios dentes e não sente absolutamente nada, apenas seus dentes normais e o que costuma sentir com eles. Graças a Deus os dentes não estão doendo.

"E as suas costas?", pergunta ela, em pé perto dele.

"Não estão doendo."

"Incline-se para a frente. Deixe-me dar uma olhada."

Ele se inclina e sente que ela remove cuidadosamente os travesseiros das suas costas. Sente seus dedos quentes entre as escápulas, as mãos tocando levemente sua pele nua e empurrando-o mais para a frente para examinar suas costas, e tenta se lembrar se ela já havia tocado suas costas nuas antes. Não tocou. Ele se lembraria.

"E os seus genitais?", pergunta ela, como se não fosse nada de mais. Como ele não responde, ela continua: "Marino, ela machucou os seus genitais? Há alguma coisa lá que eu deva fotografar, ou até mesmo tratar, ou vamos fingir que por alguma razão não sei que você tem órgãos genitais masculinos iguais aos da metade da espécie humana? Bem, obviamente ela machucou os seus genitais, senão você simplesmente teria respondido que não. Correto?"

"Correto", murmura ele, cobrindo a virilha com as mãos. "Está certo, está doendo, o.k.? Mas talvez você já tenha o suficiente para provar seu ponto de vista, provar que ela me machucou, a despeito do que fiz com ela, supondo que eu tenha feito alguma coisa."

Ela senta na beira da cama a não mais que setenta centímetros de distância e olha para ele. "Que tal uma descrição verbal? Depois decidimos se você precisa tirar essa calça."

"Ela me mordeu. Por toda parte. Estou todo marcado."

"Eu sou médica", diz Scarpetta.

"Sei disso. Mas não é a minha médica."

"Eu seria, se você morresse. E se ela tivesse matado

você, quem acha que iria querer examinar você para saber tudo sobre o que aconteceu? Mas você não está morto, o que me deixa muito contente, porém foi atacado e tem os mesmos tipos de ferimentos que teria se estivesse morto. E tudo isso parece perfeitamente ridículo, mesmo para mim, neste exato momento. Então por favor me deixe dar uma olhada para ver se você precisa de tratamento médico e se precisamos tirar fotografias?"

"Que tipo de tratamento?"

"Provavelmente nada que um pouco de Betadine não cure. A gente pode comprar na farmácia."

Marino tenta imaginar o que vai acontecer se ela o vir. Ela nunca o viu. Não sabe o que ele tem, que pode não estar acima da média nem abaixo da média, e normalmente ser normal já é o suficiente, mas ele não sabe o que esperar porque não tem idéia do que ela gosta ou com o que está acostumada. Então provavelmente não é uma boa tirar a calça. Depois se imagina entrando no banco de trás de um carro sem identificação e ser fotografado na prisão e ir ao tribunal, e desabotoa a calça e desce o zíper.

"Se você rir eu vou odiar você pelo resto da vida", ameaça, o rosto ardendo, o suor escorrendo, manchando onde toca.

"Coitadinho de você", diz Scarpetta. "Que mulherzinha mais doida."

31

Cai uma chuva fria e forte quando Scarpetta encosta no meio-fio e estaciona em frente à casa de Suzanna Paulsson. Por alguns minutos ela permanece com o motor do carro ligado e o limpador do pára-brisa oscilando para a esquerda e para a direita, observando a entrada de tijolo irregular que leva à varanda e imaginando o caminho de Marino na noite anterior. Não precisa imaginar muito mais do que isso.

Marino contou mais do que imagina. O que ela viu é pior do que o que ele sabe. Talvez ele não acredite que contou todos os detalhes, mas contou o suficiente. Scarpetta desliga o limpador do pára-brisa e observa a chuva batendo e escorrendo no vidro, em seguida está chovendo tão forte que ela só consegue ouvir o ruído contínuo da chuva, e a água no pára-brisa parece gelo encrespado. Suzanna Paulsson está em casa. A minivan está estacionada perto da calçada e as luzes da casa estão acesas. Ela não foi a parte alguma com esse clima.

O carro alugado de Scarpetta não tem um guarda-chuva e ela não está de chapéu. Quando sai do automóvel, o ruído da água fica subitamente mais alto e a chuva choca-se contra seu rosto enquanto corre pelos velhos e escorregadios tijolos que levam até a casa de uma garota que está morta e de uma mãe sexualmente perturbada. Talvez seja excessivamente radical considerá-la sexualmente perturbada. Scarpetta reconsidera, mas está muito mais furiosa do que Marino imagina. Talvez ele nem perceba que ela está com raiva, mas ela está com muita raiva, e a sra. Paulsson está prestes a ver o que acontece quando Scarpetta fica com raiva. Ela bate firme a aldraba de latão da porta da frente e avalia o que fazer se a mulher não abrir a porta, se resolver fingir que não está em casa, como fez Fielding. Ela bate na porta outra vez, mais forte e mais lentamente.

A noite está chegando bem rápido, como uma nuvem de tinta negra por causa da tempestade, e Scarpetta em pé na varanda consegue enxergar a própria respiração, cercada pela água que cai e espirra, batendo continuamente na porta. Vou ficar esperando aqui, pensa. Você não vai escapar dessa, nem pense que existe a possibilidade de eu ir embora. Pega o celular e um pedaço de papel do bolso do casaco e lê um número que rabiscou quando esteve ali ontem, quando foi delicada e gentil com essa mulher, quando sentiu pena dela. Digita o número, ouve o telefone tocar dentro da casa e bate novamente na porta com toda a força. Ela não se importa se a aldaraba quebrar.

Passa-se mais um minuto e Scarpetta volta a digitar o número, e o telefone toca e toca lá dentro, e ela desliga antes da resposta da secretária eletrônica. Você está em casa, pensa. Não finja que não está. Você provavelmente sabe que estou aqui fora. Scarpetta afasta-se da porta e olha para a janela iluminada na fachada da casinha de tijolos. As cortinas brancas e transparentes estão fechadas, iluminadas por uma luz suave e aconchegante, e ela vê uma sombra passar pela janela à sua direita. Consegue distinguir a silhueta de uma pessoa passando pela janela, parar, depois se virar e desaparecer.

Ela bate novamente na porta e digita o número do telefone. Desta vez, quando a secretária eletrônica atende, Scarpetta continua na linha e diz: "Senhora Paulsson, é a doutora Kay Scarpetta. Por favor, atenda a porta. É muito importante. Estou na frente da sua casa". Em seguida desliga o telefone e bate um pouco mais, e a sombra se move novamente, desta vez passando pela janela à esquerda da porta, e então a porta se abre.

272

"Santo Deus", diz a sra. Paulsson, fingindo uma surpresa nada convincente. "Eu não sabia quem era. Que tempestade. Entre, saia da chuva. Eu não atendo a porta quando não sei quem é."

A água que cai do corpo de Scarpetta escorre pela sala de estar e ela tira o casaco escuro, longo e ensopado. Água fria pinga de seu cabelo e ela o tira do rosto, percebendo que está molhado como se estivesse saindo do chuveiro.

"Deus queira que você não pegue uma pneumonia", diz a sra. Paulsson. "Mas quem sou eu para dizer isso? Você é a médica. Vamos até a cozinha, vou preparar alguma coisa quente para tomar."

Scarpetta olha ao redor da minúscula sala de estar, observa as cinzas frias e os pedaços de lenha queimados na lareira, o colchão xadrez embaixo das janelas, os corredores dos dois lados da sala que levam a outras partes da casa. A sra. Paulsson percebe o olhar de Scarpetta e seu rosto se contrai, um rosto que é quase bonito, porém rude e vulgar.

"Por que veio aqui?", pergunta a sra. Paulsson numa voz diferente. "O que está fazendo aqui? Pensei que fosse por causa da Gilly, mas vejo que não é essa a razão."

"Não sei bem se alguém está aqui por causa da Gilly", retruca Scarpetta, em pé no meio da sala de estar, pingando água no piso de madeira e olhando ao redor, deixando claro que está olhando ao redor.

"Você não tem o direito de dizer isso", diz a sra. Paulsson rispidamente. "Acho que deveria ir embora agora mesmo. Não preciso de gente como você na minha casa."

"Eu não vou sair. Chame a polícia se quiser. Mas não vou a parte alguma até termos uma conversa sobre o que aconteceu aqui ontem à noite."

"Eu deveria mesmo chamar a polícia. Depois do que aquele monstro fez. Depois de tudo por que passei, ele ainda vem aqui e tira vantagem de mim dessa maneira. Aproveitar-se de alguém que está sofrendo como eu. Eu devia saber. Ele parece ser desse tipo de gente."

"Vá em frente", diz Scarpetta. "Chame a polícia. Eu também tenho uma história a contar. Uma história e tanto. Se não se importa, acho que vou dar uma olhada na casa. Eu sei onde fica a cozinha. Sei onde é o quarto da Gilly. Suponho que se entrar por este corredor e virar à esquerda em vez de à direita eu vou encontrar o seu quarto", diz, enquanto caminha naquela direção.

"Você não pode invadir a minha casa", exclama a sra. Paulsson. "Saia da minha casa neste minuto. Você não tem motivo para vir aqui xeretar."

O quarto é maior que o de Gilly, mas não muito. Nele há uma cama de casal, um pequeno e antigo criado-mudo de nogueira de cada lado e dois guarda-roupas apertados contra uma parede. Uma porta leva a um pequeno banheiro, outra porta se abre para um closet, e plenamente visível no piso do closet descansa um par de botas de combate de couro preto. Scarpetta enfia a mão num bolso do blazer e tira um par de luvas de algodão. Calça as luvas ainda em pé na porta do closet, olhando para as botas. Observa rapidamente as roupas penduradas nos cabides, vira-se abruptamente e entra no banheiro. Pendurada na lateral da banheira está uma camiseta de camuflagem.

"Ele contou uma história para você, não foi?", pergunta a sra. Paulsson, perto do pé da cama. "E você acreditou. Vamos ver no que a polícia acredita. Acho que não vão acreditar nem nele nem em você."

"Quantas vezes a senhora brincou de soldado com sua filha aqui vendo?", pergunta Scarpetta, olhando direto para ela. "Parece que Frank gostava de brincar de soldado, não é? Foi assim que aprendeu esse jogo, com ele? Ou foi a senhora mesma quem criou essa sua charada perversa? Quantas vezes fez isso na frente da Gilly, e quem brincava com a senhora quando Gilly estava aqui? Sexo grupal? É isso que 'eles' significa? Outras pessoas que brincavam com você e Frank?"

"Como se atreve a me acusar de uma coisa dessas?", exclama a sra. Paulsson, o rosto distorcido de raiva e desprezo. "Eu não sei nada sobre brincadeira nenhuma."

"Ah, existem muitas acusações por aí, e provavelmente vai haver mais", comenta Scarpetta, chegando mais perto da cama e puxando as cobertas com a mão enluvada. "Parece que não trocou a roupa de cama. Isso é ótimo. Está vendo essas manchas de sangue bem aqui no lençol? Quanto quer apostar que é o sangue do Marino? Não seu." Scarpetta a encara longamente. "Ele está sangrando e a senhora não está. Isso é curioso. Acredito que também haja uma toalha ensangüentada em algum lugar por aqui." Ela olha ao redor. "Talvez a senhora tenha lavado, mas não importa. Ainda podemos obter o que queremos de algo que não tenha sido lavado."

"Depois do que aconteceu comigo, você é ainda pior do que ele", diz a sra. Paulsson, mas sua expressão mudou. "Achava que outra mulher teria ao menos alguma compaixão."

"Por alguém que mutila uma pessoa e ainda a acusa de agressão? Creio que a senhora não vai encontrar uma única mulher honesta neste planeta que compreenda isso, senhora Paulsson." Scarpetta começa a tirar a coberta da cama.

"O que está fazendo? Você não pode fazer isso."

"Vou fazer isso e muito mais. Olha só." Ela retira os lençóis e os enrola na colcha, junto com os travesseiros.

"Você não pode fazer isso. Você não é da polícia."

"Ah, eu sou pior do que qualquer policial. Acredite em mim." Scarpetta apanha a trouxa de roupa de cama e a coloca em cima do colchão. "E agora?" Ela olha ao redor. "A senhora não deve ter percebido quando se encontrou com Marino no escritório do legista hoje de manhã, mas ele estava usando a mesma calça de ontem à noite. E a mesma cueca. O dia todo, aliás. Provavelmente a senhora sabe que, quando faz sexo, um homem deixa pelo menos um pouco de alguma coisa na cueca e possivelmente na calça. Mas ele, não. Não deixou vestígios de qualquer coisa na calça ou na cueca, a não ser sangue nos lugares onde a senhora o machucou. Talvez também não saiba que as pessoas enxergam através das suas cortinas, podem ver se está com alguém, se está brigando ou tendo um encontro romântico, supondo que ainda esteja na vertical. Nem consigo imaginar o que os vizinhos do outro lado da rua podem ver quando a senhora está de luz acesa e acende a lareira."

"Talvez as coisas tenham começado bem entre nós dois e depois saíram de controle", diz a sra. Paulsson, parecendo ter tomado uma decisão. "Fui inocente demais achando que éramos apenas um homem e uma mulher se divertindo. Talvez tenha ficado perturbada por ele ter me frustrado. Me deixou toda vestida sem ter o que fazer. Ele não conseguia. Um homem grande como ele, e não conseguia."

"Imagino que não, com a senhora enchendo o copo dele de bourbon", diz Scarpetta, bastante segura de que Marino não conseguiu. Nem consegue imaginar como teria conseguido. O problema é que continua preocupado com o que fez e com o fato de não ter conseguido, por isso não há muito espaço para discutir com ele.

Scarpetta agacha-se dentro do closet e recolhe as botas. Coloca-as sobre a cama e elas parecem muito grandes e sinistras em cima do colchão sem lençol.

"Estas botas são do Frank", informa a sra. Paulsson.

"Se a senhora as usou, seu DNA vai estar dentro delas."

"Elas são grandes demais para mim."

"A senhora ouviu o que eu disse. O DNA vai dizer muita coisa." Ela entra no banheiro e pega a camiseta de camuflagem. "Suponho que isso também seja do Frank."

A sra. Paulsson não tem nada a dizer.

"Agora podemos ir até a cozinha, se quiser", diz Scarpetta. "Seria bom tomar alguma coisa quente. Talvez um café. Que tipo de bourbon vocês estavam bebendo ontem à noite? A senhora também não deve estar se sentindo muito bem no momento, a não ser que tenha passado mais tempo servindo o copo dele do que o seu. Marino está bem mal hoje. Bem mal. Ele pediu tratamento médico." Tudo isso enquanto Scarpetta caminha rapidamente em direção aos fundos da casa, em direção à cozinha.

"Como assim?"

"Estou dizendo que ele precisou de cuidados médicos."

"Ele foi a um médico?"

"Ele foi examinado e fotografado. Cada centímetro. Ele não está bem", diz Scarpetta, entrando na cozinha e avistando a cafeteira perto da pia, muito perto de onde a garrafa de xarope para tosse estava no outro dia. Agora a garrafa não está ali. Nem em nenhum lugar à vista. Tira as luvas de algodão e guarda no bolso do blazer.

"Nem poderia estar, depois do que fez comigo."

"Pode parar com essa história", diz Scarpetta, enchendo o recipiente da cafeteira de água. "Essa história é mentira e é melhor desistir dela. Se a senhora estiver machucada, nós vamos examinar."

"Se eu mostrar a alguém, vai ser para a polícia."

"Onde a senhora guarda o café?"

"Não sei no que está pensando, mas não é verdade", diz a sra. Paulsson, abrindo o congelador e colocando um saco de café perto da cafeteira. Depois abre um armário e encontra uma caixa de filtros, deixando Scarpetta se servir.

"Parece que está difícil saber a verdade hoje em dia", reage Scarpetta, abrindo o café e colocando um filtro na cafeteira, em seguida medindo o pó com uma colherinha que encontrou no saco. "E me pergunto por que será. Parece que não conseguimos descobrir a verdade sobre o que aconteceu com a Gilly. Agora a verdade sobre o que aconteceu ontem à noite está nos escapando. Gostaria de ouvir o que tem a dizer sobre a verdade, senhora Paulsson. Foi por isso que resolvi passar aqui esta noite."

"Eu não ia falar nada sobre o Pete", fala ela amargamente. "Se eu fosse fazer isso, não acha que já teria feito? A verdade é que achei que ele estava se divertindo."

"Divertindo?" Scarpetta inclina-se sobre o balcão e cruza os braços à altura da cintura. O café começa a pingar e seu aroma se espalha pela cozinha. "Se a senhora estivesse como ele está, duvido que pensaria ter se divertido."

"Você não sabe como eu estou."

"Pela maneira como se movimenta, posso ver que ele não machucou a senhora. Na verdade, ele não deve ter feito muita coisa, principalmente depois de todo aquele bourbon. A senhora mesma me disse."

"Você tem alguma coisa com ele? É por isso que está aqui?" Ela lança um olhar malicioso para Scarpetta, um certo interesse brilhando nos olhos.

"Eu tenho alguma coisa com ele. Mas é algo que dificilmente a senhora entenderia. Já mencionei que também sou advogada? Gostaria de saber o que acontece com pessoas que acusam falsamente alguém de agressão ou estupro? A senhora já foi presa alguma vez?"

"Você está com ciúme. Já entendi por que tudo isso." Ela sorri, convencida.

"Pense o que quiser. Mas pense a respeito de ser presa, senhora Paulsson. Pense sobre denunciar um estupro e os indícios provarem que está mentindo."

"Não vou denunciar nenhum estupro, não se preocupe", diz ela, o rosto endurecendo. "Ninguém consegue me estuprar. Eles que tentem. Que bebezão. Isso é o que tenho a dizer sobre ele. Um bebezão. Achei que ele seria divertido. Bom, eu me enganei. Pode ficar com ele, Doutora Advogada ou seja lá o que você for."

O café está pronto, Scarpetta pede xícaras e a sra. Paulsson encontra duas no armário e em seguida duas colheres. Elas bebericam o café em pé, e depois a sra. Paulsson começa a chorar. Morde o lábio inferior; as lágrimas brotam e escorrem pelo seu rosto e ela começa a balançar a cabeça.

"Eu não quero ir para a cadeia", diz.

"Bem que a senhora merece, mas prefiro que não vá para a cadeia", diz Scarpetta, bebericando café. "Por que a senhora fez isso?"

"O que as pessoas fazem umas com as outras é assunto pessoal." Ela não olha para Scarpetta.

"Quando alguém se machuca e sangra não é assunto pessoal. É crime. Sexo violento é um hábito seu?"

"Você deve ser uma puritana", retruca ela, caminhando até a mesa e sentando-se. "Imagino que haja muitas coisas de que nunca ouviu falar."

"Talvez tenha razão. Me fale sobre o joguinho."

"Peça isso para ele."

"Eu sei o que Marino tem a dizer sobre o seu joguinho, ao menos do que vocês fizeram ontem à noite." Scarpetta toma um gole de café. "A senhora vem fazendo esse jogo há algum tempo, não é? Começou com Frank, seu ex-marido?"

"Eu não tenho nada que falar com você", diz ela sentada à mesa. "Não vejo por que teria."

"A rosa que encontramos no guarda-roupa da Gilly. A senhora disse que Frank poderia saber alguma coisa a respeito. O que quis dizer?"

A sra. Paulsson não responde, e seu olhar está furioso e cheio de ódio ao pegar a xícara de café com as duas mãos.

"Senhora Paulsson, acha que Frank pode ter feito alguma coisa com Gilly?"

"Eu não sei quem deixou aquela rosa", responde ela, fitando o mesmo local na parede que havia fitado quando Scarpetta esteve lá no dia anterior. "Só sei que não fui eu. Sei que não estava lá antes, não no quarto dela, não onde eu pudesse ter visto. E eu já tinha olhado as gavetas. Olhei no dia anterior, arrumando as coisas e pegando roupas para lavar. Gilly não gostava de guardar as coisas. Eu estava sempre recolhendo as roupas dela. Nunca vi nada igual. Ela não guardava nada no lugar." A sra. Paulsson se contém e fica em silêncio, olhando para a parede.

Scarpetta espera para ver se ela vai dizer mais alguma coisa. Passa-se mais ou menos um minuto, e o silêncio é pesado.

"A pior coisa era a cozinha", diz afinal a sra. Paulsson. "Ela se servia de comida e deixava tudo no balcão. Até mesmo sorvete. Você nem imagina o que eu jogava de comida fora." A expressão dela desmorona de dor. "E leite. Eu estava sempre despejando leite na pia porque ela deixava o recipiente fora durante horas." A voz dela se ergue, cai e estremece. "Sabe o que é andar atrás de alguém guardando coisas o tempo todo?"

"Sei", responde Scarpetta. "Foi uma das razões de ter me divorciado."

"Bom, ele não era muito melhor", continua a sra. Paulsson, desviando o olhar. "Era só o que eu fazia com os dois, guardar as coisas no lugar."

"Se Frank fez alguma coisa com a Gilly, o que acha que pode ter sido?", pergunta Scarpetta, tendo cuidado para não fazer uma pergunta que possa ser respondida com um simples sim ou não.

A sra. Paulsson olha para a parede, sem piscar. "Ele fez alguma coisa, à sua maneira."

"Estou dizendo fisicamente. Gilly está morta."

Os olhos dela se enchem de lágrimas e ela as enxuga bruscamente com a mão, olhando para a parede. "Ele não estava aqui quando aconteceu. Não nesta casa, não que eu saiba."

"Quando aconteceu o quê?"

"Quando eu fui à farmácia. Seja o que for, aconteceu naquela hora." Ela enxuga os olhos outra vez. "A janela estava aberta quando voltei. Não estava quando eu saí. Não sei se foi ela que abriu. Não estou falando que foi o Frank. Estou dizendo que ele teve algo a ver com isso. Tudo o que chegava perto dele morria ou era arruinado. É meio engraçado pensar isso a respeito de um médico. Você deveria saber."

"Eu vou embora, senhora Paulsson. Sei que não foi uma conversa fácil, nenhum momento dela. A senhora tem o número do meu celular. Se lembrar alguma coisa importante, me ligue."

A sra. Paulsson aquiesce, olhando para ela e chorando.

"Talvez alguém tenha estado nesta casa, alguém de

quem a gente já ouviu falar. Alguém além de Frank. Talvez alguém que Frank tenha recebido, alguém que conhecesse. Talvez alguém que também tenha participado do jogo."

Ela não se levanta da cadeira quando Scarpetta anda em direção à porta.

"Alguém de quem a senhora possa se lembrar", diz Scarpetta. "Gilly não morreu de gripe", continua ela. "Precisamos saber o que aconteceu, exatamente o que aconteceu com ela. E nós vamos saber. Mais cedo ou mais tarde. Acredito ser melhor que seja mais cedo, não acha?"

A sra. Paulsson fica olhando para a parede.

"Pode me ligar a qualquer hora", diz Scarpetta. "Agora eu vou embora. Se precisar de algo, pode me ligar. Eu agradeceria algumas sacolas de lixo de plástico, se tiver."

"Embaixo da pia. Se for para o que eu acho que é, você não precisa delas", murmura a sra. Paulsson.

Scarpetta abre o armário debaixo da pia e retira quatro grandes sacos de lixo de plástico de uma caixa. "Vou levar assim mesmo", comenta. "Tomara que eu não precise deles."

Ela passa pelo quarto e recolhe a roupa de cama usada, as botas e a camiseta, e põe tudo dentro dos sacos plásticos. Já na sala de estar, veste o casaco e volta para debaixo da chuva, carregando quatro sacos, dois cheios de roupas de cama e dois com apenas uma camiseta e um par de botas. As poças na entrada de tijolo espirram água fria nos seus sapatos e gelam seus pés, e a chuva parece quase congelada ao cair sobre ela e ao redor.

32

Está muito escuro dentro do Other Way Lounge, e as mulheres que trabalham aqui pararam de lançar a Edgar Allan Pogue longos olhares que a princípio eram de curiosidade, depois de desdém, e finalmente de indiferença, até deixarem de existir por completo. Ele pega o caule de uma cereja e passa algum tempo fazendo um nó.

Ele costuma beber Bleeding Sunsets no Other Way, uma especialidade da casa que é uma mistura de vodca e Outra Coisa, como ele chama, Outra Coisa que é vermelha e se acumula de forma irregular no fundo do copo. Um Bleeding Sunset parece um pôr do sol até algumas mexidas no copo misturarem os líquidos e xaropes da Outra Coisa, e então o drinque fica simplesmente alaranjado. Quando o gelo derrete, o que sobra no copo parece uma daquelas bebidas cor de laranja que tomava quando era criança. Vinham em recipientes de plástico que imitavam uma laranja, e ele tomava com canudinhos verdes que deveriam ser parecidos com caules, e a bebida cor de laranja era diluída e enfadonha, mas a laranja plástica em que vinha sempre prometia uma bebida refrescante e deliciosa. Ele implorava que sua mãe comprasse uma laranja plástica toda vez que os dois iam para o sul da Flórida, mas ficava sempre desapontado.

As pessoas são como aquelas laranjas de plástico e como o que havia nelas. As pessoas são uma coisa quando se olha para elas e outra quando se prova delas. Ele ergue o copo e toma o resto do líquido alaranjado do fundo.

Pensa em pedir outro Bleeding Sunset enquanto calcula quanto ainda tem em dinheiro e também levando em conta sua sobriedade. Pogue não é um bêbado. Nunca ficou bêbado na vida. Preocupa-se excessivamente com a possibilidade de se embebedar e não consegue pensar num Bleeding Sunset ou em qualquer outra beberagem sem avaliar cada grama do que engole, preocupado com seu efeito. Também se preocupa com o próprio peso, e o álcool engorda. A mãe dele era gorda. Ficou mais gorda com o tempo, e foi uma pena, porque ela já tinha sido bonita. É coisa de família, costumava dizer. Se continuar comendo desse jeito, você vai saber do que estou falando, costumava dizer.

"Eu vou querer mais um", diz Edgar Allan Pogue para quem quer que possa estar escutando.

O Other Way é como um salão de clube muito pequeno, com mesas de madeira cobertas com toalhas pretas. Há velas nas mesas, mas nunca foram acesas quando ele estava presente. Num canto há uma mesa de bilhar, mas ninguém jamais jogou bilhar quando ele estava presente, e ele desconfia que os clientes daqui não se interessam por bilhar e que a desgastada mesa forrada de feltro vermelho pode ter sobrado de alguma encarnação passada. É bem provável que o Other Way já tenha sido outro tipo de estabelecimento. Tudo já foi alguma outra coisa antes.

"Acho que vou querer mais um", diz.

As mulheres que trabalham aqui são anfitriãs, não garçonetes, e esperam ser tratadas como anfitriãs. Os cavalheiros que entram e saem do Other Way não estalam os dedos para chamar as moças porque elas são anfitriãs e exigem respeito, tanto respeito que Pogue sente que estão fazendo um favor ao permitir que venha aqui gastar seu dinheiro com os gotejantes Bleeding Sunsets. Os olhos dele movem-se na escuridão e ele vê a ruiva. Ela usa um exíguo colete preto e curto que deveria ter uma blusa por baixo mas não tem. O colete mal cobre o que precisa cobrir, e ela nunca se inclinou para ele por outra razão que não

283

a de limpar a toalha ou servir uma bebida. Ela só se inclina para mostrar algo a homens especiais, aqueles homens especiais que dão boas gorjetas e sabem das coisas. O colete tem um peitilho que não é nada mais que um quadrado de pano preto menor que uma folha de papel, preso por duas tiras pretas. O peitilho é folgado. Quando se inclina durante uma conversa ou para recolher um copo vazio, ela ri e saracoteia dentro do peitilho e pode até mostrar alguma coisa, mas está escuro, muito escuro, e ela nunca se inclinou sobre a mesa de Pogue e provavelmente nunca vai se inclinar, e ele não consegue enxergar direito de onde está sentado.

Ele se levanta da mesa perto da porta porque não quer gritar para pedir outro Bleeding Sunset, e nem sabe mais ao certo se quer mesmo outro. Continua pensando na laranja de plástico brilhante com o canudinho verde, e, quanto mais ele a vê e se lembra de seu desapontamento, mais injusto lhe parece. Fica em pé ao lado da mesa e tira do bolso uma nota de vinte. Seu dinheiro nunca é recusado no Other Way, é como bife para um cachorro, avalia. A ruiva chega fazendo barulho com seus sapatos pontudos de salto alto, saracoteando dentro do peitilho, inflando a saia curta e justa. De perto, ela é velha. Tem cinqüenta e sete ou cinqüenta e oito anos, talvez sessenta.

"Está indo embora, amor?" Ela pega a nota de vinte da mesa sem olhar para ele.

Há uma mancha em sua bochecha direita que está disfarçada, provavelmente com delineador. Ele faria um trabalho muito melhor. "Eu queria mais um", diz.

"E quem não quer, amor?" O riso dela lembra o miado de um gato sentindo dor. "Fique na linha que já vou trazer."

"Agora é tarde demais", diz ele.

"Bessie, minha garota, onde está o meu uísque?", pergunta um homem silencioso de uma mesa próxima.

Pogue já o vira antes, dirigindo um Cadillac prateado grande e novo. Ele é muito velho, pelo menos oitenta ou oitenta e um ou oitenta e dois anos, vestido num terno claro de linho listrado e gravata azul-clara. Bessie saracoteia e rebola perto dele, e de repente Pogue já se foi, mesmo que ainda não tenha partido. E vai embora. Ele pode muito bem ir embora, uma vez que já partiu. Passa pela pesada porta escura e pisa no cascalho do estacionamento escuro, diante das árvores de azeitonas pretas e palmeiras ao longo da calçada. Ele pára sob as sombras densas das árvores e olha para o posto Shell do outro lado da avenida 26 Norte, com a concha amarela iluminando a noite, sente a brisa morna e se contenta só de ficar ali durante alguns minutos, observando.

A concha iluminada o faz pensar novamente nas laranjas de plástico. Pogue não sabe por quê, a não ser que sua mãe costumasse comprar refrigerantes para ele em postos de gasolina, e talvez ela fizesse isso. Faria sentido que ela os comprasse de vez em quando, provavelmente por dez centavos cada um, quando estavam viajando de carro da Virgínia à Flórida, para Vero Beach, como faziam todos os verões para visitar a mãe dela, que tinha dinheiro, muito dinheiro. Pogue e a mãe sempre ficavam num lugar chamado Driftwood Inn, do qual não se lembra muito a não ser que parecia ter sido construído de madeira flutuante e que à noite dormia no mesmo bote inflável em que flutuava durante o dia.

O bote não era muito grande, e seus braços e pernas pendiam para fora da mesma forma que quando estava remando nas ondas, e era nele que dormia na sala enquanto sua mãe ficava dentro do quarto com a porta trancada, o único ar-condicionado rateando na janela dentro do quarto trancado. Ele se lembra de como suava e sentia calor, de como sua pele queimada pelo sol grudava no bote de plástico e que cada vez que se mexia tinha a sensação de um esparadrapo sendo arrancado da pele, a noite inteira, a semana inteira. Assim eram as férias com a mãe. Eram as únicas férias no ano, no verão, sempre em agosto.

Pogue observa faróis vindo e luzes traseiras indo, olhos

285

brilhantes brancos e vermelhos voando pela noite, e olha à frente e à esquerda esperando a luz do semáforo mudar. Quando muda, o tráfego fica mais lento e ele trota pela alameda liberada do tráfego no sentido leste e esgueira-se entre os carros na pista que vai para o oeste. No posto Shell, olha para a concha amarela brilhando bem acima na escuridão e observa um velho vestindo calções largos se servindo numa bomba e outro velho num terno amarrotado se servindo em outra bomba. Pogue permanece nas sombras e move-se silenciosamente para a porta de vidro, e um sino toca quando ele entra e anda direto até a máquina de bebidas. A mulher no balcão está registrando um saco de batatas fritas, uma caixa com seis latas de cerveja e gasolina, e não olha para ele.

Perto da máquina de café há uma máquina de refrigerantes, e Pogue pega cinco dos maiores copos plásticos com suas tampas e anda até o balcão. Os copos são brilhantes e têm cartuns desenhados e as tampas que escolheu são brancas, com uma pequena fenda para se beber. Ele deposita os copos e as tampas no balcão.

"Você tem laranjas de plástico com canudinhos verdes? Suco de laranja?", pergunta para a moça atrás do balcão.

"O quê?" Ela franze o cenho e pega um dos copos. "Estão vazios. Você não vai levar o refrigerante?"

"Não", responde ele. "Só quero os copos e as tampas."

"Nós não vendemos só os copos."

"Mas eu só quero isso", insiste.

A mulher espia por cima dos óculos para observar o rosto dele, e Pogue se pergunta o que ela vê quando olha para ele, daquele jeito. "Nós não vendemos só os copos, já disse."

"Eu compraria uma bebida de laranja se vocês tivessem", observa ele.

"Que bebida de laranja?" A impaciência dela chameja. "Está vendo aquela geladeira grande ali atrás? Nós só temos o que está lá."

"Esse refrigerante vem em recipientes de plástico que parecem laranjas com um canudinho verde."

286

A expressão carrancuda da mulher se dissolve num olhar de espanto, e seus lábios pintados e brilhantes se abrem num sorriso que o faz lembrar de uma abóbora com cara de gente. "Ora veja só, agora sei exatamente do que está falando. Aquelas bebidas de laranja. Querido, elas saíram do mercado há anos. Puxa, eu nunca mais tinha pensado nelas."

"Então vou levar só os copos e as tampas", insiste ele.

"Oh, Deus, desisto. Que bom que meu turno está quase acabando, vou te falar."

"Uma longa noite", comenta ele.

"E acabou de ficar mais longa." Ela dá risada. "Aquelas laranjas com canudinhos." Ela olha em direção à porta quando o velho de calção largo entra para pagar sua gasolina.

Pogue não presta atenção nele. Pogue está olhando para ela, para seu cabelo tingido, tão platinado quanto linhas de pesca, e sua pele maquiada parece um tecido macio e enrugado. Se tocasse na pele dela, teria a sensação de estar tocando em asas de borboleta. Se tocasse na pele dela, a maquiagem seria removida, assim como as asas de uma borboleta. No crachá dela está escrito EDITH.

"Vou dizer uma coisa", Edith está falando com ele. "Vou cobrar cinqüenta centavos por cada copo vazio e lhe dar as tampa. Agora preciso atender os outros clientes." Os dedos dela bicam a caixa registradora e a gaveta desliza e abre.

Pogue entrega a Edith uma nota de cinco dólares e seus dedos tocam nos dela na devolução do troco, e os dedos são frios, rápidos e delicados, e ele sabe que a pele é solta, como costuma ser a pele das mulheres da idade dela. Fora, na noite úmida, ele espera o tráfego e atravessa a rua da mesma forma como fez minutos atrás. Fica um tempo sob as mesmas árvores de azeitonas pretas, observando a porta da frente do Other Way. Num momento em que ninguém está entrando ou saindo, caminha rapidamente e entra no carro.

287

33

"Você devia contar para ele", diz Marino. "Mesmo se não sair do jeito que você imagina, ele devia saber o que está acontecendo."

"É assim que as pessoas entram pelo caminho errado", retruca Scarpetta.

"É assim também que elas saem na frente."

"Desta vez, não", diz ela.

"Você é quem manda, doutora."

Marino está recostado em sua cama no Marriot, na rua Broad, e Scarpetta se senta na mesma cadeira em que estava antes, só que a puxou para mais perto dele. Ele parece muito grande, mas menos ameaçador dentro do pijama branco largo que ela encontrou numa loja de departamentos ao sul do rio. Embaixo do tecido claro e macio seus ferimentos ganharam uma tonalidade alaranjada escura causada pela Betadine. Ele garante que seus ferimentos não estão mais doendo tanto, não mesmo. Ela tirou o conjunto azul-marinho salpicado de lama e está vestindo calça de veludo cotelê marrom e um pulôver azul-escuro de gola rulê e sandálias. Os dois estão no quarto de Marino porque Scarpetta não o queria em seu quarto, por isso concluiu que o quarto dele seria mais seguro. Os dois comeram sanduíches mandados pelo serviço de quarto e agora estão apenas conversando.

"Mas ainda não entendi por que você não pode simplesmente se afastar dele", diz Marino, jogando verde. Sua curiosidade quanto à relação dela com Benton é penetrante como uma poeira fina. Ela percebe isso constantemente e fica irritada, e não adianta tentar se livrar dessa sensação.

"Vou levar as amostras de solo para o laboratório amanhã logo cedo", comenta. "Logo vamos saber se houve algum engano. Se houve engano, não adianta falar com Benton a respeito. Um engano não é pertinente ao caso. Seria simplesmente um engano. Um mau engano."

"Mas você não acredita nisso." Marino a observa da pilha de travesseiros que ela amontoou atrás dele. Sua cor está melhor. Seus olhos estão mais brilhantes.

"Não sei no que acreditar", diz ela. "Não faz sentido de jeito nenhum. Se a prova vestigial encontrada no motorista do trator não for um engano, então qual é a explicação? Como pode o mesmo tipo de indício ter surgido no caso Gilly Paulsson? Talvez você tenha uma teoria."

Marino se concentra, os olhos fixos na janela preenchida pela escuridão e pelas luzes da cidade. "Não consigo imaginar", conclui. "Juro por Deus, não consigo pensar em nada, a não ser no que falei na reunião. E eu só estava querendo dar uma de esperto."

"Quem? Você?", pergunta ela secamente.

"É sério. Como pode esse tal Whitby apresentar o mesmo vestígio que a garota? Em primeiro lugar, ela morreu duas semanas antes dele. Então por que estava nele também, ainda por cima duas semanas depois de ter sido encontrado nela? Não me cheira bem", opina Marino.

O espírito de Scarpetta tem um sobressalto e ela tem uma sensação de enjôo que aprendeu a reconhecer como medo. A única explicação lógica no momento é uma contaminação, ou um rótulo posto erradamente. As duas coisas podem acontecer com mais facilidade do que se pode imaginar. Basta uma sacola de provas ou um tubo de ensaio serem colocados no envelope ou prateleira errados, ou um rótulo inapropriado ser colado numa amostra. Isso pode acontecer em cinco segundos de desatenção ou confusão, e além disso a prova pode vir de uma fonte disparatada ou, pior, responder a uma questão que pode libertar um suspeito ou mandá-lo ao tribunal, à prisão, ao corredor da morte. Ela pensa em dentaduras. Visualiza o soldado de Fort Lee tentando encaixar à força as dentaduras erradas na boca do cadáver daquela mulher obesa. Basta isso, um momento de negligência como esse.

"Ainda não consegui entender por que você não se afasta de Benton", diz Marino, alcançando um copo com água perto da cama. "Que mal poderia fazer eu tomar algumas cervejas? Que diferença faz uma gota a mais no oceano?"

"E que bem poderia fazer?" Ela tem pastas no colo e está distraidamente folheando cópias de relatórios, vendo se alguma coisa que já sabe sobre Gilly e o motorista do trator pode subitamente apontar para algum fato novo. "O álcool interfere no processo de cura", sentencia. "E não é exatamente um grande amigo seu, é?"

"Ontem à noite não foi."

"Tome o que quiser. Não vou ficar dizendo o que deve fazer."

Marino hesita e Scarpetta percebe que na verdade ele quer que ela diga o que deve fazer, mas ela não diz. Já fez isso antes e é um desperdício, e ela não deseja ser o co-piloto de alguém que voa através da vida como um bombardeiro maluco. Marino olha para o telefone, as mãos no colo, e pega o copo com água.

"Como está se sentindo?", pergunta ela, virando uma página. "Quer mais um Advil?"

"Eu estou bem. Nada que algumas cervejas não possam curar."

"Você que sabe." Ela vira outra página, conferindo a longa lista de órgãos rompidos e lacerados do sr. Whitby.

"Tem certeza de que ela não vai chamar a polícia?", pergunta Marino.

Scarpetta sente os olhos dele sobre ela. Eles brilham como o calor suave de uma lâmpada, e ela não o culpa por estar assustado. Só as acusações já o arruinariam, essa é a verdade. Marino estaria destruído como agente da lei, e é bem possível que um júri de Richmond o considerasse culpado pelo simples fato de ser homem, um homem muito grande, e pela capacidade da sra. Paulsson de se comportar de uma forma indefesa e digna de pena. Pensar nela aguça a raiva de Scarpetta.

"Não vai, não", garante ela. "Eu desmascarei o blefe dela. Esta noite ela vai sonhar com todas as provas mágicas que carreguei da casa dela. E principalmente vai sonhar com o joguinho dela. A senhora Paulsson não quer que a polícia nem mais ninguém saibam sobre o joguinho ou os joguinhos que faz naquela casinha histórica. Mas eu quero perguntar uma coisa a você." Ela ergue os olhos da papelada no colo. "Se Gilly estivesse viva e em casa, você acha que a Suz, como você a chama, teria feito o que fez ontem à noite? Sei que é uma conjectura. Mas o que dizem os seus instintos?"

"Acho que ela faz o que quiser", responde ele num tom monocórdio, que revela ressentimento e ultraje contidos pela vergonha.

"Você lembra se ela estava bêbada?"

"Estava alta", responde ele. "Alta como um balão."

"De álcool ou de alguma outra coisa além disso?"

"Eu não a vi tomando nenhuma pílula, fumando ou se aplicando. Mas provavelmente aconteceu muita coisa lá que eu não vi."

"Alguém vai ter que falar com Frank Paulsson", diz Scarpetta, analisando outro relatório. "Dependendo do que vamos descobrir amanhã, podemos ver se Lucy pode nos ajudar."

Marino fixa uma expressão no rosto e sorri pela primeira vez em horas. "Cacete. Que bela idéia. Ela é piloto. Vamos mandá-la para cima do pervertido."

"Exatamente." Scarpetta vira uma página e respira fundo, em silêncio. "Nada", conclui. "Não há nada aqui que me revele qualquer nova informação sobre Gilly. Ela foi asfixiada e tinha raspas de tinta e metal na boca. Os ferimentos do senhor Whitby são compatíveis com o fato de ter sido atropelado por um trator. Pelo sim, pelo não, precisamos descobrir se existe alguma possibilidade de ele ter alguma ligação com os Paulsson."

"Ela saberia disso", diz Marino.

"Mas você não vai ligar para ela." Scarpetta está determinada quanto ao que ele deve fazer nessa situação. Marino não deve telefonar para Suzanna Paulsson. "Não abuse da sua sorte." Ela olha para ele.

"Eu não disse que ia ligar. Talvez ela conheça o motorista do trator. Que inferno, talvez ele tenha participado do jogo. Talvez eles tenham um clube de pervertidos."

"Bem, eles não são vizinhos." Scarpetta examina a papelada na pasta de Whitby. "Ele morava perto do aeroporto, não que isso prove alguma coisa, necessariamente. Amanhã, enquanto eu estiver no laboratório, talvez você possa tentar descobrir algo."

Marino não responde. Ele não quer falar com os policiais de Richmond.

"Você vai ter que encarar", diz Scarpetta, fechando a pasta.

"Encarar o quê?" Ele olha para o telefone perto da cama, talvez pensando de novo na cerveja.

"Você sabe."

"Eu odeio quando você fala desse jeito", reclama Marino, ficando irritado. "Como se eu pudesse descobrir alguma coisa a partir de uma ou duas palavras. Acho que tem caras que se sentiriam gratos em conhecer uma mulher que fala pouco."

Scarpetta cruza as mãos em cima das pastas no colo e parece se divertir, por alguma razão. Sempre que ela tem razão, ele se irrita. Ela espera para ver o que ele vai dizer em seguida.

"Tudo bem", concorda, incapaz de manter o silêncio por muito tempo. "Encarar o quê? Me diga apenas o que eu preciso fazer além de me internar num hospício, porque neste momento estou me achando meio louco."

"Você tem que encarar o seu medo. E você está com

medo da polícia porque tem receio de que a senhora Paulsson tenha falado com eles. Ela não fez isso. Nem vai fazer. Se você superar essa questão, o medo vai desaparecer."

"Não é uma questão de medo. É de ter sido estúpido", rebate ele.

"Ótimo. Então você vai ligar para o detetive Browning, ou alguém mais, porque, se não ligar, aí sim vai estar sendo estúpido. Agora vou voltar ao meu quarto", acrescenta ela, levantando-se da cadeira e andando até perto da janela. "A gente se vê no saguão às oito."

34

Ela toma uma taça de vinho na cama, mas não é um vinho muito bom, um Cabernet que deixa um gosto áspero na boca. Mas ela toma até a última gota da taça e fica sozinha em seu quarto de hotel. São duas horas mais cedo em Aspen e talvez Benton tenha saído para jantar ou para alguma reunião, ocupado com seu caso, o caso secreto que ele não discute com ela.

Scarpetta volta a arrumar os travesseiros nas costas, apoiados na cama, e deposita a taça de vinho vazia no criado-mudo, perto do telefone. Olha para o telefone, depois olha para a TV, pensando se deveria ligar o aparelho. Depois de decidir não ligar a TV, olha novamente para o telefone e tira o fone do gancho. Disca o número do celular de Benton, pois ele disse para não ligar para sua casa, e estava falando sério. Foi bem claro a respeito. Não ligue para casa, disse a ela. Eu não vou atender o telefone fixo, falou.

Não faz sentido, contestou ela faz tanto tempo que parecem meses. Por que não vai atender o telefone de casa?

Não quero ser distraído, respondeu. E não vou atender o telefone fixo. Se quiser mesmo falar comigo, ligue para o meu celular, Kay. Por favor, não tome isso pelo lado pessoal. É simplesmente como as coisas são. Você sabe como é.

O celular de Benton toca duas vezes e ele atende.

"O que está fazendo?", pergunta ela, olhando para a tela da TV desligada em frente à cama.

"Olá", diz ele de forma delicada porém distante. "Estou no escritório."

Ela imagina o quarto do terceiro andar que ele transformou em escritório dentro de sua casa em Aspen. Imagina-o sentado à escrivaninha, um documento aberto na tela do computador. Ele está trabalhando no caso, e Scarpetta se sente melhor ao saber que está em casa, trabalhando.

"Tive um dia bastante difícil", diz ela. "Como foi o seu?"

"Fale sobre o que está acontecendo."

Scarpetta começa a falar sobre o dr. Marcus, mas não quer se aprofundar no assunto. Depois começa a contar sobre Marino, porém as palavras se recusam a sair. Seu cérebro está entorpecido e por alguma razão se sente agressiva com Benton. Sente falta dele, mas se sente agressiva e não quer falar muito com ele.

"Por que não me conta sobre o seu dia?", prefere dizer. "Você esquiou, caminhou na neve?"

"Não."

"Está nevando?"

"Neste exato minuto, está", responde ele. "E onde você está?"

"Onde estou?" Scarpetta está ficando aborrecida. Não importa o que ele disse dias atrás ou o que ela sabe. Sente-se magoada e aborrecida. "Você está me perguntando genericamente porque não consegue se lembrar de onde estou? Estou em Richmond."

"É claro. Não foi isso que eu quis dizer."

"Tem alguém aí? Você está no meio de uma reunião ou coisa assim?", pergunta ela.

"Precisamente", responde ele.

Benton não pode falar e ela está arrependida de ter ligado. Sabe como é quando ele não se sente seguro para falar, e preferia não ter ligado. Imagina-o no escritório e se pergunta o que mais ele pode estar fazendo. Talvez tenha medo de estar sob vigilância eletrônica. Ela não deveria ter ligado. Talvez ele esteja apenas preocupado, mas ela prefere acreditar que está tomando cuidado, e não preocupado a ponto de não poder se concentrar nela. Ela não deveria ter ligado.

"Tudo bem", diz. "Desculpe ter ligado. Nós não nos falamos há dois dias. Mas entendo que esteja no meio do que estiver fazendo, seja o que for, e estou cansada."

"Você ligou porque está cansada?"

Benton a está provocando, brincando muito sutilmente com ela, e ao mesmo tempo talvez um pouco acuado. Não quer pensar que ela ligou porque está cansada, pensa, e sorri, apertando o fone contra a orelha. "Você sabe como eu fico quando estou cansada", brinca. "Não consigo me controlar quando estou cansada." Scarpetta ouve um ruído ao fundo, talvez uma voz, uma voz de mulher. "Tem alguém aí?", pergunta novamente, agora não mais brincando.

Uma longa pausa, e ela detecta a voz abafada de novo. Talvez ele esteja com o rádio ou a TV ligado. Depois não ouve mais nada.

"Benton? Você está aí? Benton? Droga", murmura. "Droga", diz, desligando.

35

O Publix, na Hollywood Plaza, está cheio. Edgar Allan Pogue caminha pelo estacionamento com suas sacolas plásticas de compras, os olhos se movendo em todas as direções, verificando se alguém está prestando atenção nele. Ninguém está. Se alguém estivesse, não teria importância. Ninguém se lembra de Pogue, nem pensa nele. Ninguém, nunca. Além disso, ele só está fazendo o que é certo. Um favor para o mundo, conclui, ao passar pelos limites da luz que brilha das altas lâmpadas do estacionamento. Ele se mantém nas sombras e anda rapidamente, porém sem ansiedade.

Seu automóvel branco é igual a vinte mil outros carros brancos no sul da Flórida, e ele o deixou num canto remoto do estacionamento, entre dois outros automóveis brancos. Um dos automóveis brancos, o Lincoln que estava parado à sua esquerda mais cedo, não se encontra mais lá, mas quis o destino que outro automóvel branco, um Chrysler, tomasse seu lugar. Em momentos puros e mágicos como este, Pogue sabe que está sendo observado e conduzido. O olho observa. Ele é conduzido pelo olho, pelo poder superior, o deus dos deuses, o deus no alto do Monte Olimpo, o maior deus de todos os deuses, que é mais insondável e grandioso que qualquer estrela de cinema ou pessoa arrogante que pense ser todo-poderosa. Como ela. Como a Grande Sereia.

Usando o controle remoto para destrancar o carro, Pogue abre o porta-malas e ergue outra sacola, esta da All

Season Pools. E senta-se na morna escuridão do banco dianteiro de seu automóvel branco, considerando se conseguirá enxergar bem o bastante para a tarefa a ser realizada. As luzes das lâmpadas do estacionamento mal chegam aos limites externos onde ele se encontra, e Pogue espera que seus olhos se adaptem, e eles se adaptam. Inserindo a chave na ignição, liga a bateria para poder escutar música e aperta um botão na lateral do banco para empurrá-lo o máximo para trás possível. Ele precisa de bastante espaço para trabalhar, e seu coração salta quando abre a sacola de plástico e tira um par de luvas de borracha grossa, uma caixa de açúcar granulado, uma garrafa de soda limonada, rolos de papel-alumínio e fita de vedação, diversos pincéis atômicos e uma caixa de goma de mascar de hortelã. O interior de sua boca está com gosto de charuto apagado desde que saiu do apartamento, às seis da tarde. Agora ele não pode fumar. Fumar outro charuto o livraria do gosto de tabaco sujo e estagnado, mas agora não pode fumar. Abrindo a embalagem de goma de mascar, ele enrola o tablete e o põe na boca, depois abre mais dois tabletes e faz a mesma coisa, forçando-se a esperar enquanto afunda os dentes nos três rolos de goma, e suas glândulas salivares explodem dolorosamente, como agulhas espetando as mandíbulas, e começa a mascar em bocadas grandes e vigorosas.

Pogue fica no escuro, mascando. Logo incomodado com o rap, procura outras estações até encontrar o que hoje em dia se chama de rock adulto, e abre o porta-luvas e tira um saco plástico com fecho. Anéis de cabelo humano transparecem no plástico como se fossem um escalpo. Retira cuidadosamente a peruca ondulada e a afaga enquanto observa os ingredientes de sua alquimia no banco de passageiros. Em seguida dá a partida no carro.

Os tons esmaecidos do centro de Hollywood flutuam como um sonho, e as minúsculas luzes brancas filtradas pelas palmeiras são galáxias quando ele percorre aquele espaço sentindo a energia do que está ao seu lado no banco de passageiros. Vira para o leste na Hollywood Boulevard e dirige exatamente três quilômetros por hora abaixo do limite de velocidade em direção à auto-estrada A1A. À frente, o Hollywood Beach Resort é um maciço de terracota rosa pálido, e no outro lado está o mar.

36

A alvorada está no oceano, e tons de rosa e tangerina se espalham ao longo do horizonte azul como se o sol fosse um ovo quebrado. Rudy Musil encosta seu Hummer verde de guerra na entrada da casa de Lucy, aperta o controle remoto para abrir o portão elétrico e instintivamente olha ao redor, examinando todo o cenário com ouvidos atentos. Ele não sabe por quê, mas se sente tão intranqüilo esta manhã que pulou da cama e resolveu dar uma olhada na casa de Lucy.

As barras de metal preto do portão se abrem lentamente, estremecendo a intervalos ao longo do trilho curvo, pois, embora também seja curvo, ao que parece o portão não gosta de curvas. Mais um entre muitos erros de projeto, costuma pensar Rudy quando visita a mansão cor de salmão de Lucy. O maior erro de projeto de todos foi o que ela cometeu quando comprou esta maldita casa, pensa. Para morar como um traficante de drogas podre de rico, pensa. As Ferrari são uma coisa. Ele entende que alguém queira ter os melhores carros e o melhor helicóptero. Ele gosta do seu Hummer, a propósito, mas querer ter um foguete ou um tanque é uma coisa. Querer uma âncora, uma enorme e pomposa âncora, é outra coisa bem diferente.

Rudy percebe alguma coisa ao entrar no terreno, mas não dá uma segunda olhada nem pensa a respeito até passar pelo portão aberto e sair do Hummer. Depois volta para pegar o jornal e nota que a bandeira da caixa de correio está hasteada. Lucy não recebe correspondência na residência e não está em casa para descer ou subir a bandeira. E, mesmo se estivesse em casa, ela não subiria a bandeira. Todas as encomendas e correspondência são entregues no campo de treinamento e no escritório, meia hora ao sul de Hollywood.

Isso é estranho, pensa, e anda até a caixa de correio e pára, jornal em uma mão, a outra mão assentando os cabelos manchados de sol, desgrenhados desde a manhã. Ele também não fez a barba nem tomou banho, e precisa fazer isso. Agitou-se a noite inteira, suando na cama, incapaz de encontrar uma posição confortável, por mais que tentasse. Rudy olha ao redor, pensando. Ninguém saiu. Ninguém está correndo ou passeando com o cachorro. Uma coisa que certamente notou nessa vizinhança é que as pessoas são reservadas e não curtem suas ricas residências nem mesmo suas modestas casas. Raramente alguém fica no pátio ou usa a piscina, e os que têm barcos pouco saem com eles. Que lugar esquisito, pensa. Que lugar antipático, peculiar e desagradável, pensa, irritado.

Com tantos lugares para morar, por que aqui? Por que raios aqui? Por que diabo alguém quer ficar perto de tanta gente babaca? Você desobedeceu a todas as suas regras, Lucy, cada uma delas, Lucy, pensa Rudy, enquanto abre a caixa de correio, olha para dentro e instantaneamente salta para o lado e recua três metros sem pensar, antes de ser atingido por uma descarga de adrenalina e registrar o que está vendo.

"Que merda!", exclama. "Puta merda!"

37

O tráfego no centro está ruim, como sempre, e Scarpetta está no volante porque Marino ainda se move com dificuldade. Os ferimentos nas partes que não ficam bem ser comentadas parecem a maior fonte de dor, seu andar é trôpego e foi difícil entrar no utilitário alguns minutos antes. Scarpetta sabe o que viu, mas o acintoso tom vermelho púrpura do frágil tecido não era mais que um grito silencioso se comparado com a dor ruidosa que deveria estar se manifestando agora. Marino não será ele mesmo por algum tempo.

"Como está se sentindo?", pergunta outra vez. "Vou confiar no que me disser." O que ela quer dizer está implícito: não vai lhe pedir para tirar a roupa mais uma vez. Poderá examiná-lo se ele pedir, mas espera não ser necessário. De qualquer forma, Marino não vai pedir.

"Acho que estou melhor", responde, olhando para o velho departamento de polícia da rua 9. O edifício está feio há anos, com a pintura descascada, e faltam telhas na beira do telhado. Agora parece pior, porque está vazio e silencioso. "Nem acredito quantos anos perdi nesse lugar", acrescenta.

"Ah, sem essa." Ela liga o pisca-pisca, que tiquetaqueia como um relógio indiscreto. "Isso não é jeito de falar. Não vamos começar o dia com esse tipo de conversa. Estou confiando em que você me conte se o inchaço piorar. É muito importante que me diga a verdade."

"Está melhor."

"Ótimo."

"Eu passei aquela tintura de iodo de manhã."

"Ótimo", diz ela. "Continue passando a cada vez que sair do banho."

"Não está mais ardendo tanto. Mesmo. E se ela tiver alguma doença, como Aids? Eu tenho pensado a respeito. E se ela tiver? Como vou saber que não tem?"

"Isso eu não sei, infelizmente", responde Scarpetta, rodando devagar pela rua Clay, o gigantesco Coliseum assentado no meio dos estacionamentos vazios à esquerda. "Se faz você se sentir melhor, quando examinei a casa não encontrei nenhum remédio controlado que pudesse indicar que ela tem Aids ou qualquer outra doença sexualmente transmissível ou algum tipo de infecção. Isso não significa que não seja soropositiva. Talvez seja e não saiba. O mesmo pode ser dito de qualquer um com quem tenha tido intimidade. Portanto, se quiser se preocupar com isso, vá em frente."

"Pode ter certeza que não quero ficar preocupado com isso", afirma Marino. "Mas não adianta usar camisinha quando alguém morde você. Não dá para se proteger. Não se pode fazer sexo seguro com alguém que morde a gente."

"O eufemismo do ano", retruca ela, enquanto vira na rua 4. O celular toca, e Scarpetta fica preocupada quando reconhece o número de Rudy. Ele raramente liga para ela, e quando liga é para desejar feliz aniversário ou comunicar más notícias.

"Oi, Rudy", diz, circulando lentamente pelo estacionamento atrás do edifício. "Como vão as coisas?"

"Não consigo encontrar a Lucy", sua voz soa tensa no ouvido dela. "Deve estar fora de área ou com o celular desligado. Ela foi para Charleston de helicóptero hoje de manhã."

Scarpetta dá uma olhada em Marino. Ele deve ter ligado para Lucy depois que Scarpetta saiu do quarto ontem à noite.

"E foi muito bom que tenha ido", continua Rudy. "Foi muito bom mesmo."

303

"Rudy, o que está acontecendo?", pergunta Scarpetta, mais nervosa a cada segundo.

"Alguém pôs uma bomba na caixa de correio dela", responde ele, falando rapidamente. "É muita coisa para contar. Algumas coisas ela mesma teria que contar a você."

Scarpetta quase pára no meio do estacionamento, mas segue em direção às vagas para visitantes. "Quando e onde?", pergunta.

"Acabei de encontrar. Menos de uma hora atrás. Vim dar uma olhada na casa e vi a bandeirinha da caixa de correio hasteada, o que não fazia sentido. Abri e tinha um copo de plástico grande dentro, todo colorido de laranja com pincel atômico, a tampa verde com um pedaço de fita de vedação ao redor da abertura, você sabe, aquela fenda por onde a gente bebe, mas não consegui ver do que se tratava e por isso peguei uma daquelas varas compridas da garagem, com pinças na ponta para trocar lâmpadas que ficam muito altas. Peguei aquela coisa com a vara, carreguei até os fundos e neutralizei."

Ela demora a estacionar, com o carro mal se movendo enquanto presta a atenção. "Como conseguiu isso? Detesto ter que perguntar."

"Com um tiro. Não se preocupe. Foi um tiro controlado. Era uma bomba química, uma bomba de garrafa, se você conhece o tipo. Com bolinhas de papel de alumínio dentro."

"Metal para acelerar a reação." Scarpetta começa a considerar o diagnóstico diferenciado da bomba. "Típico em bombas de garrafa feitas de material de limpeza que contém ácido clorídrico, como os usados em vasos sanitários, que podem ser comprados em supermercados e lojas de ferragem. Infelizmente as fórmulas estão disponíveis na internet."

"Tinha um odor ácido, mais parecido com cloro, mas, como atirei nela perto da piscina, talvez eu tenha sentido o cheiro da água clorada."

"Possivelmente cloro granulado para piscina e algum

tipo de soda limonada. Também é popular. Uma análise química vai esclarecer."

"Não se preocupe. A bomba vai ser analisada."

"Sobrou alguma coisa do copo?", pergunta ela.

"Vamos procurar impressões digitais e ver se encontramos alguma coisa no Iafis."

"Teoricamente é possível obter DNA das digitais, se forem recentes. Vale a pena tentar."

"Nós vamos processar o copo e a fita de vedação. Não se preocupe."

Quanto mais Rudy fala para não se preocupar, mais ela fica preocupada.

"Eu não chamei a polícia", acrescenta ele.

"Não estou em posição de aconselhar você a esse respeito." Ela desistiu de aconselhar Rudy ou qualquer um associado a ele. As regras de Lucy e seu pessoal são diferentes, criativas e arriscadas, e geralmente podem ser consideradas ilegais. Scarpetta parou de procurar saber detalhes que não a deixam dormir à noite.

"Isso pode estar relacionado com algumas outras coisas", diz Rudy. "Lucy precisa contar para você. Se falar com ela antes de mim, diga para me ligar o mais rápido possível."

"Rudy, faça o que for melhor. Mas devo dizer que espero não haver nenhum outro dispositivo por lá, que quem fez isso não tenha deixado mais que uma bomba, que não tinha mais de um alvo", diz ela. "Já vi casos de pessoas que morreram com essas substâncias químicas explodindo na cara delas, ou que entraram pelos pulmões e pelas vias aéreas. Esses ácidos são tão fortes que a reação nem precisa se completar para a coisa explodir."

"Eu sei, eu sei."

"Por favor arranje um jeito de garantir que não haja outras vítimas ou vítimas em potencial por aí. Essa é a minha preocupação quando diz que está cuidando disso à sua maneira." É a forma que tem para dizer que, se ele não pretende chamar a polícia, deve ao menos ser responsável e fazer o possível para proteger o público.

"Eu sei o que fazer. Não se preocupe", assegura Rudy.

"Meu Deus", exclama Scarpetta, encerrando a ligação e olhando para Marino. "Minha nossa, o que está acontecendo por lá? Você deve ter telefonado para Lucy ontem à noite. Ela disse o que está acontecendo? Eu não a vejo desde setembro. Não sei o que está acontecendo."

"Uma bomba de ácido?" Marino está ereto no assento, sempre pronto para saltar se alguém ameaçar Lucy.

"Uma bomba de reação química. Daquele tipo de bomba de garrafa que nos deu trabalho em Fairfax. Lembra-se de todas aquelas bombas no norte da Virgínia há alguns anos? Um bando de garotos desocupados que achava divertido explodir caixas de correio e uma mulher acabou morrendo?"

"Que droga", lamenta Marino.

"De fácil acesso e terrivelmente perigosas. Um pH de um ou menos e a acidez sai de controle. Poderia ter explodido na cara da Lucy. Graças a Deus não foi ela que a encontrou na caixa de correio. Com ela nunca se sabe."

"Na casa dela?", pergunta Marino, ficando mais zangado. "A bomba estava na mansão dela na Flórida?"

"O que ela falou para você ontem à noite?"

"Contei a ela sobre Frank Paulsson, sobre o que estava acontecendo por aqui. Só isso. Ela disse que cuidaria de tudo. Naquela casa imensa, cheia de câmeras e o diabo? A bomba estava na casa dela?"

"Vamos", diz Scarpetta. "Eu conto tudo no caminho."

38

Perto das janelas, a luz da manhã aquece a mesa do computador que Rudy está usando. Ele digita e espera, em seguida digita rapidamente e espera um pouco mais, pressionando setas e rolando a tela, navegando na internet em busca de algo que acredita estar ali. Alguma coisa está ali. O psicopata viu alguma coisa que o pôs em movimento. Rudy sabe que a bomba não é uma coisa aleatória.

Ele está no escritório do campo de treinamento há duas horas, não fazendo outra coisa além de pesquisar na internet. Um dos cientistas forenses no laboratório particular perto dali escaneou as impressões digitais, algumas parciais, passou para o Iafis e já teve notícias. Os nervos de Rudy estão gritando como uma das Ferrari de Lucy em sexta marcha. Ele tecla um número no telefone e prende o receptor debaixo do queixo enquanto digita e olha para a tela plana do computador.

"Ei, Phil", diz. "Grande copo de plástico com o Gato. Copo tipo Seven-Eleven. Tampa originalmente branca. Sim, sim, o tipo de copo que se encontra em lojas de conveniência, postos de gasolina, e você mesmo enche. Mas com o Gato. Como assim, estranho? Dá para rastrear? Não, não estou brincando. Isso tem direitos autorais, certo? Mas o filme não é recente. Ano passado, época do Natal, certo? Não, não assisti e deixa de ser engraçadinho. Sério, que lugar ainda teria copos com o Gato depois de todo esse tempo? Na pior das hipóteses esses copos estão com ele há tempos. Mas temos que tentar. Sim, tem impressões digitais. O cara nem está tentando se esconder. Quer dizer, ele não liga a mínima de deixar as digitais por toda parte. No desenho que colou na porta da chefe. No quarto em que Henri foi atacada. E agora numa bomba. E nós encontramos uma combinação no Iafis. É, dá para acreditar? Não, ainda não tenho um nome. Talvez nem consiga. A combinação está numa busca latente, conferindo com impressões parciais de outro caso. Estamos verificando. É só o que a gente tem por enquanto."

Rudy desliga e volta ao computador. Lucy tem mais programas de busca no computador do que a Pratt & Whitney tem de turbinas, mas nunca pensou que algumas informações da web poderiam dizer respeito a ela. Não muito tempo atrás, ela não tinha razão para se preocupar. Normalmente agentes especiais não gostam de publicidade, a não ser se estiverem inativos e ansiosos por Hollywood, mas depois Lucy se ligou em Hollywood, depois se ligou na Henri, e depois sua vida mudou drasticamente, e para pior. Maldita Henri, pensa ele enquanto digita. Maldita seja. Maldita Henri, a atriz fracassada que resolveu ser policial. Maldita Lucy que a recrutou.

Ele inicia uma nova busca, digitando a palavra-chave "Kay Scarpetta" e "sobrinha". Agora ficou interessante. Pega um lápis e começa a girar nos dedos como um bastão enquanto lê um artigo publicado em setembro pela Associated Press. É um artigo muito curto e simplesmente relata que um novo legista-chefe foi nomeado na Virgínia, o dr. Joel Marcus, de St. Louis, e menciona o fato de estar ocupando o lugar de Scarpetta depois de anos no limbo e no caos, e assim por diante. Mas o nome de Lucy aparece no pequeno artigo. Desde que partiu da Virgínia, diz a matéria, a dra. Scarpetta trabalhou como consultora para a empresa de investigações particular A Última Delegacia, fundada por sua sobrinha, a ex-agente do FBI Lucy Farinelli.

Não é exatamente a verdade, pensa Rudy. Scarpetta não trabalha exatamente para Lucy, mas isso não quer dizer que as duas não tenham se envolvido nos mesmos ca-

308

sos algumas vezes. Scarpetta jamais trabalharia para Lucy, ele não a culpa por isso e nem sabe muito bem por que razão ele próprio trabalha para Lucy. Havia se esquecido completamente daquele artigo, e agora se lembra de ter ficado zangado com Lucy por causa disso e exigido saber por que diabo o nome dela e o nome A Última Delegacia acabaram citados numa matéria sobre o dr. Joel Marcus. A última coisa que a AUD precisa é de publicidade, e nunca houve nenhuma publicidade até Lucy se envolver com a indústria de entretenimento, e, depois disso, todo tipo de fofoca começou a vazar para os jornais e revistas especializadas em shows de TV.

Rudy faz uma nova busca, apertando os olhos, tentando imaginar uma coisa em que ainda não pensou, aí parece que seus dedos estão digitando sozinhos e ele escreve a palavra-chave "Henrietta Walden". Perda de tempo, pensa. O nome que ela usava quando era atriz desempregada de filmes B era Jen Thomas ou alguma outra coisa totalmente esquecível. Estende a mão para sua Pepsi sem olhar e não consegue acreditar na própria sorte. A busca retorna com três resultados.

"Vamos, que seja alguma coisa", diz para o escritório vazio ao clicar a primeira opção.

Uma Henrietta Taft Walden morreu cem anos atrás, uma espécie de abolicionista rica de Lynchburg, Virgínia. Uau, isso deve ter pesado como um balão de chumbo. Rudy não consegue imaginar uma abolicionista na Virgínia na época da Guerra Civil. Uma dama corajosa, tem que se admitir. Ele clica na segunda opção. Essa outra Henrietta Walden está viva, porém idosa e mora numa fazenda, também na Virgínia, cria cavalos de circo e recentemente deu um milhão de dólares para a Associação Nacional pelo Desenvolvimento da População de Cor, a NAACP. Provavelmente uma descendente da primeira Henrietta Walden, ele imagina, e se pergunta se Jen Thomas adotou o nome Henrietta Walden inspirada nessas notáveis abolicionistas, uma morta, outra viva por pouco tempo. Se foi isso, por quê? Visualiza a aparência chocantemente loira de Henri e sua postura peituda. Por que se inspiraria em mulheres apaixonadas pela causa dos negros? Provavelmente porque era uma coisa liberal a fazer em Hollywood, conclui sarcasticamente, clicando a terceira opção.

Este é um pequeno artigo da revista *The Hollywood Reporter*. Foi publicado em meados de outubro.

AGORA O PAPEL É NA VIDA REAL

A ex-atriz Henri Walden, que virou agente da Polícia de Los Angeles, assinou contrato com a renomada agência internacional de proteção A Última Delegacia, de propriedade e dirigida por Lucy Farinelli, uma ex-agente especial, piloto de helicóptero e de Ferrari, que por coincidência é sobrinha de uma famosa investigadora na vida real, a dra. Kay "Crossing Jordan" Scarpetta. A AUD, cujo quartel-general é em uma Hollywood menor, na Flórida, abriu recentemente um escritório em Los Angeles e expandiu suas atividades secretas à proteção de atores. Embora seus clientes sejam mantidos em sigilo, o *Reporter* apurou que alguns deles estão entre os maiores nomes das indústrias cinematográfica e musical e incluem superastros como a atriz Gloria Rustic e o *rapper* Rat Riddly.

"Meu papel mais ousado e excitante até agora", diz Henri sobre sua mais recente travessura. "Quem melhor para proteger estrelas de cinema senão alguém que já trabalhou na indústria?"

"Trabalhar" pode ser certo exagero, uma vez que a beldade loira teve longos períodos de lazer em sua carreira como atriz. Não que ela precisasse do dinheiro. É fato conhecido que sua família tem muito dinheiro. Henri é mais bem conhecida por seus pequenos papéis em filmes de grandes orçamentos como *Quick death* e *Don't be there*. Fique de olho em Henri. Agora ela está armada.

Rudy imprime a matéria e permanece na cadeira, os dedos descansando sobre o teclado enquanto olha para a tela pensando se Lucy sabe sobre aquele artigo. Como poderia não ficar furiosa se soubesse, e se soube, por que não demitiu Henri meses atrás? Por que Lucy não contou para ele? É difícil imaginar uma quebra de protocolo desse tipo da parte dela. É chocante Lucy ter permitido aquilo, supondo que o tenha feito. Rudy não consegue imaginar alguém da AUD dando uma entrevista à mídia ou mesmo falando demais, a não ser que fosse parte de uma operação cuidadosamente planejada. Só existe uma maneira de saber, pensa, apanhando o telefone.

"Ei", diz quando Lucy atende. "Onde você está?"

"Em St. Agustine. Num posto de gasolina." A voz dela está tensa. "Eu já soube da bomba."

"Não é por isso que estou ligando. Imagino que tenha falado com sua tia."

"Marino ligou. Não tenho tempo para conversar sobre isso", diz ela irritada. "Tem alguma coisa mais acontecendo?"

"Você sabia que a sua amiga deu uma entrevista comentando o fato de ter entrado para a nossa turma?"

"Nada disso tem a ver com o fato de ela ser minha amiga."

"Depois a gente discute isso", diz Rudy, fingindo estar bem mais calmo do que de fato está, pois está fervendo. "Só me responda. Você sabia?"

"Não sei nada desse artigo. Que artigo?"

Rudy lê o texto pelo telefone, depois espera para ver como ela vai reagir, e sabe que ela vai reagir, e isso o faz sentir-se um pouco melhor. Aquela história toda nunca pegou muito bem. Agora talvez Lucy seja forçada a admitir. Como Lucy não responde, Rudy pergunta: "Você continua na linha?".

"Continuo", responde ela de forma abrupta e petulante. "Eu não sabia disso."

"Bem, agora sabe. E temos um outro mundo novo inteiro para examinar. Como a rica família dela, por exemplo, e se existe alguma ligação entre eles e os tais Walden e sabe Deus o quê mais. Mas, em resumo, será que aquele psicopata leu esse artigo? E, se leu, do que se trata tudo isso? Sem mencionar que o nome artístico dela é de uma abolicionista da Virgínia. Assim como você, mais ou menos. Talvez seu envolvimento com ela não tenha sido uma simples coincidência."

"Isso é ridículo. Agora você está delirando", diz Lucy, intempestiva. "Ela estava numa lista de agentes da Polícia de Los Angeles que trabalhavam com serviço de proteção..."

"Ah, papo furado", retruca Rudy, e agora sua raiva também é perceptível. "Que se dane essa lista. Você entrevistou a polícia local e ela estava lá. Você sabia muito bem quanto ela era inexperiente em proteção particular, mas contratou-a assim mesmo."

"Não quero falar sobre isso num telefone celular. Nem mesmo nos nossos telefones celulares."

"Nem eu. Fale com o psiquiatra." É o codinome dele para Benton Wesley. "Por que não telefona para ele, estou falando sério. Talvez ele tenha algumas idéias. Diga que estou enviando o artigo por e-mail. Nós temos impressões digitais. O psicopata que fez aquele seu lindo retrato foi o mesmo que deixou o presente na sua caixa de correio."

"Grande surpresa. Como eu disse, seria coincidência demais. E eu já falei com o psiquiatra", diz ela em seguida. "Ele vai monitorar o que vou fazer aqui."

"Bem pensado. Ah, quase ia esquecendo. Encontrei um fio de cabelo na fita de vedação. A fita da bomba química."

"Faça uma descrição."

"Mais ou menos quinze centímetros de comprimento, ondulado, escuro. Parece de peruca, obviamente. Me ligue mais tarde de um telefone fixo. Tenho muito trabalho a fazer", diz. "Talvez sua amiga saiba alguma coisa, se você fizer com que ela diga a verdade ao menos uma vez."

"Pare de dizer que ela é minha amiga", diz Lucy. "Não vamos mais brigar por causa disso."

39

Quando Kay Scarpetta entrou no INC com Marino a seguindo devagar, fazendo o melhor possível para andar normalmente, Bruce, da segurança, empertigou-se em sua mesa e fez uma expressão de terror.

"Hã... eu recebi ordens", diz, recusando-se a olhá-la nos olhos. "O chefe proibiu visitantes. Talvez não estivesse se referindo a vocês. Ele está esperando vocês?"

"Está", responde Scarpetta, à vontade. A essa altura, nada mais a surpreende. "Provavelmente não estava se referindo a mim."

"Puxa, me desculpe mesmo." Bruce está terrivelmente constrangido, as bochechas róseas afogueadas. "Como vai, Pete?"

Marino apóia-se na mesa, os pés separados, a calça mais baixa do que o habitual. Se entrasse numa perseguição a pé, ele poderia perder a calça. "Já estive melhor", responde Marino. "Então o Chefinho que Pensa Ser um Grande Homem não vai deixar a gente entrar. É isso que está nos dizendo, Bruce?"

"Esse cara", diz Bruce, recompondo-se. Como a maioria das pessoas, Bruce gostaria de manter seu emprego. Ele usa um uniforme azul-da-prússia, porta uma arma e trabalha num lindo edifício. Melhor manter o que tem, mesmo que não suporte o dr. Marcus.

"Hum", diz Marino, afastando-se da mesa. "Bem, odeio desapontar o Pequeno Chefe, mas de qualquer forma não estamos aqui para falar com ele. Temos provas para deixar no laboratório, na seção Provas Vestigiais. Mas estou curioso; que ordens você tem, exatamente? Só estou curioso com as palavras que foram usadas."

"Esse cara", diz Bruce, e começa a menear a cabeça, mas se recompõe. Ele gosta do emprego.

"Tudo bem", diz Scarpetta. "Eu entendi a mensagem. Obrigada pela informação. Ainda bem que alguém fez isso."

"Ele devia ter dito a vocês", diz Bruce, e se detém outra vez, olhando ao redor. "Se quer mesmo saber, todo mundo está muito contente em vê-la novamente, doutora Scarpetta."

"Quase todo mundo." Ela sorri. "Não tem problema. Você poderia dizer ao senhor Eise que estamos aqui? Ele está nos esperando", acrescenta, enfatizando a palavra "esperando".

"Sim, senhora", diz Bruce, animando-se um pouco. Em seguida levanta o telefone, disca o número do ramal e passa o recado.

Por um minuto ou dois, Scarpetta e Marino ficam em frente ao elevador, esperando. Alguém pode ficar o dia inteiro apertando o botão sem resultado algum, a não ser que tenha o cartão magnético mágico ou se o elevador for mandado por alguém que o tenha. As portas se abrem, eles entram e Scarpetta aperta o botão do terceiro andar, a sacola preta de investigação de local do crime pendurada no ombro.

"Acho que o filho-da-puta dispensou você", comenta Marino, com a cabine do elevador dando um leve solavanco ao iniciar sua curta ascensão.

"Acho que sim."

"E agora? O que vai fazer a respeito? Você não pode deixar que ele faça isso. O cara implora para você vir a Richmond e depois a trata como merda. Eu demitiria esse sujeito."

"Ele vai acabar sendo demitido qualquer dia destes. E eu tenho coisas melhores a fazer", retruca ela quando as portas de aço inoxidável se abrem para Junius Eise, que está esperando por eles num corredor branco.

"Muito obrigada, Junius", diz Scarpetta, estendendo a mão. "É um prazer revê-lo."

"Ah, o prazer é meu", retribui ele, ligeiramente agitado. Junius Eise é um homem estranho, de olhos claros. A metade de seu lábio superior esmaece numa cicatriz fina que chega até o nariz, um típico trabalho malfeito que ela já viu muitas vezes em pessoas nascidas com lábios leporinos. À parte sua aparência, é um tipo esquisito, e Scarpetta pensa assim há muitos anos, desde que costumava encontrá-lo de vez em quando nos laboratórios. Nunca conversava muito com ele naquela época, mas ocasionalmente o consultava em alguns casos. Quando era chefe, era simpática e tinha como prática mostrar o sincero respeito que sentia por todos os que trabalhavam nos laboratórios, mas nunca foi abertamente amistosa. Ao acompanhar Eise pelo labirinto de corredores brancos e grandes janelas de vidro que permitiam ver os cientistas trabalhando nos laboratórios, ela sabe que a impressão que causava quando trabalhava aqui era de ser fria e intimidadora. Como chefe, tinha o respeito de todos, porém não a afeição. Era difícil, extremamente difícil, mas ela se conformava com aquilo, pois fazia parte do cargo. Agora não precisa mais se conformar com isso.

"Como tem passado, Junius?", pergunta. "Pelo que sei, você e Marino têm trabalhado até tarde na OFP. Espero que não esteja estressado demais por causa da peculiaridade dessa recente prova vestigial. Se alguém pode resolver esse mistério, são vocês."

Eise olha para ela, um ar de descrença no rosto. "Espero que sim", fala, nervoso. "Bem, devo dizer que não misturei nada com nada. Não importa o que digam. Sei muito bem que não fiz isso."

"Você é a última pessoa que misturaria qualquer coisa", observa Scarpetta.

"Bem, muito obrigado. Isso significa muito para mim." Ele ergue o cartão magnético pendurado num cordão em volta do pescoço e passa pelo sensor da parede, destran-

315

cando a fechadura com um estalido. Abre a porta. "Não me cabe aqui dizer o que significa tudo isso", comenta enquanto entram na seção de Provas Vestigiais. "Mas sei que não rotulei nada errado. Nunca fiz isso. Nem uma vez. Pelo menos nem uma vez sem que eu tenha percebido logo depois e os tribunais nem souberam de nada."

"Entendi."

"Vocês se lembram da Kit", pergunta Eise, como se Kit estivesse ali perto, mas ela não está à vista. "Ela não está aqui, está doente, aliás. Vou dizer uma coisa, meio mundo está com gripe. Mas sei que ela gostaria de dar um alô. Vai ficar triste de não ter visto vocês."

"Diga que eu também sinto muito", recomenda Scarpetta quando todos chegam à longa bancada preta na área de trabalho de Eise.

"Me diga uma coisa", fala Marino. "Você tem algum lugar tranqüilo com um telefone?"

"Sem dúvida. O escritório da chefe da seção é logo depois do corredor. Ela está no tribunal hoje. Fique à vontade, sei que ela não se importaria."

"Então vou deixar vocês dois tateando no escuro", diz Marino, andando devagar, mancando ligeiramente, como um vaqueiro que tivesse acabado de chegar de uma longa e extenuante viagem.

Eise cobre a superfície da bancada com um papel branco limpo e Scarpetta abre sua sacola preta e retira amostras de solo. Ele puxa outra cadeira para ela se sentar ao seu lado ao microscópio e entrega a Scarpetta um par de luvas de borracha. O primeiro dos muitos estágios desse processo é o mais simples. Eise pega uma minúscula espátula de aço, espeta um dos sacos, recolhe um pequeno resíduo de barro vermelho e restos de areia e os deposita na lâmina do microscópio. Examinando através das lentes, ajusta o foco e lentamente move a lâmina enquanto Scarpetta observa, incapaz de ver qualquer coisa, a não ser uma mancha vermelha sobre o vidro. Removendo a lâmina e depositando-a numa toalha de papel branca, Eise usa o mesmo método para preparar diversas outras lâminas.

316

Só quando já estão trabalhando em uma segunda sacola de amostras de solo que Scarpetta recolheu do pátio de demolição Eise encontra alguma coisa.

"Se não estivesse vendo isso, eu não acreditaria", diz, erguendo os olhos do microscópio binocular. "Veja você mesma." Ele rola a cadeira para trás, abrindo espaço.

Scarpetta se aproxima do microscópio, olha através das lentes para a porção de areia e outros minerais, fragmentos de plantas, pedaços de insetos e resquícios de tabaco — coisas típicas de um estacionamento sujo — e vê diversas partículas de metal com tons prateados opacos. Isso não é típico. Ela procura um instrumento pontiagudo e encontra vários ao seu alcance. Manipula cuidadosamente as lascas de metal, isolando-as, e percebe que há três delas na lâmina, todas ligeiramente maiores que um grão de silício ou rocha ou outros entulhos. Duas são vermelhas e uma é branca. Movimentando a ponta de tungstênio um pouco mais, faz mais uma descoberta que prende sua atenção. Esta ela reconhece rapidamente, mas leva algum tempo para dizer algo, pois quer ter certeza.

A lasca tem mais ou menos o tamanho de uma minúscula raspa de tinta cinzenta e amarelada e uma forma peculiar, que não parece mineral nem feita pelo homem. Na verdade, a partícula parece um pássaro pré-histórico com uma cabeça em forma de martelo, um só olho, um pescoço fino e um corpo bulboso.

"As placas achatadas da lasca. Parecem círculos concêntricos e são camadas de osso, como os anéis de uma árvore", comenta ela, movendo um pouco a partícula. "E as ranhuras e canais dos dutos. Esses furos que estamos vendo são os canais de Haversian, por onde correm minúsculos vasos sanguíneos. Se você puser isso no PolScope, vai ver uma extensão ondulante, sinuosa e em forma de hélice. Meu palpite é que, quando passar pelo raio X, isso vai se revelar fosfato de cálcio. Pó de osso, em outras palavras. Não posso dizer que estou surpresa, considerando o contexto. Aquele velho edifício certamente devia conter um bocado de pó de osso."

"Que coisa!", exclama Eise com alegria. "Eu estava ficando louco com isso. É o mesmo que encontrei no caso da Garota Doente, a do caso Paulsson, se estamos falando da mesma coisa. Posso ver?"

Ela rola a cadeira para trás, aliviada porém tão perplexa quanto antes. Raspas de tinta e pó de osso poderiam fazer sentido no caso do motorista do trator, mas não na morte de Gilly Paulsson. Como explicar que aquele mesmo tipo de prova vestigial microscópica tenha sido encontrado dentro da boca da garota?

"Exatamente a mesma coisa", afirma Eise com certeza. "Vou pegar as lâminas da Garota Doente para você ver. Você não vai acreditar." Ele pega um envelope grosso de uma pilha sobre sua mesa, tira a fita da aba e retira um arquivo de lâminas em papelão. "Tenho mantido as coisas dela à mão porque estou sempre examinando-as, acredite em mim." Coloca uma lâmina no suporte. "Partículas de tinta vermelhas, brancas e azuis, algumas grudadas em lascas de metal, outras não." Movimenta a lâmina e ajusta o foco. "Camada única de tinta, deve ser esmalte de epóxi, e pode ter sido modificada. Ou seja, o objeto deve ter começado branco e foi pintado depois, especificamente de vermelho, branco e azul. Dê uma olhada."

Eise removeu laboriosamente todas as partículas de tudo o que lhe foi entregue do caso Paulsson, e apenas raspas de tinta vermelhas, brancas e azuis se encontram na lâmina. Elas parecem grandes e brilhantes, como blocos de um brinquedo de armar de formatos irregulares. Algumas aderem ao metal prateado e opaco e outras parecem ser apenas tinta. A cor e a textura da tinta parecem idênticas ao que ela acabou de ver ao examinar sua amostra de solo, e sua crescente perplexidade começa a se transformar em um torpor mental. Ela não consegue pensar. Seu cérebro está desacelerando como um computador perdendo a memória. Scarpetta simplesmente não consegue encontrar uma ligação lógica.

"Aqui estão as outras partículas que você está cha-

318

mando de pó de osso." Eise retira aquela lâmina e a substitui por outra.

"E isso estava nos cotonetes usados nela?" Scarpetta quer ter certeza, pois é muito difícil acreditar naquilo.

"Sem a menor dúvida. Você está olhando para elas."

"O mesmo pó."

"Imagine quanto disso pode estar lá. Mais pó do que estrelas do universo, se você começar a colher toda a sujeira", argumenta Eise.

"Algumas dessas partículas parecem antigas, produto de escamação ou esfoliação natural que surgem quando o periósteo começa a se dissolver", observa Scarpetta. "Está vendo como as bordas foram arredondadas e afiladas gradualmente? Isso é normal em restos de esqueletos, ossos escavados ou encontrados em florestas e coisas assim. Ossos não traumatizados terão pó não traumatizado. Mas alguns desses", ela isola uma partícula de osso dentada e fraturada com diversas tonalidades de cor mais claras, "me parecem pulverizados."

Eise inclina-se para verificar pessoalmente, depois se afasta, e ela volta a olhar através das lentes.

"Na verdade, estou achando que esta partícula aqui foi queimada. Você percebe como está fina? Estou vendo uma pequena margem escurecida. Parece carbonizada, queimada. Aposto que, se encostar um dedo, a partícula deve aderir ao óleo da minha pele, o que um osso naturalmente escamado não faria", expõe, intrigada. "Acho que parte do que estamos vendo é de resíduos de um corpo cremado." Scarpetta examina a partícula denteada branco-azulada com sua margem carbonizada no brilhante círculo de luz. "Parece calcária e fraturada, mas não necessariamente pelo calor. Não sei. Nunca tive razão para prestar atenção em pó de osso, especialmente pó de osso queimado. Mas uma análise elemental vai dizer. Com osso queimado devemos chegar a níveis diferentes de cálcio, a níveis mais altos de fósforo", explica, sem tirar os olhos das lentes binoculares. "E, a propósito, eu esperaria pó de corpo cremado nos detritos e na sujeira de um velho edifício que já teve um forno crematório. Deus sabe quantos corpos foram cremados naquele local durante décadas. Mas estou um pouco perplexa pelo fato de que o entulho desse solo que eu trouxe contenha pó de osso. Recolhi esse solo do pavimento perto da porta dos fundos. Eles ainda não começaram a derrubar os fundos do edifício nem a escavar o estacionamento de trás. A Divisão de Anatomia ainda deveria estar completamente intacta. Lembra-se da porta dos fundos do velho edifício?"

"Claro que lembro."

"Era lá que isso estava. Por que pó de corpos cremados estaria no estacionamento, bem na superfície do estacionamento? A não ser que tivesse sido transportado para fora do prédio?"

"Significa que alguém pisou nisso lá na Divisão de Anatomia e trouxe para o estacionamento?"

"Não sei, é possível, mas aparentemente o rosto ensangüentado do senhor Whitby devia estar encostado no pavimento, no pavimento sujo de lama, e a prova vestigial aderiu ao ferimento e ao sangue do rosto."

"Fale de novo sobre a parte do pó sendo fraturado", diz Eise, aturdido. "Então você tem osso queimado, e como isso pode ter sido fraturado se não por calor?"

"Como já disse, não sei exatamente, mas resíduos de cremação se misturaram com a sujeira do pavimento, talvez amassados por automóveis, um trator ou até por pessoas pisando em cima. Será que pó de osso exposto a esse tipo de tráfego pareceria traumatizado? Simplesmente não sei a resposta."

"Mas por que diabo haveria pó de osso cremado no caso da Garota Doente?", pergunta Eise.

"Boa pergunta." Ela tenta clarear a cabeça e organizar os pensamentos. "Boa pergunta. Isso não é do caso Whitby. Esse pó fraturado que parece queimado não é do caso dele. Estou olhando para a prova vestigial dela."

"Pó de cremação dentro da boca da garota doente?

Santa Mãe de Deus! Eu não sei como explicar isso. De jeito nenhum. Você sabe?"

"Para começar, não faço idéia de como o pó de osso surgiu no caso dela", responde Scarpetta. "O que mais você encontrou? Pelo que sei, eles trouxeram várias coisas da casa de Gilly Paulsson."

"Somente coisas da cama dela. Kit e eu estivemos na Sala de Raspagem durante dez horas, depois passei uma eternidade recolhendo fibras de algodão, porque o doutor Marcus tem essa coisa com chumaços de algodão. Ele deve ter estoques de cotonetes em casa", queixa-se Eise. "Claro que encontramos DNA na roupa de cama também."

"Eu sei", diz Scarpetta. "Eles estavam procurando epitélio respiratório, e encontraram."

"Também encontramos cabelos nas cobertas, cabelos tingidos de preto. Sei disso porque Kit ficou irritada com o fato."

"Cabelo humano, suponho. DNA?"

"Sim, humano. Foram enviados para análise."

"E pêlos de bicho de estimação? Pêlos de cachorro?"

"Não", responde ele.

"Nem na roupa de cama, nem no pijama, nem em qualquer coisa que trouxeram da casa?"

"Não. E quanto à poeira da serra da autópsia?", pergunta ele, obcecado com o pó de osso. "Isso também poderia ter vindo do velho edifício."

"Nada do que estou vendo se assemelha a isso." Ela se recosta na cadeira e olha para Eise. "O pó gerado por uma serra seria composto por grânulos misturados com pedaços, e poderíamos encontrar também partículas de metal da lâmina."

"Certo. Mas será que podemos falar sobre algo que eu saiba, antes que alguma coisa se rompa na minha cabeça?"

"Por favor", concorda Scarpetta.

"Graças a Deus. Você é a perita em ossos, sem dúvida." Ele devolve diversas lâminas para a pasta de Gilly

Paulsson. "Mas eu sei sobre tintas. Nos dois casos, da Garota Doente e do Homem do Trator, não há sinal de aplicação de massa nem vestígio de polimento, portanto sabemos que não é tinta para veículos. E as aparas de metal embaixo não são atraídas por ímã, portanto não são ferrosas, eu tentei isso no primeiro dia. Para encurtar a conversa, estamos falando de alumínio."

"Alguma coisa de alumínio pintada de esmalte vermelho, branco e azul", pensa Scarpetta em voz alta. "Misturada com pó de osso."

"Desisto", diz Eise.

"Por enquanto, eu também", concorda Scarpetta.

"Pó de osso humano?"

"Se não for recente, nunca vamos saber."

"Defina recente."

"No máximo alguns anos, não décadas", responde ela. "Podemos analisar as digitais e obter microssatélites e DNA mitocondrial, o que não é difícil, se a amostra não estiver deteriorada ou velha demais. Com DNA é sempre qualidade *versus* quantidade. Se eu fosse apostar, diria que estamos sem sorte. Em primeiro lugar, se forem restos de cremação podemos esquecer completamente o DNA. Quanto ao pó de osso não queimado que estou vendo, não sei bem por quê, mas me parece antigo. Parece velho e erodido. Mas você pode enviar parte desse pó não queimado para o laboratório para análise de DNA mitocondrial ou até para tentar os microssatélites, porém essa amostra é muito pequena e vai ser consumida. Será que vale a pena perdermos a amostra, mesmo sabendo que talvez não consigamos nenhuma informação dela?"

"DNA não é o meu departamento. Se fosse, meu orçamento seria muito maior."

"Bem, de qualquer forma a decisão não é minha", diz Scarpetta, levantando-se da cadeira. "Se fosse, acho que votaria por preservar a integridade da prova para o caso de precisarmos dela mais tarde. O importante é que temos pó de osso em dois casos que não deveriam estar nem remotamente relacionados."

"Com certeza isso é importante."

"Vou deixar você dar as boas notícias para o doutor Marcus", diz ela.

"Ele adora os meus e-mails, vou mandar mais um", comenta Eise. "Gostaria de ter boas notícias para você, doutora Scarpetta. Mas o fato é que todos esses sacos de terra vão me tomar um bom tempo. Dias. Vou distribuir tudo em vidros de observação, secar bem, depois peneirar para separar as partículas, e isso é uma dor de cabeça porque a gente precisa bater as peneiras na bancada com certa freqüência para recolher no recipiente, e eu desisti de implorar por separadores de partículas com sacudidores automáticos porque podem custar mais de seis mil, por isso *esquecez-vous*. A secagem e peneiração vão levar alguns dias, depois seremos eu e o microscópio, depois o microscópio eletrônico e tudo o mais que pudermos tentar. A propósito, já lhe dei de presente algum dos meus instrumentos feitos à mão? Por aqui eles são chamados carinhosamente de 'Tungnetes'."

Ele remexe em diversos instrumentos sobre a mesa e escolhe um deles, examinando-o vagarosamente para verificar se o tungstênio não está amassado ou não precisa ser amolado. Segurando-o orgulhosamente, Eise o entrega a Scarpetta com um floreio, como se a estivesse presenteando com uma rosa de caule longo.

"Muito gentil da sua parte, Junius", diz ela. "Muito obrigada. E não. Você nunca tinha me dado um desses."

40

Incapaz de examinar o problema por qualquer ângulo que traga alguma luz, Scarpetta pára de pensar sobre o pó de osso e o alumínio pintado. Percebe que logo se levará a uma completa exaustão se continuar obcecada pelas raspas de tinta vermelhas, brancas e azuis e as prováveis partículas de osso humano menores do que escamas de caspa.

O início da tarde está cinzento e o ar é tão pesado que ameaça desabar como um teto ensopado de chuva. Ela e Marino saem do utilitário e as portas fazem um som abafado ao se fechar. Scarpetta começa a perder a esperança quando não vê luzes na casa de tijolos com o teto inclinado coberto de musgo situada no outro lado da cerca, atrás do quintal dos Paulsson.

"Tem certeza de que ele vai estar na casa?", pergunta a Marino.

"Ele disse que estaria. Mas eu sei onde fica a chave. Ele me contou, por isso é óbvio que não se importa de sabermos."

"Nós não vamos invadir, se é o que está sugerindo", diz Scarpetta, observando o piso trincado da entrada que leva à porta externa de alumínio e até a porta de madeira por trás e às janelas escuras dos dois lados. A casa é pequena e antiga e está melancolicamente abandonada. Está tomada por ousadas magnólias, arbustos espinhosos que não são podados há anos e pinheiros tão altos e cheios de si que depositaram camadas de pinhas e galhos que entopem bueiros e sufocam o que restou do gramado.

"Eu não estava sugerindo nada", reage Marino, olhando para cima e para baixo na rua tranqüila. "Só estou informando que ele me disse onde está a chave e que não há sistema de alarme. Agora me diga por que ele me contou isso."

"Não faz diferença", responde ela, mas sabe que faz, sim. E já está prevendo o que os espera.

O corretor imobiliário está sem tempo para vir ou não quer se envolver, por isso deixou que os dois examinassem a casa sozinhos. Ela enfia as mãos nos bolsos do casaco, a sacola de perícia pendurada no ombro e perceptivelmente mais leve, sem as sacolas de terra que agora estão sendo secadas no laboratório de provas vestigiais.

"Vou pelo menos dar uma olhada pela janela." Marino começa a andar pela entrada, movendo-se lentamente, as pernas um pouco abertas, tomando cuidado com cada passo. "Você vem ou vai ficar esperando fora do carro?", pergunta sem se virar.

O pouco que os dois sabem começou no catálogo telefônico da cidade, o que foi suficiente para Marino rastrear o corretor imobiliário, que aparentemente não mostra a casa para ninguém há mais de um ano e não está nem aí para isso. A proprietária é uma mulher chamada Bernice Towle, que mora na Carolina do Sul e se recusa a gastar um tostão para consertar o local ou a reduzir o preço o suficiente para tornar a venda remotamente possível. De acordo com o corretor, a única ocasião em que a casa é usada é quando os hóspedes da sra. Towle ficam nela, e ninguém sabe com que freqüência isso ocorre — ou se ocorre alguma vez. A polícia de Richmond não revistou a casa nem pesquisou seu histórico porque por razões práticas ela não é habitada e, portanto, não é relevante para o caso Gilly Paulsson. O FBI também não tem interesse na dilapidada residência da sra. Towle pelas mesmas razões. Marino e Scarpetta estão interessados na casa porque, em uma morte violenta, tudo deve ser de interesse.

Scarpetta caminha em direção à casa. O concreto sob

325

seus pés é escorregadio devido à fina camada de musgo verde e por causa da chuva, e, se a casa fosse sua, ela lavaria aquilo com água sanitária, pondera Scarpetta enquanto se aproxima de Marino. Ele está na pequena varanda, mãos sombreando os olhos, espiando através de uma janela.

"Se é para ficar espionando, podemos também cometer o próximo crime", diz ela. "Onde está a chave?"

"Naquele vaso embaixo daquele arbusto ali." Ele aponta uma enorme caixa de madeira tosca e um vaso de flores enlameado visível atrás dela. "A chave está embaixo do vaso."

Scarpetta sai da varanda, tateia com as mãos entre os galhos e percebe que o vaso está cheio com vários centímetros de água de chuva esverdeada e que cheira como um pântano. Empurra o vaso e encontra uma folha de papel-alumínio quadrada coberta de terra e teias de aranha. Embrulhada na folha encontra-se uma chave de cobre tão manchada quanto uma moeda antiga. Faz algum tempo que ninguém toca nessa chave, no mínimo meses, talvez mais, ela cogita, e entrega-a a Marino na varanda, pois não quer ser a pessoa a destrancar a casa.

A porta se abre com um rangido para um odor mofado. Faz frio lá dentro, e Scarpetta acha que sente cheiro de charuto. Marino tateia à procura de um interruptor de luz, mas, quando encontra um e o empurra para cima e para baixo, nada acontece.

"Tome." Scarpetta entrega a ele um par de luvas de algodão. "Por acaso eu tenho um par do seu tamanho."

"Hum." Ele luta para enfiar suas mãos enormes nas luvas enquanto ela também veste um par.

Sobre uma mesa encostada na parede há um abajur, que ela tenta acender, com sucesso. "Pelo menos a eletricidade está ligada", diz. "Será que o telefone funciona?" Ela pega o receptor de um velho aparelho negro, leva até o ouvido e não escuta nada. "Nada de telefone", observa. "Continuo achando que estou sentindo cheiro de charuto."

"Bem, sem energia o encanamento congela", diz Marino, cheirando o ar e olhando ao redor, e a sala de estar parece pequena com ele lá dentro. "Não estou sentindo cheiro de charuto, só de pó e fungos. Mas você sempre conseguiu sentir cheiros que eu não sinto."

Scarpetta permanece sob a luz do abajur, observando um sofá estampado com motivos florais embaixo das janelas e uma cadeira Queen Anne azul num canto, do outro lado da sala em penumbra. Sobre a mesa de café de madeira há revistas em grandes pilhas, ela vai até lá e começa a pegá-las para ver o que são. "Por essa eu não esperava", comenta, observando um exemplar de *Variety*.

"O quê?" Marino chega mais perto e olha para o semanário impresso em preto-e-branco.

"Uma publicação especializada em entretenimento", diz Scarpetta. "Estranho. De novembro do ano passado", ela lê a data na capa. "Mas ainda assim muito estranho. Será que a senhora Towle, seja quem for, tem ligações com a indústria cinematográfica?"

"Talvez ela simplesmente seja fascinada por artistas, como o resto do mundo." Marino não se mostra interessado.

"A metade do resto do mundo lê *People*, *Entertainment Weekly*, esse tipo de coisa. Não *Variety*. Isso é coisa de maníaco", comenta Scarpetta, pegando mais revistas. "*Hollywood Reporter*, *Variety*, *Variety*, *The Hollywood Reporter*, edições de cerca de dois anos atrás. Nada dos seis últimos meses. Talvez as assinaturas tenham vencido. A etiqueta do correio diz senhora Edith Arnette, neste endereço. O nome significa alguma coisa para você?"

"Nada."

"O corretor disse quem morava aqui? Não era a senhora Towle?"

"Ele não disse. Fiquei com a impressão de que era a senhora Towle."

"Talvez a gente precise de mais do que uma impressão. Que tal ligar para ele?" Ela abre o zíper da sacola preta de perícia, tira um pesado saco plástico, sacode-o com

327

estardalhaço e recolhe as edições de *Variety* e de *The Hollywood Reporter.*

"Você vai levar isso?" Marino está na porta, de costas para ela. "Por quê?"

"Não vai fazer mal nenhum verificar as impressões digitais."

"Isso é furto", diz ele, abrindo um pedaço de papel e lendo um número escrito.

"Invasão e arrombamento. Por que não furto?", pergunta ela.

"Se vier a ter alguma importância, nós não temos mandado." Marino está brincando um pouco com ela.

"Quer que eu devolva tudo?", pergunta ela.

Marino dá de ombros na soleira da porta. "Se encontrarmos alguma coisa, eu sei onde está a chave. Volto a entrar, ponho tudo no lugar e depois consigo um mandado. Como já fiz antes."

"Eu não admitiria isso em público", comenta ela, deixando o saco de revistas no assoalho de madeira empoeirado e caminhando até uma mesinha à esquerda do sofá, pensando novamente no cheiro de charuto.

"Tem um monte de coisas que eu não admitiria em público", retruca Marino, digitando um número em seu telefone celular.

"Além do mais, aqui não é sua jurisdição. Você não pode conseguir um mandado."

"Não se preocupe. Browning e eu somos chegados." Marino desvia o olhar enquanto espera, e ela pode perceber pelo tom de voz que ele está falando com uma secretária eletrônica ao dizer: "Oi, Jim. É Marino. Estava pensando, qual foi o último morador desta casa? Que tal Edith Arnette? Por favor, me ligue assim que puder". Ele deixa o número do telefone. "Hum", diz para Scarpetta. "O velho Jimbo não tinha nenhuma intenção de se encontrar com a gente aqui. E não se pode culpá-lo. Que sujeira."

"Que sujeira, mesmo", concorda Scarpetta, enquanto abre uma gaveta da mesinha à esquerda do sofá. Está cheia de moedas. "Mas não sei ao certo por que ele não veio. Então você e o detetive Browning são chegados. Mas outro dia estava com medo de ser preso por ele."

"Isso foi no outro dia." Marino entra no corredor escuro. "Ele é um cara legal. Não se preocupe. Se precisar de um mandado, eu consigo um mandado. Curta sua leitura sobre Hollywood. Mas onde ficam as luzes nesta casa?"

"Deve ter cinqüenta dólares em moedas de vinte e cinco centavos." As moedas tilintam levemente dentro da gaveta quando Scarpetta remexe nelas com os dedos. "Só moedas de vinte e cinco. Nenhuma de um, cinco ou dez centavos. O que a gente compra com essas moedas por aqui? Jornais?"

"Cinqüenta centavos pelo pasquim da região", refere-se maldosamente ao *Times-Dispatch* local. "Comprei um ontem numa máquina em frente ao hotel e me custou duas moedas de vinte e cinco. O dobro do preço do *Washington Post.*"

"É estranho deixar dinheiro num lugar onde não mora ninguém", diz Scarpetta, fechando a gaveta.

A luz do corredor está queimada, mas ela segue Marino até a cozinha. De saída fica surpresa ao ver que a pia está cheia de pratos sujos e que a água está nojenta, espessa de gordura e bolor. Abre a geladeira e se convence cada vez mais de que alguém freqüentou esta casa recentemente. Caixas de suco de laranja e leite de soja com data de validade no final do mês acumulam-se nas prateleiras, e as datas na carne do congelador indicam que foi comprada três semanas atrás. Quanto mais descobre alimentos nos armários e na despensa, mais ansiosa fica enquanto sua intuição reage antes de seu cérebro. Quando vai até o final do corredor, começa a explorar o quarto nos fundos da casa e sente cheiro de charuto, ela tem certeza, e a adrenalina começa a subir.

A cama de casal está coberta por uma colcha azul-escura barata, e ao retirá-la Scarpetta percebe que os lençóis embaixo estão amassados, manchados e salpicados de cabelos curtos, alguns ruivos, provavelmente da cabeça, e pêlos mais escuros e encaracolados, provavelmente pêlos púbicos, e ela vê manchas ressecadas e acha que sabe o que são essas manchas. A cama está de frente para uma janela, e de lá ela pode avistar, por cima de uma cerca de madeira, a casa dos Paulsson, pode ver a janela escura que era do quarto de Gilly. Sobre uma mesa ao lado da cama há um cinzeiro Cohiba de cerâmica preta e amarela bem limpo. Há mais poeira nos móveis do que dentro do cinzeiro.

Scarpetta faz o que precisa fazer e mal percebe o tempo passar ou as sombras mudando ou o som de chuva batendo no teto enquanto revista o closet e todas as gavetas de roupa no quarto e descobre uma rosa vermelha seca ainda em sua embalagem de plástico, paletós masculinos, jaquetas e ternos, tudo fora de moda, peças sóbrias e fechadas meticulosamente penduradas em cabides de arame; pilhas de calças masculinas cuidadosamente dobradas e camisas de cores sóbrias; roupas de baixo masculinas e meias velhas e baratas; e dezenas de lenços brancos encardidos, todos dobrados em quadrados perfeitos.

Pouco depois ela está sentada no chão, puxando caixas de papelão de baixo da cama, abrindo-as e examinando pilhas de publicações especializadas em ciência mortuária e casas funerárias, uma variedade de revistas mensais com fotografias de caixões, roupas de funeral, urnas de cremação e equipamento de embalsamamento. As revistas são de pelo menos oito anos atrás. Em todas as que examinou até agora, as etiquetas do correio foram arrancadas e só restaram algumas poucas letras e parte de um código de zona postal aqui e ali, nada mais, insuficiente para informar o que ela gostaria de saber.

Scarpetta examina uma caixa depois da outra, folheando cada revista, esperando encontrar uma etiqueta de endereçamento completa e finalmente acha algumas, apenas algumas, no fundo de uma caixa. Lê a etiqueta e senta-se no chão perguntando-se se está confusa ou se pode haver

330

uma explicação lógica para aquilo, e durante todo esse tempo chama Marino aos gritos. E continua a chamar o nome dele enquanto se levanta e olha para uma revista com um caixão em formato de um carro de corrida na capa.

"Marino! Onde você está?" Scarpetta entra no corredor, atenta a tudo. Respira com dificuldade e seu coração bate acelerado. "Droga", murmura, andando rapidamente pelo corredor. "Onde diabo você foi parar? Marino?"

Marino está na varanda da frente, falando ao celular, e quando seus olhos encontram os dela demonstram que ele também sabe de alguma coisa, e ela mostra a revista, segurando-a perto dele. "Sim. Vou estar aqui", diz ele ao telefone. "Tenho a impressão de que vamos ficar aqui a noite toda."

Quando Marino termina a chamada, seus olhos têm aquele olhar inexpressivo que Scarpetta já viu antes em ocasiões em que ele fareja sua presa e precisa encontrá-la. Não importa como, mas terá de encontrá-la. Marino pega a revista da mão dela e a examina em silêncio. "Browning está a caminho", diz em seguida. "Está com o juiz neste momento, conseguindo um mandado." Ele vira a revista e vê a etiqueta do correio na contracapa. "Cacete!", exclama. "Meu Deus. É o seu antigo escritório. Meu Deus."

"Não sei o que isso significa", diz Scarpetta, enquanto uma chuva fria e fina bate no velho teto inclinado. "A não ser que seja alguém que trabalhava para mim."

"Ou alguém que conhece alguém que trabalhava para você. O endereço é do INC." Ele verifica novamente. "É, é mesmo. Não do laboratório. Junho de 1996. Sem dúvida, você ainda trabalhava lá. Então o seu escritório assina essa revista." Ele volta para o corredor, aproximando-se do abajur sobre a mesa e folheando a revista. "Então você deve saber quem recebia a publicação."

"Eu nunca autorizei uma assinatura dessa revista ou de qualquer outra semelhante", contesta ela. "Nenhuma revista para casas funerárias. Nunca. Era alguém que não tinha minha permissão ou que assinou por conta própria."

331

"Alguma idéia de quem possa ser?" Marino larga a revista sobre a mesa empoeirada, embaixo do abajur.

Scarpetta pensa no jovem calado que trabalhava na Divisão de Anatomia, o jovem tímido de cabelos ruivos que se aposentou por invalidez. Ela nunca mais pensou nele desde que foi embora, nem uma vez. Não havia razão para pensar.

"Eu tenho uma idéia", responde com um ar infeliz. "O nome dele é Edgar Allan Pogue."

41

Não há ninguém na mansão cor de salmão, e ele percebe a decepcionante verdade que de alguma forma seus planos foram arruinados. Tinha de ser isso, senão estaria vendo alguma atividade ao redor da mansão ou indícios de atividades anteriores, tais como fitas de isolamento do local do crime, ou teria ouvido algo no noticiário, mas, quando passa lentamente dirigindo por onde mora a Grande Sereia, a caixa de correio parece intacta. A pequena bandeirola de metal está baixada e não há sinal de haver alguém em casa.

Ele dá uma volta no quarteirão e retorna para a A1A, mas, ao pensar sobre a bandeirinha da caixa de correio, não consegue resistir a dar mais uma volta. Estava erguida quando ele pôs a Grande Laranja dentro da caixa, com certeza. Mas passa pela sua cabeça que a bomba de cloro ainda pode estar dentro da caixa de correio, toda inflada de gases e pronta para explodir. E se estiver? Ele precisa saber. Não vai conseguir dormir ou comer se não souber, e uma sensação de raiva se contorce em seu âmago, uma raiva tão familiar e presente quanto sua respiração curta no momento. Perto da A1A, em Bay Drive, existe um conjunto de apartamentos pintados de branco, e ele pára no estacionamento e sai de seu automóvel branco. Começa a caminhar, e as desgrenhadas mechas negras de sua peruca caem na frente dos olhos e ele as empurra para trás enquanto desce a rua sob o sol poente.

Às vezes consegue sentir o cheiro da peruca, geralmente quando está ocupado ou pensando em outra coisa, e então o odor toca o interior de seu nariz e é difícil de ser descrito. Odor de plástico é mais ou menos a comparação mais próxima, e ele fica intrigado porque a peruca é feita de cabelos humanos, não sintéticos, e não deveria cheirar como plástico, plástico novo, a não ser que ele esteja detectando alguma substância química com que foi tratada ao ser montada. Galhos de palmeiras esvoaçam contra o céu fosco e as tênues faixas de nuvens são iluminadas em tons pálidos e alaranjados ao redor das bordas à medida que o sol se põe. Ele segue pela calçada, observando as rachaduras e a grama que brotam entre elas. Toma o cuidado de não olhar para as belas casas pelas quais está passando, porque em vizinhanças como esta as pessoas têm medo de crimes e são muito atentas a estranhos.

Pouco antes de chegar à mansão cor de salmão ele passa em frente a uma grande casa branca que se ergue em ângulos retos contra o pôr do sol e se pergunta sobre a mulher que mora ali. Ele a viu três vezes e ela merece ser arruinada. Uma vez, tarde da noite, quando estava no quebra-mar atrás da mansão cor de salmão, avistou-a na janela do quarto do terceiro andar. As venezianas estavam abaixadas e ele podia ver a mulher e outros móveis e uma enorme TV de tela plana ligada com imagens de gente correndo e depois uma perseguição de motocicleta em alta velocidade piscando na tela. A mulher estava nua em frente à janela, encostada nela, seus seios achatados de forma grotesca contra a vidraça enquanto ela tocava o vidro com a língua e a movimentava de forma nojenta e imoral. No início temeu que a mulher pudesse vê-lo ali no quebra-mar, mas ela parecia semi-adormecida, representando seu ato para barqueiros no mar noturno ou para homens da Guarda Costeira na baía. Pogue gostaria de saber o nome dela.

Fica imaginando se ela deixa a porta dos fundos destrancada e o alarme desligado quando sai para a piscina, se esquece tudo quando volta para dentro de casa. Talvez ela não vá à piscina, reflete. Nunca a viu fora da casa, nunca a viu no pátio ou perto do barco, nem uma vez. Se ela nunca sair de casa, vai ser difícil para ele. Pogue dedilha o lenço branco no bolso, retira-o e enxuga o rosto com ele, olhando ao redor, caminhando em direção à caixa de correio da entrada lateral. Age de forma relaxada, como se fizesse parte dali, mas sabe que suas longas e desgrenhadas madeixas negras não fazem parte dali, não com cabelos que vieram de um negro da Jamaica, não nesta vizinhança branca como miolo de pão.

Ele já esteve nesta rua antes. Estava usando a mesma peruca na ocasião, e sempre se preocupou em não chamar a atenção, mas era melhor usar uma peruca a se parecer consigo mesmo. Ao abrir a caixa de correio da Grande Sereia, ele não fica nem desapontado nem aliviado ao constatar que está vazia. Não sente cheiro de substâncias químicas e não vê dano algum, nem mesmo uma descoloração da tinta preta dentro da caixa, e tem de aceitar o fato de que o mais provável é que a bomba não tenha causado efeito, nenhum efeito. Fica ligeiramente contente pelo fato de a bomba ter desaparecido, de alguém a ter encontrado. Então ela ficou sabendo, pelo menos, e isso é melhor do que nada, supõe.

São seis horas da tarde e a casa da mulher nua começa a brilhar na escuridão que avança, e Pogue dá uma rápida olhada através da cerca de ferro batido do quintal e vê a entrada de concreto cor-de-rosa e as imponentes portas da frente. Caminha com passos relaxados e pensa nela encostada na janela e odeia a mulher por ter pressionado o corpo contra a enorme janela, por ser feia e nojenta e exibir seu corpo feio e nojento. Pessoas como ela pensam que são donas do mundo e fazem um favor a gente como ele quando partilham mesquinhamente seu corpo ou seus favores, e a mulher nua é mesquinha. É uma exibida, só isso.

Sedutoras, era como a mãe de Pogue chamava mulheres como aquela. A mãe dele era uma sedutora, uma terrível sedutora, razão pela qual o pai bebeu até acreditar ser uma ótima idéia se pendurar em uma viga na garagem. Pogue sabe tudo sobre sedutoras, que se um homem com um cinto de ferramentas e botas de sola de borracha batesse à porta e pedisse à mulher nua para terminar o que tinha começado, ela gritaria obscenidades furiosas e aterrorizadas e chamaria a polícia. É isso que pessoas como a mulher nua fazem. Fazem isso diariamente e nem pensam a respeito.

Já se passaram muitos dias e ele ainda não terminou o que começou. Tempo demais. Antes desses dias foram semanas, antes ainda, três meses, isso se ele levar em conta o tempo de desenterrar pessoas que já estavam acabadas. Isso se também levar em conta o transporte de todas aquelas pessoas acabadas em seus caixões empoeirados e com vazamentos desde o chão na Divisão de Anatomia, de seus espaços particulares lá embaixo, batalhando com inúmeros caixões, carregando duas ou três pessoas acabadas de cada vez escada acima, os pulmões tensos e ardendo e mal capaz de respirar, levando os caixões até o estacionamento e os depositando, depois voltando para pegar mais, depois acomodando todos no carro e finalmente em grandes sacos de lixo, e isso foi em setembro, quando ouviu a notícia, a terrível e ultrajante notícia de que o edifício dele iria ser demolido.

Ossos e caixões empoeirados desenterrados, porém, não são a mesma coisa, é certo que não. Todas aquelas pessoas já estavam acabadas, e isso não é o mesmo que acabar com alguém pessoalmente. Pogue sentiu o poder e a glória e por um curto período se sentiu justificado ao sentir aquilo, e ao se trancar no carro retira a peruca cheirando a plástico de cima de seus cabelos ruivos. E sai dirigindo para o estacionamento do apartamento branco, retomando as ruas escuras do início da noite no sul da Flórida, e seus pensamentos o levam em direção ao Other Way Lounge.

336

42

As luzes dos faróis se projetam como longos lápis amarelos no quintal escuro. Scarpetta está perto da janela, olhando para fora, esperançosa de que a esta hora a polícia já tenha tido alguma sorte, mas está tomada por dúvidas. Sua sugestão agora parece remota, se não paranóica, talvez por estar muito cansada.

"Então você não lembra se ele morava com a senhora Arnette?", pergunta o detetive Browning, batendo com a caneta num bloco de anotações e mastigando chiclete, sentado numa cadeira simples de madeira no meio do quarto.

"Eu não o conhecia", responde ela, observando o movimento das alongadas luzes na escuridão e sentindo o ar frio penetrar pela janela. O mais provável é que eles não encontrem nada, mas ela se preocupa com a possibilidade de encontrarem. Pensa sobre o pó de osso na boca de Gilly e no motorista do trator e fica imaginando se a polícia vai encontrar alguma coisa. "Eu não tinha como saber se ele morava com alguém, nem de imaginar que morava com alguém. Não me lembro de ter sequer chegado a conversar com ele."

"Não sei bem o que você conversaria com um pirado como aquele."

"Infelizmente, todo mundo via os que trabalhavam na Divisão de Anatomia como tipos excêntricos. Na verdade eles causavam repugnância no resto da minha equipe. Eram sempre convidados para festas, piqueniques e o almoço ao ar livre de Quatro de Julho que sempre fiz em casa. Mas a gente nunca sabia se eles iam aparecer ou não", explica.

"Ele nunca apareceu?" Browning está mascando chiclete. Scarpetta pode ouvi-lo processando vigorosamente a goma entre os dentes e olhando pela janela.

"Para falar a verdade, não me lembro. Edgar Allan podia ir e vir sem ninguém perceber. Pode parecer indelicado, mas era a pessoa mais ausente que já trabalhou para mim. Eu mal me lembro da aparência dele."

"Isso seria importante. Não temos idéia de como ele está agora", considera Browning, virando uma página do bloco de anotações. "Você disse que na época ele era um cara pequeno, de cabelos ruivos. Que altura? Um e setenta, um e setenta e cinco? Sessenta e oito quilos?"

"Mais para um e sessenta e cinco e sessenta quilos", recorda. "Não consigo me lembrar da cor dos olhos dele."

"De acordo com o Departamento de Trânsito, castanhos. Mas talvez não, porque ele mentiu sobre o peso e a altura. A carteira de motorista diz um e setenta e cinco e oitenta quilos."

"Então por que você me perguntou?" Ela se vira e olha para ele.

"Para dar uma chance de você se lembrar antes de lhe passar o que provavelmente são informações falsas." Browning pisca para ela, mascando chiclete. "Ele também disse ter cabelo castanho." Ele bate a caneta no bloco de anotações. "Então, quanto um cara como ele ganhava para embalsamar corpos e fazer o que mais fazia lá na Divisão de Anatomia?"

"Oito, dez anos atrás?" Ela olha novamente para a janela, para a noite, para as luzes acesas na casa de Gilly Paulsson do outro lado da cerca. A polícia também está no quintal dela. Estão no quarto dela. Scarpetta pode ver sombras se movimentando atrás das cortinas das janelas do quarto, a mesma janela pela qual Edgar Allan Pogue espiou o que pôde, observando, fantasiando e talvez assistindo aos jogos que aconteciam naquela casa enquanto deixava manchas nos lençóis. "Eu diria que não devia ganhar mais de vinte e dois mil por ano naquela época."

"Então de repente ele se demitiu. Dizendo estar incapacitado por uma razão ou por outra. Não é uma história comum?"

"Exposição a formaldeído. Ele não estava fingindo. Tive que rever os relatórios médicos e provavelmente até falei com ele. Devo ter falado. Ele tinha uma doença respiratória provocada por formaldeído, uma fibrose pulmonar que apareceu no raio X e na biópsia. Se me lembro bem, os testes mostraram que as concentrações de oxigênio no sangue dele estavam alteradas, significativamente alteradas, e a espirometria demonstrou uma redução da função respiratória."

"Espiro... o quê?"

"Uma máquina, um dispositivo. Você inspira e expira, e ela mede a sua função respiratória."

"Entendi. Quando eu fumava, provavelmente seria reprovado nesse exame."

"Se continuasse fumando, isso acabaria acontecendo."

"Certo. Então Edgar Allan Pogue tinha um problema. Devo supor que ainda tem?"

"Bem, já que não esteve mais exposto a formaldeído ou qualquer outra substância irritante, a doença não deve ter progredido. Mas isso não significa que tenha revertido, porque sempre há uma cicatriz. A cicatriz é permanente. Então, sim, ele ainda tem um problema. A gravidade do problema, eu não sei."

"Ele deve ter um médico. Acha que conseguiríamos o nome desse médico nos registros antigos?"

"Deve estar nos arquivos do estado, se ainda existirem. Na verdade, você deveria perguntar ao doutor Marcus. Eu não tenho mais autoridade."

"Hã-hã. Em sua opinião médica, doutora Scarpetta, acho que o que estou realmente querendo saber é quanto esse cara está doente. Doente o bastante para estar indo ao médico ou a uma clínica ou tomar medicamentos controlados?"

"Com certeza ele pode estar tomando medicamentos controlados. Mas talvez não. Enquanto tomar certo cuidado com a saúde, a maior preocupação dele provavelmente será evitar pessoas doentes, ficar longe de gente com gripe ou resfriado, que são contagiosos. Ele não pode contrair uma infecção nas vias respiratórias superiores porque não tem muita saúde pulmonar de reserva, não como eu ou você. Por isso pode ficar gravemente doente. Pode pegar uma pneumonia. Se for suscetível a asma, vai ter que evitar tudo o que provoque a doença. Pode estar tomando medicamentos controlados como esteróides, por exemplo. Talvez injeções contra alergia. Talvez use remédios vendidos sem receita. Pode estar fazendo diversas coisas. E pode não estar fazendo nada."

"Certo, certo, certo", diz Browning, batucando a caneta e mastigando forte. "Então é bem possível que fique muito sem fôlego se tiver que lutar com alguém."

"Provavelmente." A conversa já está durando mais de uma hora e Scarpetta sente-se muito cansada. Quase não comeu o dia inteiro e sua energia está exaurida. "Quer dizer, ele pode ser forte, mas sua atividade física vai estar limitada. Não está correndo muito ou jogando tênis. Se estiver tomando esteróides há anos, pode estar gordo. A resistência dele é baixa." As longas e brilhantes sondas dos faróis cortam a frente das persianas de madeira atrás da casa e as luzes focam na porta, onde um policial uniformizado é iluminado ao erguer alicates de corte para alcançar o trinco.

"Parece estranho ele ter feito alguma coisa com Gilly Paulsson quando ela estava gripada? Ele não teria medo de pegar a doença?", pergunta Browning.

"Não", responde ela, olhando para o policial com o alicate de corte e vendo a porta ser subitamente aberta e os fachos de luz esfaquearem a escuridão dentro do barracão.

"Por que não?", pergunta ele no momento em que o celular dela vibra.

"Viciados em drogas não se preocupam com hepatite ou Aids quando estão fissurados. Estupradores e assassinos seriais não pensam em doenças sexualmente transmissíveis quando estão numa de estuprar ou matar", explica ela, retirando o telefone do bolso. "Não, eu não esperaria que Edgar Allan pensasse em gripe se estivesse tomado pela vontade de matar uma garota. Com licença." Ela atende o telefone.

"Sou eu", diz Rudy. "Surgiu um fato novo, uma coisa que você precisa saber. O seu caso em Richmond... bem, impressões digitais latentes dele combinam com as de um caso em que estamos trabalhando na Flórida. O Iafis confirmou as latentes. Latentes desconhecidas."

"Quem é nós?"

"Um de nossos casos. Um caso em que Lucy e eu estamos trabalhando. Você não sabe a respeito. História muito longa para contar agora. Lucy não queria que você soubesse."

Scarpetta escuta e a surpresa degela seu torpor, e pela janela vê uma figura grande de roupa escura se afastar do barracão de madeira atrás da casa, a lanterna se movendo junto com o andar. Marino está voltando para a casa. "Que tipo de caso?", pergunta a Rudy.

"Não posso falar a respeito." Ele faz uma pausa e respira fundo. "Mas não consigo falar com Lucy. Aquele maldito telefone, não sei o que está fazendo, mas ela não está atendendo de novo, já faz umas duas horas, droga. Uma tentativa de assassinato de uma de nossas novatas, uma mulher. Ela estava na casa da Lucy quando aconteceu."

"Oh, Deus", Scarpetta fecha os olhos por alguns instantes.

"Muito esquisito. No começo pensei que estivesse fingindo só para chamar a atenção ou algo assim. Mas as digitais na bomba da garrafa são as mesmas colhidas no quarto dela. As mesmas digitais do seu caso em Richmond também, o caso da garota que você foi chamada para resolver."

"A mulher no seu caso. O que aconteceu com ela, exatamente?", pergunta Scarpetta, enquanto os passos pesados de Marino soam no corredor e Browning levanta-se e vai até a porta.

"Estava de cama, gripada. Depois não sabemos, a não ser que ele entrou por uma porta destrancada e deve ter ficado assustado quando Lucy voltou para casa. A vítima estava inconsciente, em choque, teve um ataque, sei lá. Não lembra o que aconteceu, mas estava nua, de bruços na cama, sem cobertas."

"Algum ferimento?" Ela ouve Marino e Browning conversando do lado de fora da porta. Ouve a palavra "ossos".

"Apenas alguns hematomas. Benton mencionou hematomas nas mãos, no peito, nas costas."

"Então Benton sabe disso. Todo mundo sabe menos eu", reclama Scarpetta, zangada. "Lucy escondeu isso de mim. Por que ela não me contou?"

Rudy hesita, e parece ter dificuldade para responder: "Razões pessoais, acho".

"Entendi."

"Sinto muito. Não me deixe constrangido. Mas sinto muito mesmo. Eu não deveria estar contando isso, mas você precisava saber, já que agora parece que o seu caso tem ligação com o que aconteceu. Não me pergunte como, meu Deus, eu nunca vi nada tão esquisito e macabro como essa história. Com que diabo estamos lidando? Alguma aberração?"

Marino entra no quarto, os olhos intensos fitando Scarpetta. "Uma aberração, sim", diz ela para Rudy e olha para Marino. "Muito provavelmente um homem chamado Edgar Allan Pogue, na casa dos trinta anos, trinta e cinco. As farmácias têm bancos de dados", continua. "Ele pode estar em algum banco de dados farmacêutico, talvez em mais de um, pode estar tomando esteróides para uma doença respiratória. É só o que vou dizer."

"É só o que precisa dizer", confirma Rudy, parecendo empolgado.

Scarpetta termina a chamada e continua olhando para Marino enquanto pensa, apenas de passagem, em como sua visão a respeito de regras mudou, da mesma forma como a luz muda com o clima e as estações. Coisas que pareceram de um jeito no passado agora parecem de outro, e vão parecer diferentes nos dias e anos vindouros. Neste momento, tudo gira em torno de rastrear monstros. Para o inferno com as regras. Para o inferno com a dúvida e a culpa que sente naquele quarto ao guardar o telefone de volta no bolso.

"Pogue podia ver a janela dela do quarto dele", diz Scarpetta para Marino e Browning. "Se os tais joguinhos da senhora Paulsson aconteciam na casa, ele pode ter visto tudo pelas janelas. E se, Deus me livre, alguma coisa aconteceu no quarto da Gilly, ele conseguiu ver isso também."

"Doutora?", Marino começa a dizer, e seu olhar é intenso e furioso.

"O que estou dizendo é que a natureza humana, uma natureza humana corrompida, é uma coisa estranha", acrescenta ela. "Ver uma pessoa ser vitimada pode fazer alguém querer vitimar essa pessoa outra vez. Observar uma violência sexual através de uma janela pode ser muito provocativo para alguém tão marginalizado..."

"Que joguinhos?", interrompe Browning.

"Doutora?", chama Marino, e seus olhos são ardentes e endurecidos pela fúria que sempre acompanha suas caçadas. "Parece que tem uma multidão no barracão, um bando de gente morta. Gostaria de dar uma olhada?"

"Você estava dizendo alguma coisa sobre um outro caso?", pergunta Browning, enquanto todos seguem o corredor estreito, frio e mal iluminado. O cheiro de pó e fungos subitamente parece sufocante para Scarpetta, que tenta não pensar em Lucy, sobre algo que parece pessoal e fora de contexto. Scarpetta diz a Browning e a Marino o que Rudy acabou de relatar. Browning fica entusiasmado. Marino permanece em silêncio.

"Então Pogue provavelmente está na Flórida", diz Browning. "Vou cair em cima dele com tudo." O policial parece confuso pela série de pensamentos que passa pela sua cabeça, e ao chegar à cozinha pára e acrescenta: "Vou sair por um minuto", e tira o telefone do cinto.

Um técnico pericial vestindo um macacão azul-marinho e boné de beisebol está empoando o espelho de um interruptor na cozinha, e Scarpetta ouve outros policiais do outro lado da pequena e deprimente casa, na sala de estar. Perto da porta de trás se encontram grandes sacolas plásticas de lixo fechadas e rotuladas como provas, e Junius Eise vem à sua mente. Ele vai estar muito ocupado separando aquele lixo demente produzido pela vida demente de Edgar Allan Pogue.

"Esse cara já trabalhou em alguma funerária?", pergunta Marino a Scarpetta, e atrás da porta dos fundos o quintal está coberto de vegetação e forrado de folhas mortas e encharcadas. "O barracão lá atrás está apinhado, realmente apinhado de caixas com algo que parece ser cinza humana. As caixas são antigas, mas acho que não estão aqui há muito tempo. Como se ele tivesse transportado as caixas para o barracão, talvez."

Scarpetta não diz nada até os dois chegarem ao barracão. Então toma emprestada uma lanterna de um dos policiais e dirige o intenso raio de luz para dentro do barracão. O facho ilumina os sacos plásticos de lixo que os policiais abriram. Cinzas brancas derramam-se deles, bem como pedaços de osso gredosos e caixas de charutos baratos de metal e de madeira recobertas de poeira branca. Algumas estão desgastadas. Um policial que estava ao lado da porta aberta entra com um bastão retrátil aberto e cutuca uma sacola de cinzas aberta.

"Acha que ele mesmo queimou essas pessoas?", o policial pergunta a Scarpetta. A lanterna dela se move pela escuridão do barracão, detendo-se em ossos longos e numa caveira da cor de pergaminho antigo.

"Não", responde ela. "A não ser que tenha um crematório particular em algum lugar. Esses ossos são típicos de crematórios." Ela movimenta a luz da lanterna sobre uma caixa empoeirada e cheia de marcas, semi-enterrada em cinzas dentro de um saco de lixo. "Quando os ossos de um parente são devolvidos, eles vêm em caixas simples e baratas como esta. Se a pessoa quiser algo mais sofisticado, tem de comprar." Scarpetta dirige a luz da lanterna para os longos ossos não queimados e para a caveira, e a caveira olha para eles com olhos negros e vazios e um sorriso de dentes falhos. "Reduzir um corpo humano a cinzas requer temperaturas de oitocentos a dois mil graus."

"E os ossos que não estão queimados?" O policial aponta o bastão para os ossos longos e a caveira, e o bastão está firme em sua mão, mas ela sabe que ele está nervoso.

"Eu verificaria se não houve roubos de túmulos por aqui num passado recente", responde ela. "Esses ossos me parecem bem antigos. Certamente não são novos. E não estou sentindo cheiro nenhum, o que sentiríamos se os corpos tivessem se decomposto aqui." Ela olha para a caveira, que retorna o olhar.

"Necrofilia", comenta Marino, passeando a luz da lanterna ao redor do barracão, iluminando o pó branco que deve pertencer a muita gente, acumulado em algum lugar durante anos e anos e recentemente jogado dentro daquele barracão.

"Não sei, não", rebate Scarpetta, desligando a lanterna e saindo do barracão. "Mas diria que é bem possível que ele tenha um esquema armado, que remova cinzas de corpos cremados de graça, realizando o desejo de pobres-diabos que desejavam que suas cinzas fossem espalhadas por uma montanha, no mar, num jardim, ou numa zona de pesca favorita. Alguém pega o dinheiro e joga as cinzas em qualquer lugar. Imagino que, mais dia, menos dia, neste barracão. Ninguém sabe. Já aconteceu antes. Ele pode ter começado a fazer isso quando ainda trabalhava comigo. Eu também verificaria nos crematórios locais, para ver se ele ficava rondando algum deles, procurando novos negócios. Claro que ninguém vai admitir ter feito negócio nenhum." Ela sai caminhando pelas folhas mortas molhadas.

"Então tudo isso foi por dinheiro?", pergunta o policial do bastão seguindo Scarpetta, com incredulidade na voz.

"Talvez ele tenha se sentido tão atraído pela morte que passou a ser responsável por elas", responde, atravessando o quintal. A chuva parou. O vento está calmo, e a lua saiu das nuvens e parece delgada e pálida como um caco de vidro, bem acima do teto musgoso e inclinado da casa onde morava Edgar Allan Pogue.

43

Fora, na rua enevoada, a luz do poste mais próximo chega até Scarpetta de modo a projetar sua sombra no asfalto enquanto ela olha para as janelas iluminadas nos dois lados da porta da frente do outro lado do pátio molhado e escuro.

Quem mora nesta vizinhança ou passa por ela de automóvel deve ter notado luzes acesas e um homem de cabelos vermelhos entrando e saindo. Talvez ele tenha um automóvel, mas Browning informou-a um minuto atrás que, se Pogue tiver algum veículo, seja qual for o modelo, não há registro dele. Claro que isso é peculiar. Significa que, se ele tiver um carro, as placas não estão registradas em seu nome. Ou o automóvel não é dele ou as placas foram roubadas. É possível que Pogue não tenha carro, ela conclui.

O telefone celular de Scarpetta parece desajeitado e pesado, embora seja pequeno e não pese muito, mas ela está sobrecarregada de pensamentos a respeito de Lucy e quase sente medo de ligar para ela nessas circunstâncias. Seja qual for a situação pessoal de Lucy, Scarpetta tem medo de saber os detalhes. As situações pessoais de Lucy raramente são boas, e a parte de Scarpetta que parece não ter nada melhor a fazer a não ser se preocupar e alimentar dúvidas passa um tempo considerável se culpando pelos fracassos dela nos seus relacionamentos. Benton está em Aspen, e Lucy deve saber disso. Deve saber que Scarpetta e Benton não estão bem desde que voltaram a ficar juntos.

Scarpetta digita o número de Lucy no momento em que a porta da frente se abre e Marino sai para a varanda intensamente sombreada. Fica surpresa pela rara oportunidade de vê-lo emergir de mãos vazias do local de um crime. Quando era detetive em Richmond, nunca saiu do local de um crime sem arrastar todas as sacolas de provas que coubessem em seu porta-malas, mas agora ele não leva nada porque Richmond não é mais sua jurisdição. Então é melhor deixar a polícia recolher as provas e rotulá-las para entregar aos laboratórios. Talvez esses policiais façam um trabalho adequado e não deixem nada importante nem incluam muita coisa que não seja, mas, ao observar Marino seguindo lentamente pelo passeio de tijolos, Scarpetta se sente impotente e encerra sua chamada para Lucy antes de ouvir a resposta da secretária eletrônica.

"O que você quer fazer?", pergunta a Marino quando ele chega perto dela.

"Eu gostaria de fumar um cigarro", responde ele, olhando para cima e para baixo na rua irregularmente iluminada. "Jimbo, o destemido corretor imobiliário, me ligou de volta. Ele entrou em contato com Bernice Towle. Ela é a filha."

"A filha de quem quer que fosse a senhora Arnette?"

"Isso. E a senhora Towle não sabe nada sobre alguém morando na casa. De acordo com ela, a casa está vazia há muitos anos. Falou alguma coisa estranha sobre um testamento. Não sei. A família não pode vender a casa por menos que uma certa quantia, e Jim diz que não vai conseguir esse preço de jeito nenhum. Não sei. Eu gostaria muito de fumar um cigarro. Talvez eu tenha sentido cheiro de charuto lá dentro e isso me deixou fissurado por um cigarro."

"E quanto a hóspedes? A senhora Towle hospedava gente na casa?"

"Parece que ninguém se lembra da última vez que esta pocilga recebeu hóspedes. Só se fossem sem-teto que moram em casas abandonadas. Eles invadem o local e fogem se aparecer alguém. Depois voltam quando o espaço é liberado. Quem pode saber? Então, o que você quer fazer?"

"Acho que devíamos voltar ao hotel." Ela abre o utilitário e olha novamente para a casa iluminada. "Imagino que não haja muito mais que fazer aqui esta noite."

"A que horas será que fecha o bar do hotel?", pergunta Marino, abrindo a porta do passageiro e erguendo as pernas para subir cuidadosamente a bordo do utilitário. "Agora estou completamente acordado. Isso sempre acontece, droga. Acho que não vai me fazer mal fumar um cigarro, só um, e tomar umas cervejas. Depois talvez eu consiga dormir."

Scarpetta fecha a porta e dá a partida. "Tomara que o bar esteja fechado", comenta. "Se eu beber, as coisas vão ficar piores ainda, pois não posso beber. O que aconteceu, Marino?" Ela se afasta do meio-fio, as luzes da casa de Edgar Allan Pogue ondulando atrás do automóvel. "Ele estava morando nessa casa. Ninguém sabia? Ele tem um cômodo cheio de restos humanos e ninguém nunca viu o sujeito andando no quintal para entrar no barraco, nunca? Está me dizendo que a senhora Paulsson nunca o viu andando lá atrás? Talvez Gilly tenha visto."

"Por que simplesmente não passamos pela casa dela e perguntamos?", sugere Marino, olhando pela janela, as mãos enormes no colo, como se quisesse proteger seus ferimentos.

"É quase meia-noite."

Marino dá uma risada sarcástica. "Certo. Vamos ser educados."

"Tudo bem." Ela vira à esquerda na rua Grace. "Mas esteja preparado. Não dá para saber o que ela vai dizer quando vir você."

"Ela é que devia estar preocupada com o que eu vou dizer, não o contrário."

Scarpetta faz o retorno e estaciona no lado da rua onde fica a pequena casa de tijolos, atrás da minivan azul-escura. Apenas a luz da sala de estar está acesa, brilhando através de cortinas transparentes. Ela tenta pensar em alguma maneira infalível para fazer a sra. Paulsson atender a porta e conclui que seria melhor ligar primeiro. Consulta uma lista de chamadas feitas recentemente pelo celular, esperando que o número da sra. Paulsson ainda esteja lá, mas não está. Depois remexe dentro da bolsa até encontrar um pedaço de papel que guardou desde seu primeiro encontro com Suzanna Paulsson, digita o número no telefone e envia a chamada via aérea, ou por onde quer que passem as ligações, imaginando o telefone tocando ao lado da cama da sra. Paulsson.

"Alô?" A voz da sra. Paulsson soa sonolenta e intrigada.

"É Kay Scarpetta. Estou do lado de fora da sua casa e aconteceu uma coisa. Preciso falar com a senhora. Por favor venha até a porta."

"Que horas são?", pergunta ela, confusa e amedrontada.

"Por favor venha até a porta", diz Scarpetta, saindo do utilitário. "Estou do lado de fora."

"Está certo. Está certo." E desliga.

"Fique no carro", recomenda Scarpetta, dirigindo-se ao utilitário. "Espere até ela abrir a porta, depois saia. Se ela vir você pela janela, não vai nos deixar entrar."

A porta se fecha e Marino fica sentado em silêncio no escuro enquanto ela caminha até a varanda. As luzes se acendem à medida que a sra. Paulsson caminha pela casa em direção à porta. Scarpetta espera, e uma sombra passa flutuando pela cortina da sala de estar, que se move quando a sra. Paulsson olha para fora, depois se fecha ondulando e esvoaçando quando a porta é aberta. A sra. Paulsson está vestindo um roupão de flanela fechado com zíper, os cabelos achatados onde estavam pressionados contra o travesseiro, os olhos inchados.

"Meu Deus, o que foi?", pergunta, deixando Scarpetta entrar na casa. "Por que está aqui? O que aconteceu?"

"O homem que morava na casa atrás da sua cerca", diz Scarpetta. "A senhora o conhecia?"

350

"Que homem?" Ela parece atônita e assustada. "Que cerca?"

"A casa dos fundos", aponta Scarpetta, esperando Marino aparecer na porta a qualquer segundo. "Havia um homem morando lá. Vamos. Deve saber que havia alguém morando lá atrás, senhora Paulsson."

Marino bate na porta e a sra. Paulsson salta e leva a mão ao coração. "Deus! O que é agora?"

Scarpetta abre a porta e Marino entra. Seu rosto está vermelho e ele não olha para a sra. Paulsson, mas fecha a porta e entra na sala de estar.

"Ah, não!", exclama a sra. Paulsson, subitamente furiosa. "Eu não o quero aqui", diz para Scarpetta. "Mande-o embora!"

"Fale sobre o homem da casa dos fundos", insiste Scarpetta. "A senhora deve ter visto luzes lá atrás."

"Ele se chama Edgar Allan, ou Al, ou usa algum outro nome?", pergunta Marino, o rosto tenso e vermelho. "Não tente nos enrolar, Suz. Não estamos com disposição para isso. Como ele se chamava? Aposto que vocês dois eram íntimos."

"Estou dizendo que não sei de nenhum homem na casa de atrás", contesta a sra. Paulsson. "Por quê? Ele...? Vocês acham...? Oh, Deus." Seus olhos brilham de medo e lágrimas e ela parece estar dizendo a verdade, como qualquer bom mentiroso, mas Scarpetta não acredita.

"Alguma vez ele veio até esta casa?", Marino quer saber.

"Não!" Ela abana a cabeça de um lado para o outro, cruzando as mãos na cintura.

"É mesmo?", diz Marino. "Como pode dizer isso se nem sabe de quem estamos falando, hein? Talvez ele seja o leiteiro. Talvez tenha aparecido para alguns de seus jogos. Você não sabe de quem estamos falando, então como pode dizer que ele nunca esteve na sua casa?"

"Não vou permitir que falem comigo dessa forma", diz a sra. Paulsson olhando para Scarpetta.

"Responda à pergunta", interrompe Scarpetta, olhando para ela.

"Estou dizendo que..."

"E eu estou dizendo que as impressões digitais dele estavam no quarto da Gilly", interrompe Marino de forma agressiva, aproximando-se dela. "Você deixou aquele canalha de cabelos vermelhos entrar aqui para um dos seus jogos? Foi isso, Suz?"

"Não!" Lágrimas rolam pelo rosto dela. "Não! Ninguém mora lá atrás! Só a velha, e ela já mudou há anos! E talvez alguém fique na casa de vez em quando, mas ninguém mora lá, juro! Impressões digitais? Meu Deus! Minha filhinha. Minha filhinha." Ela soluça, abraçando a si mesma, chorando tão intensamente que expõe os dentes inferiores, e aperta as mãos contra as bochechas, e as mãos estão trêmulas. "O que ele fez com a minha filhinha?"

"Ele matou sua filha, foi isso", diz Marino. "Fale sobre ele com a gente, Suz."

"Oh, não", geme ela. "Ah, Gilly."

"Sente-se, Suz."

Ela continua de pé, chorando com as mãos no rosto.

"Sente-se!", ordena Marino com raiva, e Scarpetta conhece aquela performance. E deixa que ele faça o que faz tão bem, mesmo sendo difícil assistir.

"Sente-se!" Ele aponta para o sofá. "Pelo menos uma vez na sua vida diga toda a verdade. Faça isso pela Gilly."

A sra. Paulsson desaba no sofá xadrez embaixo das janelas, o rosto entre as mãos, lágrimas correndo pelo pescoço e molhando a frente do roupão. Scarpetta anda até a lareira apagada, em frente à sra. Paulsson.

"Me fale sobre Edgar Allan Pogue", diz Marino, lentamente e em voz alta. "Está me ouvindo, Suz? Alô-ô? Está me ouvindo, Suz? Ele matou a sua filhinha. Ou talvez você não se importe com isso. Ela era um pé no saco, afinal, a Gilly. Ouvi falar de como era uma inútil. Você ficava o dia inteiro atrás dela colocando as coisas no lugar..."

"Chega!", grita ela, os olhos vermelhos arregalados olhando para ele com ódio. "Chega! Chega! Seu maldito... Seu..." Ela soluça e enxuga o nariz com a mão trêmula. "Minha Gilly."

Marino senta-se numa poltrona e nenhum dos dois parece ter consciência de que Scarpetta está na sala, mas ele sabe que ela está lá. Ele conhece o seu papel. "Você quer que a gente pegue o cara, Suz?", pergunta, subitamente mais comedido e tranqüilo. Inclina-se para a frente e apóia os grossos antebraços nos joelhos. "É isso que você quer? Diga."

"Quero." Ela aquiesce, chorando. "Quero."

"Então nos ajude."

Ela abana a cabeça e chora.

"Você não vai nos ajudar?" Marino recosta-se na poltrona e olha para Scarpetta em frente à lareira. "Ela não vai ajudar a gente, doutora. Ela não quer pegar o sujeito."

"Não", soluça a sra. Paulsson. "Eu... não sei. Eu só vi uma vez, acho que era ele... Uma noite eu saí, sabe, e... fui até a cerca. Fui até a cerca para ver a Fofura, e tinha um homem lá atrás, no quintal."

"No quintal da casa dele", diz Marino. "Do outro lado da sua cerca lá atrás."

"Ele estava atrás da cerca, que tem rachaduras entre as tábuas, estava com os dedos enfiados nos buracos, acariciando a Fofura pela cerca. Eu disse boa-tarde. Foi só o que disse a ele... Ah, merda." Ela mal consegue recuperar o fôlego. "Ah, merda. Foi isso. Ele estava acariciando a Fofura."

"O que ele disse para você?", pergunta Marino, com a voz calma. "Esse homem disse alguma coisa?"

"Ele disse..." A voz dela sobe e desaparece. "Ele... disse: Eu gosto da Fofura."

"Como ele sabia o nome da sua cachorrinha?"

"Eu gosto da Fofura, ele disse."

"Como ele sabia que o nome da sua cachorrinha era Fofura?", pergunta Marino. A sra. Paulsson respira com dificuldade, chorando um pouco menos, olhando para o chão.

Marino diz: "Bem, acho que ele deve ter pegado sua cachorrinha também. Já que gostava dela. Você não viu mais a Fofura, viu?".

353

"Então ele pegou a Fofura." Ela aperta as mãos sobre o colo, suas juntas se embranquecem. "Ele levou tudo que eu tinha."

"Naquela noite em que ele estava acariciando a Fofura através da cerca, o que você achou? O que achou de haver um homem lá atrás?"

"Ele tinha uma voz baixa, sabe, não uma voz alta, era uma voz arrastada, nem amistosa nem hostil. Não sei."

"Você não disse mais nada para ele?"

A sra. Paulsson olha para o chão, as mãos enlaçadas sobre o colo. "Acho que disse para ele: 'Eu sou Suz. Você mora aqui perto?'. E ele disse que estava fazendo uma visita. Foi só isso. Então eu peguei a Fofura e voltei para casa. E, quando estava entrando, vi Gilly pela porta da cozinha. Ela estava no quarto, olhando pela janela. Observando quando eu pegava a Fofura. Assim que me viu na porta, ela correu da janela para me encontrar e abraçar a Fofura. Ela adorava aquela cachorrinha." Seus lábios se contorcem e ela continua olhando para o chão. "Ela ia ficar tão triste."

"As cortinas estavam abertas quando Gilly estava olhando pela janela?", pergunta Marino.

A sra. Paulsson olha para o chão, sem piscar, punhos tão cerrados que suas unhas se cravam na palma das mãos.

Marino dá uma olhada para Scarpetta e ela diz, da lareira: "Está tudo bem, senhora Paulsson. Tente se acalmar. Tente relaxar um pouco. Quanto tempo depois de ele ter acariciado a Fofura pela cerca a Gilly morreu?".

A sra. Paulsson enxuga os olhos fechados.

"Dias? Semanas? Meses?"

Ela ergue os olhos e vira-se para Scarpetta. "Não sei por que você voltou aqui. Eu disse para não voltar."

"Por causa da Gilly", diz Scarpetta, tentando fazer com que a sra. Paulsson se concentre em algo em que não quer pensar. "Nós precisamos saber sobre o homem que viu pela cerca, o homem que disse estar acariciando a Fofura."

"Você não devia ter voltado aqui, eu disse para não voltar."

"Sinto muito que não me queira aqui", responde Scarpetta, parada calmamente em frente à lareira. "A senhora pode achar o contrário, mas estou querendo ajudar. Todos nós queremos descobrir o que aconteceu com a sua filha. E o que aconteceu com a Fofura."

"Não", retruca a sra. Paulsson com olhos secos que fitam Scarpetta de maneira estranha. "Eu quero que você vá embora." Ela não indica se Marino também deveria sair. Parece nem ter consciência de que ele está sentado na poltrona à esquerda do sofá, a menos de sessenta centímetros de onde ela está. "Se você não for embora, eu vou chamar alguém. A polícia. Vou chamar a polícia."

Você quer ficar sozinha com ele, pensa Scarpetta. Quer continuar jogando, porque os jogos são mais fáceis que a vida real. "Lembra quando a polícia tirou coisas do quarto da Gilly", pergunta ela. "Lembra quando tiraram os lençóis da cama? Muitas coisas foram levadas ao laboratório."

"Eu não quero você aqui", insiste ela, imóvel no sofá, o rosto de uma beleza rude olhando friamente para Scarpetta.

"Os cientistas sempre procuram indícios. Tudo dos lençóis da cama da Gilly, tudo do pijama dela, tudo que a polícia levou da sua casa foi examinado. E ela foi examinada. Eu a examinei", continua Scarpetta, encarando o rosto bonito e vulgar da sra. Paulsson. "Os cientistas não encontraram nenhum pêlo de cachorro. Nenhum."

A sra. Paulsson olha para ela, e um pensamento movimenta-se em seus olhos como um peixe nadando em águas rasas e turvas.

"Nenhum pêlo de cachorro. Nenhum pêlo de bassê", continua Scarpetta no mesmo tom calmo, a voz firme partindo do ponto mais alto da lareira, onde se encontra, olhando de cima para a sra. Paulsson no sofá. "Não há mais nenhuma Fofura, é verdade. Porque ela nunca existiu. Não existe nenhuma cachorrinha. Nunca existiu."

"Fala para ela ir embora", diz a sra. Paulsson dirigindo-se a Marino sem olhar para ele. "Faça com que saia da minha casa", pede como se ele fosse seu aliado ou seu homem. "Vocês médicos sempre fazem o que querem com as pessoas", diz a Scarpetta. "Vocês médicos fazem tudo o que querem com as pessoas."

"Por que você mentiu sobre a cachorrinha?", pergunta Marino.

"Fofura foi embora", responde ela. "Foi embora."

"Se houvesse um cachorro na sua casa nós saberíamos", sugere Marino.

"Gilly começou a olhar muito pela janela. Por causa da Fofura, procurando a Fofura. Abrindo a janela e chamando a Fofura", continua a sra. Paulsson, observando as próprias mãos crispadas.

"Nunca existiu cachorrinha nenhuma, não é, Suz?", pergunta Marino.

"Ela vivia abrindo e fechando a janela por causa da Fofura. Quando a Fofura estava no quintal, Gilly sempre abria a janela, rindo e chamando a cachorrinha. A fechadura quebrou." A sra. Paulsson abre lentamente as mãos e olha para elas, observando os ferimentos em forma de lua crescente causados por suas próprias unhas, examinando o sangue dos ferimentos. "Eu devia ter consertado a janela", diz.

44

Às dez da manhã do dia seguinte, Lucy anda pela sala selecionando revistas e agindo com tédio e impaciência. Ela espera que o piloto de helicóptero sentado perto da televisão saia logo para seu compromisso ou receba um chamado urgente. Caminha pela sala de estar da casa perto do complexo hospitalar, pára em frente a uma janela com um antigo vidro jateado e olha para a rua Barre e suas casas históricas. Os turistas só chegam a Charleston na primavera, e ela não vê muitas pessoas lá fora.

Lucy tocou a campainha cerca de quinze minutos atrás, e uma senhora corpulenta abriu a porta e levou-a até a sala de espera, que é bem em frente à porta e provavelmente era uma sala de visitas formal nos gloriosos dias da casa. A mulher entregou a ela um formulário em branco da Federal Aviation Administration para ser preenchido, idêntico aos que Lucy preencheu a cada dois anos durante a última década, depois subiu um longo lance de escada de madeira encerada. O formulário de Lucy está na mesinha de café. Ela começou a preenchê-lo, mas parou logo depois. Pega outra revista de uma mesa, dá uma olhada e a devolve enquanto o piloto de helicóptero preenche seu formulário olhando para ela de vez em quando.

"Se você não se importa de eu fazer uma recomendação", diz ele num tom amistoso, "o doutor Paulsson não gosta quando o formulário não está preenchido quando ele recebe a gente".

"Então você conhece as regras", diz Lucy, sentando-se. "Esses malditos formulários. Eu não sou boa de formulários. Tomei pau em formulários no colégio."

"Eu odeio formulários", concorda o piloto de helicóptero. Ele é jovem e está em boa forma física, os cabelos são cortados curtos, e os olhos escuros são próximos um do outro. Ao apresentar-se alguns minutos atrás, disse que pilotava Black Hawks para a Guarda Nacional e Jet Rangers para uma locadora. "Da última vez que fiz isso, me esqueci de preencher o quadro de alergias. Só que minha esposa tem um gato e eu tive que tomar algumas injeções contra alergia. E elas funcionaram tão bem que me esqueci da alergia e o computador rejeitou minha inscrição."

"É terrível", diz Lucy. "Por causa de uma simples discordância um computador pode ferrar a vida da gente por meses."

"Desta vez eu trouxe uma cópia do antigo formulário", continua, mostrando um pedaço de papel amarelo dobrado. "Agora minhas respostas vão ser todas iguais. Esse é o truque. Mas eu preencheria o formulário, se fosse você. Ele não vai gostar se você entrar lá sem ter feito isso."

"Eu cometi um engano", explica Lucy, pegando seu formulário. "Pus a cidade no campo errado. Vou ter que fazer tudo de novo."

"Ah, não."

"Se aquela senhora voltar, vou pedir outro formulário."

"Ela trabalha aqui há décadas", diz o piloto de helicóptero.

"Como você sabe?", indaga Lucy. "Você é jovem demais para saber se alguém trabalha aqui há décadas."

Ele sorri e está começando a flertar um pouco com ela. "Você ficaria surpresa se soubesse há quanto tempo estou nesse ramo. Aonde você voa? Eu nunca te vi antes. Você não me disse nada. Seu traje de vôo não parece militar, pelo menos de nenhum militar que eu tenha visto."

O traje de vôo dela é preto com um aplique da bandeira americana num ombro e um aplique incomum no outro ombro, um símbolo azul e dourado que ela mesma desenhou, com uma águia rodeada de estrelas. O crachá diz "P. W. Winston". É preso com velcro e ela pode mudar de nome quando quiser, dependendo do que estiver fazendo e de onde estiver fazendo. Pelo fato de seu pai biológico ser cubano, Lucy pode se passar por hispânica, italiana ou portuguesa sem apelar para maquiagem. Hoje ela está em Charleston, Carolina do Sul, e é apenas uma atraente mulher branca com um passável sotaque sulista, um toque bem adocicado ao seu sotaque americano normal.

"Zona noventa e um", diz ela. "O cara para quem eu piloto tem um Quatro-trinta."

"Sorte dele", observa o piloto, impressionado. "Deve ser um cara rico, é o que eu posso dizer. O Quatro-trinta é uma aeronave e tanto. Você gosta do modelo? Demorou muito para se acostumar?"

"Adoro", responde ela, desejando que ele parasse de falar. Lucy seria capaz de conversar sobre helicópteros o dia inteiro, mas está mais interessada em descobrir um local para plantar a escuta na casa de Frank Paulsson, e como vai fazer isso.

A mulher corpulenta que conduziu Lucy até a sala de espera reaparece e pede que o outro piloto a acompanhe, que o dr. Paulsson está pronto para recebê-lo se ele já tiver preenchido o formulário e verificado se as respostas estão corretas.

"Se algum dia passar pela Mercury Air, nosso escritório fica no hangar, você pode ver do estacionamento. Temos uma Harley Soft-tail estacionada lá atrás", diz a Lucy.

"Um homem com o mesmo gosto que eu", responde ela da cadeira. "Preciso de outro formulário", dirigindo-se à mulher. "Eu rasurei este aqui."

A mulher olha para ela com desconfiança. "Bem, vou ver o que posso fazer. Não jogue esse aí fora. Senão vai atrapalhar a seqüência numérica."

"Sim, senhora. Estou com ele bem aqui na mesa." Para o piloto, Lucy diz: "Acabei de trocar minha Sportster por uma Harley-Davidson. Não está nem amaciada ainda".

"Que maravilha! Um Quatro-trinta e uma Harley-Davidson. Você está com a vida que pediu a Deus", comenta ele com admiração.

"Talvez a gente voe junto algum dia. Boa sorte com o seu gato."

O piloto dá risada. E ela ouve quando sobe a escada explicando à gorducha de cara feia que sua esposa não quis abrir mão do gato quando o conheceu, que o gato dormia na cama com ela e que por isso ele passou a ter urticária nas horas mais impróprias. Lucy fica sozinha no andar de baixo pelo menos durante um minuto, pelo menos o tempo de a mulher pegar outro formulário em branco e voltar para a sala de espera. Ela veste um par de luvas de algodão e move-se rapidamente pela sala, limpando todas as revistas em que tocou.

O primeiro microfone que instala é do tamanho de uma bituca de cigarro, um transmissor de áudio sem fio que ela monta num tubo de plástico verde à prova d'água que não se parece com nada. A maioria dos microfones é disfarçada para se parecer com alguma coisa, mas de vez em quando um microfone precisa simplesmente se parecer com nada. Lucy coloca o tubo verde dentro de um vaso de cerâmica brilhante com uma viçosa planta sobre a mesinha de café. Depois de andar rapidamente até os fundos da casa e instalar outro microfone verde parecido com nada em outra planta viçosa sobre uma mesa na cozinha, ela ouve os passos da mulher descendo a escada.

45

Dentro de casa, no quarto do terceiro andar usado como escritório, Benton está em frente ao seu laptop e espera Lucy ativar a câmera de vídeo oculta disfarçada como uma caneta e conectada à interface de um celular que parece um pager. Está esperando que ela ative seu transmissor de áudio de alta sensibilidade disfarçado de lápis. Sobre a mesa, à direita do laptop, há um sistema modular de áudio inteligente montado dentro de uma pasta. A pasta está aberta, a fita de gravação e os receptores dentro, de prontidão.

São dez e vinte e cinco da manhã em Charleston, duas horas mais cedo que aqui em Aspen. Ele olha para a tela preta do seu laptop, sentando pacientemente à mesa e usando fones de ouvido enquanto espera. Já está aguardando há quase uma hora. Lucy ligou quando aterrissou em Charleston na tarde de ontem dizendo que havia marcado a consulta. O dr. Paulsson está com a agenda lotada, acrescentou. Disse à senhora que atendera o telefone que era urgente. Lucy tinha que fazer imediatamente um exame médico de habilitação para vôo, pois seu certificado expirava em dois dias. Por que ela tinha esperado até o último minuto?, quis saber a senhora no consultório do dr. Paulsson.

Lucy descreveu sua dramatização para Benton, orgulhosa. Disse que havia hesitado e aparentado estar amedrontada. Gaguejou um pouco e respondeu que simplesmente não tinha conseguido arranjar tempo, que o proprietário do helicóptero para quem trabalhava estivera voando por toda parte e ela não pudera fazer o exame de habilitação. E, bem, estava tendo problemas pessoais também, dissera à mulher, e se não fizesse o exame seria ilegal pilotar e poderia perder o emprego por isso, e que a última coisa de que precisava naquele momento era perder o emprego. A mulher pôs Lucy na espera. Quando voltou, disse que o dr. Paulsson a encaixaria às dez da manhã do dia seguinte, que é a manhã de hoje, e que estava fazendo um grande favor porque estava cancelando seu jogo de tênis de duplas semanal por causa daquele compromisso. Por isso era melhor Lucy não faltar à consulta, porque o dr. Paulsson era muito ocupado e estava fazendo um grande favor.

Até agora, tudo estava indo de acordo com o plano. Lucy conseguira a consulta. E agora está na casa do médico. Benton espera em sua mesa e olha pela janela, vendo que o céu enevoado está mais baixo e mais denso do que meia hora atrás. Deve recomeçar a nevar quando escurecer e continuar nevando a noite inteira. Ele está ficando cansado de neve. Está ficando cansado dessa cidade. Está ficando cansado de Aspen. Desde que Henri invadiu sua vida, está ficando cansado de quase tudo.

Henri Walden é uma sociopata, narcisista e oportunista. Uma perda de tempo para ele. Seu aconselhamento pós-incidente era uma piada para ela, e ele sentiria pena de Lucy se não estivesse tão zangado por ter permitido que Henri causasse tanto prejuízo. Henri a atraiu e a usou. Henri conseguiu o que queria. Talvez não tivesse planejado ser atacada dentro da casa de Lucy na Flórida, talvez haja muitas coisas que não planejou, mas no final Henri procurou Lucy, tirou o que quis dela e agora está zombando dele. Benton sacrificou suas férias em Aspen com Scarpetta para que uma atriz sociopata transformada em agente investigativa fracassada chamada Henri pudesse zombar dele e deixá-lo furioso. Havia desistido de passar um tempo com Scarpetta, e não tinha esse tempo para desperdiçar. Não tinha. As coisas já estavam ruins. Talvez agora terminem. Ele não pode culpá-la. A idéia é insuportável, mas ele não pode culpá-la.

Benton pega um transmissor que parece um pequeno rádio da polícia. "Você está aí?", pergunta a Lucy.

Se não estiver, não vai atender à transmissão pelo minúsculo receptor sem fio dentro de seu canal auditivo. O aparelho é invisível, mas ela tem de tomar cuidado ao usá-lo. Por certo não pode estar com ele quando o dr. Paulsson examinar seu ouvido, por isso Lucy terá de ser muito rápida e astuta. Benton alertou para o fato de que o receptor seria útil porém arriscado. Eu gostaria de poder falar com você, disse a ela. Seria extremamente útil se pudesse monitorá-la. Mas você conhece os riscos. Em algum momento durante seu exame ele vai descobrir. Lucy disse que preferia não ser monitorada. Benton disse que preferia que ela o fosse.

"Lucy? Você está aí?", ele transmite novamente. "Não estou ouvindo nem vendo você, por isso estou checando."

Subitamente o vídeo é ativado, ele vê imagens preencherem a tela de seu laptop e ouve os passos de Lucy. A imagem de degraus de madeira à frente dela sobe e desce enquanto ela galga a escada, e ele ouve seus passos pelos fones de ouvido. Ouve até a respiração dela.

"Estou ouvindo muito bem", diz ele ao transmissor, segurando-o perto dos lábios. As luzes de voz, vídeo e gravação mudaram de *stand-by* para ativas.

Lucy invade a imagem pela primeira vez, que fica muito nítida quando ela bate em uma porta. Benton está em sua mesa, observando, e a porta se abre e um avental branco preenche a tela e ele vê um pescoço masculino, depois o rosto do dr. Paulsson cumprimentando Lucy com severidade, afastando-se dela, convidando-a a sentar. E, quando ela se move, a caneta-câmera escaneia o pequeno e austero consultório, e a mesa de exame coberta com papel branco torna-se visível.

"Aqui está o antigo formulário. E o segundo que preenchi", diz Lucy entregando as folhas para ele. "Desculpe. Espero não ter bagunçado o seu sistema. Não sou muito boa com formulários. Sabe que fui reprovada em formulários no colégio?" Ela ri com nervosismo quando o dr. Paulsson examina com cuidado os formulários, os dois.

"Perfeitamente claro", diz Benton para o transmissor.

A mão de Lucy surge na tela do computador quando ela passa a mão na frente da caneta, notificando que o ouviu pelo pequeno receptor no ouvido.

"Você fez faculdade?", pergunta o dr. Paulsson.

"Não, senhor. Eu queria, mas..."

"Que pena", comenta o médico, sem sorrir, usando pequenos óculos sem aro e parecendo um homem bem atraente. Algumas pessoas o considerariam bonito. É mais alto que Lucy, mas não muito, talvez alguns centímetros. Com mais ou menos um metro e setenta e nove, um metro e oitenta, é esbelto e parece forte, baseado no que Benton consegue ver. Ele só consegue ver o que a caneta-câmera mostra a partir do bolso superior do macacão de vôo de Lucy.

"Bom, eu não preciso de faculdade para pilotar um helicóptero", diz Lucy, meio insegura. Ela está fazendo um excelente trabalho, fingindo estar insegura e intimidada e sendo basicamente prejudicada pela vida.

"Minha secretária mencionou que você andou tendo problemas pessoais", diz o dr. Paulsson, ainda examinando os formulários.

"Mais ou menos."

"Me diga o que aconteceu", pede ele.

"Ah, problemas normais com o namorado", responde ela nervosa, com timidez. "Eu ia me casar mas não deu certo. É a minha agenda, sabe. Tudo somado, estive fora cinco meses durante os últimos seis meses, aposto."

"Então seu namorado não agüentou a sua ausência e se mandou", diz o dr. Paulsson, colocando a papelada dela numa mesinha onde há um computador. Lucy está fazendo um ótimo trabalho, girando o corpo para captar o médico na câmera de vídeo disfarçada de caneta.

"Ótimo", transmite Benton, olhando para sua porta fechada e trancada. Henri saiu para dar uma volta, mas ele trancou a porta, pois não sabe se ela poderia entrar de repente. Ela nunca aprendeu a respeitar limites, porque para ela não existem limites.

"Nós nos separamos", continua Lucy. "Eu estou bem. Porém tudo isso... foi estressante, mas estou bem."

"Foi por isso que esperou até o último minuto para fazer seu exame de avaliação física", pergunta o dr. Paulsson, aproximando-se dela.

"Imagino que sim."

"Não foi muito prudente. Você não pode pilotar sem seu exame médico. Existem médicos especializados em todo o país, você deveria ter cuidado disso. E se eu não pudesse atender você hoje? Tive uma emergência hoje de manhã com o filho de um amigo meu e ia tirar o resto do dia de folga, mas abri uma exceção por sua causa. E se eu dissesse não? Seu exame médico expira amanhã, supondo que a data que escreveu esteja correta."

"Sim, senhor. Eu sei que foi bobagem esperar. Não saberia exprimir o quanto agradeço..."

"Meu tempo está muito curto. Então vamos logo com isso para despachar você logo daqui." Ele retira o aparelho medidor de pressão de um balcão, pede que ela arregace a manga, abotoa a cinta no antebraço e começa a bombear. "Você é muito forte. Faz bastante exercício?"

"Eu tento", responde Lucy com a voz trêmula quando ele esfrega a mão em seu seio, e Benton percebe aquela violação em seu laptop a mais de mil e quinhentos quilômetros de distância, em Aspen, Colorado. Ninguém que estivesse olhando para Benton perceberia uma reação, nem mesmo um brilho no olhar ou um apertar de lábios. Mas ele sente a violação tanto quanto Lucy.

"Ele está tocando em você", transmite Benton, para a fita de gravação. "Ele começou a tocar em você."

"Sim", Lucy parece estar respondendo para o dr. Paulsson, mas está respondendo para Benton, e passa a mão em frente à lente da câmera, confirmando sua resposta afirmativa. "Sim, eu me exercito bastante", afirma.

46

"Quinze por oito", diz o dr. Paulsson, tocando nela outra vez para abrir o velcro e remover a braçadeira. "É sempre assim tão alta?"

"Não, de jeito nenhum", responde Lucy, parecendo chocada. "É mesmo? Quer dizer, o senhor que sabe. Mas normalmente é onze por sete. Quase baixa demais, normalmente."

"Você está nervosa?"

"Eu nunca gostei de consultas médicas", responde ela, e, já que está sentada sobre a mesa e mais baixa que ele, recua um pouco para que Benton veja o rosto do dr. Paulsson enquanto conversa com ela, tentando manipulá-la e intimidá-la. "Talvez eu esteja um pouco nervosa."

O dr. Paulsson põe a mão no pescoço dela, perto da mandíbula. Sua pele é quente e seca e ele apalpa as áreas moles sob seus ouvidos, onde o cabelo cobre as orelhas. Ele não pode ver o receptor escondido. O médico pede para ela engolir, sentindo seus nódulos linfáticos e demorando-se enquanto Lucy continua ereta, forçando-se a um estado de ansiedade, sabendo que ele pode sentir seu pulso batendo forte no pescoço.

"Engula", diz ele novamente, sentindo a tiróide, verificando se a traquéia está alinhada, e passa pela cabeça de Lucy que ela sabe tudo sobre exames clínicos. Sempre que passava por exames quando criança, fazia perguntas a sua tia Kay e não se sentia satisfeita até saber a razão de todos os toques e observações do médico.

O dr. Paulsson começa a apalpar os nódulos linfáticos novamente, aproximando-se mais, e sua respiração bafeja no alto da cabeça dela.

"Usando nada a não ser o avental", soa a voz de Benton claramente no ouvido esquerdo dela.

Nada que eu possa fazer, pensa Lucy.

"Você tem estado cansada ultimamente, sentindo-se um tanto indisposta?", pergunta o dr. Paulsson de uma forma casual e intimidadora.

"Não. Bem, quer dizer, tenho trabalhado muito, viajado muito. Talvez só um pouco cansada", hesita ela, fingindo estar tão amedrontada quanto parece enquanto sente o médico encostar-se novamente em seus joelhos. Ele se aperta bem num joelho e depois no outro, e a câmera não pode captar o que ela sente, infelizmente.

"Preciso ir ao toalete", diz ela. "Sinto muito. Não vai demorar."

Ele recua e subitamente a sala está lá de novo. É como se uma tampa houvesse sido removida de um buraco na terra para que ela pudesse sair. Lucy desliza da mesa e anda rápido até a porta, enquanto o médico se aproxima do computador e pega o formulário, o que ela preencheu corretamente. "Tem um frasco num saco plástico em cima da pia", diz ele quando ela sai da sala.

"Sim, senhor."

"Pode deixar em cima do vaso sanitário quando tiver terminado."

Mas ela não usa o banheiro, apenas dá a descarga e diz: "Sinto muito", por conta de Benton. É só isso o que diz enquanto remove o receptor do ouvido e o guarda no bolso. Não deixa urina no recipiente em cima do vaso sanitário porque não tem intenção de deixar nenhum resquício biológico de si mesma. Embora seja improvável que seu DNA se encontre no banco de dados, ela nunca se permitiu ter certeza de que não estivesse. Ao longo dos anos, tomou medidas rigorosas para que seu DNA e suas impressões digitais não constassem de nenhum banco de dados

368

no país ou no exterior, mas está programada para viver sempre antevendo os piores cenários em sua mente, por isso não deixa urina para o médico, que logo mais estará bastante motivado para ir atrás da P. W. Winston. Desde que entrou na casa dele, ela limpou todas as superfícies em que tocou, sem deixar impressões digitais que pudessem identificar Lucy Farinelli, ex-FBI, ex-Agência de Tabaco, Álcool e Armas de Fogo, a ATF.

Lucy retorna ao consultório, forçando-se a esperar pelo pior. Seu pulso reage de acordo.

"Seus nódulos linfáticos parecem estar ligeiramente acima do normal", diz o dr. Paulsson, e ela sabe que ele está mentindo. "Quando foi a última vez... Bem, você disse que não gosta de consultas médicas, então é possível que não faça um exame clínico completo há algum tempo. Nem exame de sangue, suponho?"

"Maiores do que o normal?", pergunta Lucy, reagindo com o pânico esperado.

"Você tem se sentido bem ultimamente? Não se sente cansada demais? Febre? Nada disso?" Ele se aproxima novamente e cola o otoscópio no ouvido esquerdo dela, o rosto muito perto de sua bochecha.

"Eu não me sinto doente", responde, e ele muda o otoscópio para o outro ouvido e o examina.

O dr. Paulsson deposita o otoscópio e apanha o oftalmoscópio. Examina os olhos de Lucy, seu rosto a centímetros do dela, depois pega o estetoscópio. Lucy se permite sentir medo, embora esteja mais furiosa do que com medo. Na verdade, não está com medo de modo algum, como percebe ao se sentar na beira da mesa de exame e ouvir o papel estalando suavemente a cada vez que seu peso muda um pouco de lugar.

"Se puder abrir o zíper do macacão de vôo e descê-lo até a cintura", diz ele no mesmo tom casual.

Lucy apenas olha para ele. Depois diz: "Acho que preciso usar o toalete outra vez. Desculpe".

"Tudo bem", concorda ele, um tanto impaciente. "Mas já estou ficando atrasado."

Ela corre até o banheiro e volta em menos de um minuto, o som da descarga soando, o receptor de volta no ouvido.

"Desculpe", diz novamente. "Bebi um copo grande de Coca light antes de vir aqui. Um erro."

"Abaixe o macacão de vôo", ordena o médico.

Ela hesita. Agora chegou a hora do desafio, mas ela sabe o que fazer. Abrindo o zíper do macacão, Lucy desce o traje até a cintura, manipulando a posição da caneta de maneira a formar o ângulo certo, o fio conectado à interface do celular colado no interior do macacão, e não visível.

"Não tão na vertical", diz a voz de Benton em seu ouvido. "Talvez num ângulo de dez graus."

Sutilmente ela ajusta a parte superior do macacão ao redor da cintura, e o dr. Paulsson diz: "Seu sutiã também, por favor".

"Eu preciso tirar tudo?", pergunta timidamente, assustada. "Eu nunca..."

"Senhorita Winston, eu estou mesmo com pressa. Por favor." Ele encaixa os auscultadores do estetoscópio nas orelhas, o rosto severo ao se aproximar, esperando para auscultar o coração e os pulmões dela, e Lucy puxa o sutiã por cima da cabeça e senta-se muito rígida, imóvel sobre a mesa forrada de papel branco.

Ele pressiona o estetoscópio sob um seio, depois sob o outro, tocando-a. Lucy continua imóvel, respirando rapidamente, o coração disparado, registrando sua raiva, não medo, mas ela sabe que ele pensa que está com medo, e fica imaginando que imagens Benton está recebendo. Sutilmente, ajusta o traje de vôo ao redor da cintura, tocando a caneta-câmera enquanto o dr. Paulsson a apalpa fingindo não ter interesse no que está vendo ou sentindo.

"Dez graus para baixo, à direita", Benton a instrui.

Sutilmente, ela ajusta a caneta, e o dr. Paulsson a empurra para a frente e aproxima-se por trás com o estetoscópio. "Respire fundo", está dizendo, e se mostra bastante habilidoso ao fazer seu trabalho ao mesmo tempo que consegue tocá-la e se esfregar nela até passar a mão enquanto força o corpo contra o dela. "Você tem alguma cicatriz ou marcas de nascença? Não estou vendo nenhuma." E passa as mãos sobre ela, procurando.

"Não, senhor", responde ela.

"Você deve ter alguma marca. De uma apendicectomia, talvez? Nada?"

"Nada."

"É o suficiente", diz Benton no ouvido de Lucy, e ela detecta raiva no seu tom de voz calmo.

Mas não é o suficiente.

"Agora gostaria que se levantasse e ficasse numa perna só", diz o dr. Paulsson.

"Posso me vestir?"

"Ainda não."

"É o suficiente", soa a voz de Benton no ouvido dela.

"Levante-se", ordena o dr. Paulsson.

Lucy senta-se na mesa e fecha o macacão, enfiando os braços nas mangas e fechando o zíper, sem se importar com o sutiã porque não tem tempo para isso. Olha para o médico e subitamente não está mais agindo como se estivesse nervosa ou com medo, e o dr. Paulsson percebe a mudança e seus olhos reagem. Ela desce da mesa e aproxima-se dele.

"Sente-se", comanda ela.

"O que está fazendo?" Os olhos dele se arregalam.

"Sente-se!"

O dr. Paulsson não se move, olhando fixo para ela. Como acontece com todos os valentões que ela já conheceu, ele parece assustado. E fica ainda mais assustado quando ela puxa a caneta do bolso da frente, erguendo-a para que possa ver o fio a que está ligada. "Teste de freqüência", diz a Benton, para ele verificar os transmissores ocultos que plantou na sala de espera e na cozinha do andar de baixo.

"Nada", retorna ele.

Ótimo, pensa ela. Ele não está ouvindo nenhum som no andar de baixo.

"Nem queira saber o quanto você está encrencado", diz Lucy para o dr. Paulsson. "Nem queira saber quem está assistindo e ouvindo tudo isso em tempo real. Sente-se. Sente-se!" Ela guarda a caneta novamente no bolso, as lentes ocultas olhando direto para o médico.

Ele se move, inquieto, mexe numa cadeira, tira-a de baixo do balcão e senta, olhando para ela, o rosto pálido. "Quem é você? O que está fazendo?"

"Eu sou o seu destino, seu filho-da-puta", diz Lucy, tentando empurrar a raiva de volta para a jaula, mas para ela é mais fácil se forçar a sentir medo do que forçar sua raiva à submissão. "Você faz esse tipo de coisa com a sua filha? Com a Gilly? Você também a molesta, seu filho-da-puta?"

Ele olha para Lucy, os olhos selvagens.

"Você me ouviu. Você me ouviu muito bem, seu escroto. E a FAA, a Agência Federal de Aviação, também vai ouvir você logo, logo."

"Saia do meu consultório." O dr. Paulsson está pensando em agarrá-la, ela percebe nos músculos tensos do corpo dele, nos seus olhos.

"Nem tente", ameaça Lucy. "Nem pense em sair dessa cadeira antes de eu mandar. Quando foi a última vez que viu Gilly?"

"Do que está falando?"

"A rosa", Benton dá a dica.

"Sou eu quem faz as perguntas", diz Lucy para o dr. Paulsson, e uma parte dela quer dizer a mesma coisa a Benton. "Sua ex-mulher está espalhando histórias por aí. Você já sabia disso, doutor Mão-Boba?"

Ele molha os lábios, arregalando os olhos frenéticos.

"Ela está criando um bom caso a respeito de você ter sido a razão de a Gilly estar morta. Você sabia disso?"

"A rosa", repete Benton no ouvido dela.

"Disse que você foi visitar Gilly pouco antes de ela

morrer subitamente. Que você levou uma rosa. Ah, nós sabemos a respeito. Tudo o que havia no quarto daquela pobre garota foi examinado, pode estar certo."

"Tinha uma rosa no quarto dela?"

"Peça para ele descrevê-la", recomenda Benton.

"Me diga você", diz Lucy para o dr. Paulsson. "Onde você arranjou a rosa?"

"Eu não arranjei rosa nenhuma. Nem sei do que está falando."

"Não me faça perder tempo."

"Você não vai levar esse caso para a FAA..."

Lucy ri e abana a cabeça. "Ah, canalhas como você gostam de livrar a própria cara. Acha mesmo que vai se safar dessa merda? Que coisa. Mas me fale da Gilly. Depois conversamos sobre a FAA."

"Desligue isso." Ele aponta para a caneta-câmera.

"Se você me falar da Gilly, eu desligo."

Ele aquiesce.

Ela toca na caneta e finge estar desligando o aparato. Os olhos dele estão assustados e não confiam nela.

"A rosa", repete ela.

"Juro por Deus que não sei nada sobre rosa nenhuma", responde ele. "Eu jamais faria mal a Gilly. O que ela está dizendo? O que aquela cadela está dizendo?"

"Sim, Suzanna." Lucy olha para ele. "Ela tem muito a dizer. E, do jeito como fala, você é a razão de Gilly estar morta. Assassinada."

"Não! Meu Deus, não!"

"Você brinca de soldado com a Gilly também? Veste-se de camuflagem e usa botas, seu safado? Deixa tarados entrarem na sua casa para participar dos seus joguinhos doentios?"

"Meu Deus", geme ele, fechando os olhos. "Aquela vagabunda. Aquilo era entre nós dois."

"Nós?"

"Suz e eu. Casais fazem essas coisas."

"E quem mais? Outras pessoas participavam dos seus jogos?"

373

"Eu estava na minha casa."

"Que porco que você é", diz Lucy de forma ameaçadora. "Fazendo essas merdas na frente da sua filha."

"Você é do FBI?" Ele arregala os olhos, que parecem mortos de ódio, como os de um tubarão. "Você é do FBI, não é? Eu sabia que isso ia acontecer. Eu devia saber. Como se minha vida tivesse a ver com isso tudo. Eu sabia. Armaram contra mim."

"Sei. O FBI forçou você a me fazer tirar a roupa para um exame médico de rotina."

"Não tem nada a ver com nada. Não faz diferença."

"Permita-me discordar", reage ela sarcasticamente. "Faz toda a diferença. Você vai descobrir o quanto faz diferença. Eu não sou do FBI. Você não tem tanta sorte assim."

"Tudo isso é por causa da Gilly?" Ele está mais relaxado na cadeira, porém abatido, e mal se move. "Eu amava minha filha. Não a vejo desde o Dia de Ação de Graças, essa é a verdade, juro por Deus."

"A cachorrinha", Benton dá a dica, fazendo Lucy pensar em arrancar o receptor do ouvido.

"Acha que alguém matou sua filha porque você engana o Departamento de Segurança Interna?" Lucy sabe que não, mas vai fazer pressão. "Vamos, Frank. Diga a verdade! Não piore ainda mais as coisas para você!"

"Alguém matou minha filha", repete ele. "Eu não acredito."

"Pode acreditar."

"Não pode ser."

"Quem mais foi à sua casa fazer aquele joguinho? Você conhece Edgar Allan Pogue? O sujeito que mora na casa atrás da sua? Onde a senhora Arnette morava?"

"Eu a conhecia", diz ele. "Era minha paciente. Hipocondríaca. Um pé no saco, na verdade."

"Isso é importante", diz Benton, como se Lucy não soubesse. "Ele está confidenciando. Seja amiga dele."

"Sua paciente em Richmond?", pergunta Lucy, e a última coisa que deseja é ser amiga dele, mas ela se abranda, parecendo interessada. "Quando?"

"Quando? Meu Deus, há uma eternidade. Na verdade, eu comprei nossa casa de Richmond dela. Ela tinha várias casas em Richmond. Na virada do século, a família era dona do quarteirão todo, uma grande propriedade que foi dividida entre os parentes e por fim posta à venda. Eu comprei a nossa casa dela, foi uma pechincha. Uma pechincha."

"Parece que você não gostava muito dela", diz Lucy, parecendo se dar muito bem com o dr. Paulsson, como se ele não a tivesse molestado poucos minutos atrás.

"Ela vinha à minha casa, ao meu consultório, aonde quisesse. Um pé no saco. Sempre se queixando."

"O que aconteceu com ela?"

"Morreu. Oito, dez anos atrás. Muito tempo atrás."

"De quê?", pergunta Lucy. "Do que ela morreu?"

"Estava doente, tinha câncer. Morreu em casa."

"Detalhes", diz Benton.

"E o que mais você sabe sobre isso?", pergunta Lucy. "Ela estava sozinha quando morreu? Teve um grande funeral?"

"Por que está me perguntando essas coisas?" O dr. Paulsson está na cadeira, olhando para ela. Mas está se sentindo melhor porque Lucy se mostra amistosa. É óbvio.

"Pode estar relacionado com Gilly. Sei de coisas que você não sabe. Deixe que eu faça as perguntas."

"Cuidado", alerta Benton. "Mantenha-o sob controle."

"Bem, então pode perguntar", diz o dr. Paulsson, fingidamente.

"Você foi ao funeral dela?"

"Não lembro se ela teve um funeral."

"Ela deve ter tido um funeral", insiste Lucy.

"Ela odiava Deus, punha a culpa nele por todos os seus males e dores, pelo fato de ninguém querer estar ao lado dela, o que era compreensível se você a conhecesse. Que mulherzinha repugnante. Simplesmente intolerável. Os médicos não recebem o suficiente para tratar de gente como ela."

"Ela morreu em casa? Estava muito doente, com câncer e morreu sozinha em casa?", pergunta Lucy. "Ou estava num asilo?"

"Não."

"Era uma mulher rica e morreu sozinha em casa, sem cuidados médicos, sem nada?"

"Mais ou menos. Mas por que isso é importante?" Seus olhos percorrem o consultório, ele está alerta e mais confiante.

"É importante. Você está aliviando as coisas para si mesmo. Aliviando muito", assegura Lucy, ameaçando-o ao mesmo tempo. "Eu quero ver os registros médicos da senhora Arnette. Me mostre. Puxe do seu computador."

"Eu devo ter apagado a ficha dela. Ela morreu." Os olhos dele zombam de Lucy. "Uma coisa engraçada com a querida senhora Arnette é que ela doou o corpo para a ciência porque não queria um funeral, porque odiava Deus, foi isso. Imagino que algum pobre estudante de medicina teve que trabalhar naquela velha. Eu costumava pensar nisso de tempos em tempos, e sentia pena do pobre estudante que teve a infelicidade de mexer naquele corpo velho, feio e enrugado." O dr. Paulsson está mais calmo e mais seguro de si, e, quanto mais confiante fica, mais a raiva de Lucy se ergue como bile.

"A cachorrinha", Benton fala na orelha dela. "Pergunte a ele."

"O que aconteceu com a cachorrinha da Gilly?", pergunta Lucy ao dr. Paulsson. "Sua esposa diz que a cachorrinha desapareceu e que você teve algo a ver com isso."

"Ela não é mais minha esposa", contesta o médico, o olhar duro e frio. "E nunca teve um cachorro."

"Fofura", diz Lucy.

Ele olha para ela e algo brilha em seu olhar.

"Onde está Fofura?", pergunta Lucy.

"As únicas Fofura que conheço somos eu e a Gilly", diz ele, com uma expressão maliciosa.

"Não seja engraçadinho", adverte Lucy. "Esse caso não tem nada de engraçado."

"Suz me chama de Fofura. Sempre chamou. E eu chamava Gilly de Fofura."

"Essa é a resposta", diz Benton. "É o suficiente. Saia daí."

"Não existe cachorrinha nenhuma", diz o dr. Paulsson. "Isso é uma grande bobagem." Ele se envolve mais na conversa, e Lucy percebe o que está por vir. "Quem é você?", pergunta o médico. "Me dá essa caneta." Ele se levanta da cadeira. "Você é apenas uma garota estúpida que mandaram para me processar, não é? Pensa que vai ganhar dinheiro. Você percebe o quanto isso é loucura, não? Me dá essa caneta."

Lucy está de pé com os braços caídos ao lado, as mãos preparadas.

"Saia daí", diz Benton. "Já."

"Então algumas gostosinhas se juntaram pensando que iam ganhar algum dinheiro?" Ele se posta diante de Lucy, e ela sabe o que está para acontecer.

"Saia daí", diz Benton enfaticamente. "Acabou."

"Você quer a câmera?", pergunta Lucy ao dr. Paulsson. "Quer o microgravador?" O gravador não está com ela. Está com Benton. "Você quer mesmo essas coisas?"

"Nós podemos simplesmente fazer de conta que isso nunca aconteceu", diz o dr. Paulsson, sorrindo. "Dê essas coisas para mim. Você já tem a informação que queria, não tem? Então vamos esquecer o resto. Me dá os aparelhos."

Ela dá um tapinha na interface do celular, presa a um passador do cinto, o fio ligado ao aparelho e passando por um minúsculo furo dentro do macacão de vôo. Depois aperta um interruptor, desligando a interface. A tela de Benton escurece. Agora ele pode ouvir e falar, mas não pode ver.

"Não", diz Benton no ouvido dela. "Saia daí. Já."

"Fofura", zomba Lucy. "Que piada. Não consigo imaginar ninguém chamando você de Fofura. É nojento. Você quer a câmera, o gravador, venha pegar."

O dr. Paulsson avança e tem um encontro imediato

377

com o punho de Lucy, em seguida suas pernas amolecem embaixo do corpo e ele cai no chão com um grunhido e um grito, e ela está em cima de suas costas, o joelho prendendo o braço direito, a mão esquerda prendendo o braço esquerdo. Os braços dele estão torcidos e dolorosamente presos atrás das costas.

"Me solte!", grita ele. "Você está me machucando!"

"Lucy! Não!" Benton está falando, mas ela não ouve.

Lucy agarra os cabelos da nuca do dr. Paulsson, respirando com dificuldade e sentindo o gosto da própria raiva, e ergue a cabeça dele pelos cabelos. "Espero que tenha se divertido hoje, Fofura", diz Lucy, puxando a cabeça do médico pelos cabelos. "Eu devia lhe dar uma surra. Você molesta sua própria filha? Você deixa outros tarados fazerem isso quando eles vêm à sua casa participar de joguinhos sexuais? Você a molestou no quarto dela pouco antes de se mudar no último verão?" Ela pressiona a cabeça dele contra o piso como se o estivesse afogando na lajota, com força suficiente para lembrar-lhe de que poderia esmagar sua cabeça. Ele grunhe e grita.

"Lucy! Pare!" A voz de Benton penetra o tímpano dela. "Saia daí!"

Lucy pisca os olhos, subitamente consciente do que está fazendo. Ela não pode matá-lo, por isso sai de cima do dr. Paulsson. Ameaça chutar a cabeça dele, mas detém o pé. Respira ofegante, suando, recuando, querendo chutá-lo, querendo matá-lo de pancada, e ela poderia fazer isso, facilmente. "Não se mexa", exige, afastando-se dele, o coração leve ao perceber o quanto gostaria de matá-lo. "Fique aí deitado e não se mexa. Não se mexa!"

Anda até a mesinha e pega seus falsos formulários da FAA, depois recua até a porta e a abre. Ele permanece deitado e não se move, o rosto contra o chão. O sangue pinga de seu nariz e tinge de vermelho a lajota branca.

"Você está ferrado", diz ela da porta, imaginando onde estaria a gorducha, a secretária, olhando em direção à escada sem avistar ninguém. A casa está no mais completo silêncio e ela está sozinha ali com o dr. Paulsson, exatamente como ele planejara. "Você está ferrado. E tem sorte de não estar morto", diz, antes de sair e bater a porta.

47

Ao longo das ruas estreitas do campo de treinamento, cinco agentes armados com fuzis Beretta Storm de nove milímetros com miras telescópicas Bushnell e luzes táticas movimentam-se a partir de diferentes direções rumo a uma pequena casa de estuque com teto de cimento.

A casa é velha e malconservada, e o pequeno jardim malcuidado é enfeitado por Papais Noéis inflados, bonecos de neve e canudinhos recheados. As palmeiras estão descuidadamente adornadas com luzes multicoloridas. Dentro da casa, um cão late sem parar. Os agentes portam seus Storm em correias cruzadas no tórax e mantêm os canos em um ângulo de quarenta graus para baixo. Vestidos de negro, não estão usando armaduras leves, o que é incomum durante um reide.

Rudy Musil espera calmamente dentro da casa de estuque, atrás de uma barricada alta feita com mesas viradas e cadeiras que bloqueiam a estreita porta que leva até a cozinha. Veste calça de camuflagem e tênis e está armado com um AR-15, que não é uma arma leve de assalto como o Storm, mas sim uma arma de alto poder de fogo, com um cano de vinte polegadas capaz de abater um inimigo a até quase trezentos metros de distância. Rudy não precisa de uma arma para invadir a casa, porque está dentro dela. Ele se move da porta até a janela quebrada em cima da pia, olhando para fora, e percebe um movimento atrás de um contêiner a aproximadamente cinqüenta metros da casa.

Rudy apóia o AR-15 na beira da pia e descansa o cano no peitoril apodrecido da janela. Através da mira telescópica, avista sua primeira vítima agachada atrás do contêiner, apenas um pedaço do corpo vestido de negro em exposição. Ele aperta o gatilho, o fuzil estala e o agente grita, em seguida outro agente aparece do nada e se joga no chão atrás de uma palmeira, e Rudy atira nele também. Esse agente não grita nem emite nenhum som que ele possa ouvir. Em seguida, vai da janela até a barricada, corre para a frente da casa, quebra o vidro da janela da sala de estar e começa a disparar. Em cinco minutos, todos os cinco agentes foram atingidos por balas de borracha, mas continuam avançando até Rudy ordenar, pelo rádio, que parem.

"Vocês não valem nada, caras", diz ao rádio, suando dentro da casa que o campo de treinamento usa para combates simulados. "Vocês estão mortos. Todos vocês. Podem tombar."

Ele sai pela porta da frente enquanto os agentes de negro andam em direção ao pátio festivamente decorado para o Natal, e Rudy é obrigado a levá-los em consideração. Pelo menos não estão demonstrando dor, e ele sabe que os locais onde as balas de borracha atingiram seus corpos desprotegidos devem estar doendo muito. Qualquer pessoa atingida algumas vezes por balas de borracha sente vontade de desabar e chorar como um bebê, mas ao menos essa leva de novos recrutas mantém a expressão controlada e se mostra capaz de suportar a dor. Rudy pressiona um pequeno controle remoto e o CD de um cão latindo dentro da casa pára de tocar.

Rudy fica parado na porta e observa os agentes. Eles respiram com dificuldade, estão suando e zangados consigo mesmos. "O que aconteceu?", pergunta Rudy. "A resposta é fácil."

"A gente fodeu tudo", responde um agente.

"Por quê?", pergunta Rudy, o AR-15 ao lado do corpo. O suor escorre pelo seu peito nu e musculoso e veias percorrem seus braços bronzeados e bem torneados. "Estou

381

querendo uma resposta. Vocês fizeram uma coisa que fez com que todos fossem mortos."

"Nós não previmos que você teria um fuzil de combate. Talvez tenhamos imaginado que tinha apenas uma arma de mão", tenta um agente, enxugando o rosto suado na manga e respirando com dificuldade por causa do estado de nervos e do esforço físico.

"Nunca imaginem nada", responde Rudy em voz alta para o grupo. "Eu poderia estar com uma metralhadora totalmente automática aqui. Poderia estar disparando balas calibre.50. Mas vocês cometeram um erro fatal. Vamos. Vocês sabem qual foi. Nós já falamos sobre isso."

"Nós enfrentamos o chefe", responde alguém, e todos riem.

"Comunicação", diz Rudy lentamente. "Você, Andrews." Olha para um agente cujo traje negro está coberto de terra. "Assim que tomou um tiro no ombro esquerdo você deveria ter avisado seus companheiros que eu estava disparando da janela da cozinha, atrás da casa. Você fez isso?"

"Não, senhor."

"Por que não?"

"Acho que porque nunca levei um tiro antes, senhor."

"Dói, não é?"

"Dói muito, senhor."

"Isso mesmo. E você não estava esperando por isso."

"Não, senhor. Ninguém disse que a gente ia tomar tiros."

"E é por isso que fazemos isso aqui no Campo de Dor e Sofrimento", diz Rudy. "Quando alguma coisa ruim acontece na vida real, geralmente não somos informados antes, não é mesmo? Então você foi atingido e doeu pra cacete, e você ficou cagando de medo, e como resultado não pegou o rádio para alertar os companheiros. E todo mundo morreu. Quem ouviu o cachorro?"

"Eu ouvi", responderam vários agentes.

"Você ouvem um maldito cachorro latindo como um demônio", observa Rudy, impaciente. "Vocês pegam o rádio e informam os outros? O maldito cachorro está latindo, então o sujeito na casa sabe que vocês estão chegando. Uma pista, talvez?"

"Sim, senhor."

"Ponto final", Rudy dispensa os agentes. "Saiam daqui. Preciso me lavar para ir ao enterro de vocês."

Ele volta para a casa e fecha a porta. Seu radiofone vibrou duas vezes no cinto enquanto falava com os recrutas, e ele verifica quem está tentando entrar em contato. Os dois chamados são de seu mago em computação, e Rudy liga de volta.

"Como estão as coisas?", pergunta.

"Parece que o seu sujeito está quase sem prednisona. A última receita foi feita vinte e seis dias atrás numa drogaria", e ele dá a Rudy o endereço e o número telefônico.

"O problema é que eu acho que ele não está em Richmond", retruca Rudy. "Então agora temos que descobrir onde ele poderia conseguir o remédio. Supondo que vá fazer isso."

"Ele vem pegando essa receita todo mês na mesma farmácia de Richmond. Então, parece que precisa desse negócio, ou pensa que precisa."

"O médico dele?"

"Doutor Stanley Philpott." Ele dá a Rudy o número do telefone.

"Nenhum indício de ter conseguido uma receita em outro lugar? Que não seja no sul da Flórida?"

"Só em Richmond, e eu fiz uma busca nacional. Como disse, ele só tem remédio para mais cinco dias com essa última receita, e depois está ferrado. Ou deveria estar, a não ser que tenha alguma outra fonte."

"Bom trabalho", diz Rudy, abrindo a geladeira da cozinha e pegando uma garrafa de água. "Vou seguir essa pista."

48

Os jatinhos particulares parecem brinquedos comparados às gigantescas montanhas brancas que se elevam ao redor do pavimento preto e molhado. O sinalizador, de macacão e tampões de ouvido, agita cones cor de laranja orientando um Beechjet que taxia lentamente, as turbinas gritando. Dentro do terminal particular, Benton pode ouvir o avião de Lucy chegando.

É manhã de domingo em Aspen, e pessoas ricas com casacos de pele e bagagens de ricos movimentam-se atrás dele, tomando café e sidra quente perto da enorme lareira. Eles estão voltando para casa e se queixam de atrasos, porque se esqueceram da época em que viajavam em linhas comerciais, se é que algum dia passaram por isso. Ostentam relógios de ouro e grandes diamantes, e têm a pele lindamente bronzeada. Alguns viajam com seus cães, que, como os aviões particulares dos donos, vêm em todas as formas e tamanhos e são os melhores que o dinheiro pode comprar. Benton observa a porta do Beechjet se abrir e a escadaria baixar. Lucy desce por ela carregando sua própria bagagem, movendo-se com confiança e elegância atlética, sem hesitar, sempre sabendo para onde está indo, mesmo se não tiver o direito de saber.

Ela não tem o direito de estar aqui. Ele disse para não vir. Disse quando ela telefonou: "Não, Lucy. Não venha aqui. Agora não. Não é o momento certo".

Eles não discutiram. Poderiam ter discutido por horas, mas nenhum dos dois tem temperamento apropriado para longas e intricadas discórdias repletas de acessos e redundâncias, não mais, nenhum dos dois, por isso tendem a disparar rajadas rápidas e terminar logo com a coisa. Benton não sabe ao certo se lhe agrada o fato de ele e Lucy, com o tempo, terem adquirido traços comuns, mas aparentemente é o que acontece. Está se tornando mais claro o tempo todo, e a parte analítica de seu cérebro que separa e empilha despachos sem parar já aceitou ou talvez concluiu que as semelhanças entre Lucy e ele poderiam explicar seu relacionamento com Kay, na medida em que pode ser explicado. Ela ama a sobrinha de forma intensa e incondicional. Ele nunca entendeu bem por que Kay o ama também de forma tão intensa e incondicional. Agora talvez esteja começando a entender.

Lucy abre a porta com o ombro e entra, uma sacola de lona em cada mão, e se surpreende ao vê-lo.

"Ei, deixe que eu ajudo." Ele pega uma das sacolas.

"Eu não esperava ver você aqui", comenta ela.

"Bem, pois aqui estou. E obviamente você também. Vamos fazer o melhor possível nesta situação."

Os ricos com seus casacos de pele de animais provavelmente acham que Benton e Lucy são um casal infeliz, ele, o homem rico e mais velho, ela, a jovem e linda namorada ou esposa. Passa pela cabeça dele que algumas pessoas poderiam pensar que Lucy é filha dele, mas ele não se comporta como se fosse seu pai. Tampouco não se comporta como se fosse seu amante, mas, se tivesse de apostar, apostaria que os observadores supõem que os dois sejam um típico casal rico. Ele não usa peles nem ouro e não parece ostensivamente rico, mas os ricos sabem reconhecer outros ricos, e Benton tem uma aura de riqueza em torno de si porque é rico, muito rico. Ele teve muitos anos de uma vida invisível e reservada. Teve muitos anos para acumular nada além de fantasias, esquemas e dinheiro.

"Eu aluguei um carro", diz Lucy, enquanto caminham

pelo terminal, que parece muito com uma pequena cabana rústica de madeira e pedra, com móveis de couro e objetos de arte ocidentais. Na frente há uma enorme escultura de bronze de uma águia agressiva.

"Pegue o seu carro alugado, então", recomenda Benton, a respiração formando um vapor pálido no ar frio e cortante. "Eu encontro você na Maroon Bells."

"O quê?" Ela pára no meio do estacionamento frontal circular, ignorando os manobristas com seus casacos longos e chapéus de caubói.

O rosto duro, bronzeado e atraente de Benton olha para ela. Seus olhos sorriem primeiro, depois os lábios se abrem num pequeno sorriso, como se estivesse se divertindo. Ele pára na calçada perto da enorme águia e examina Lucy dos pés à cabeça. Ela está de botas, calça cáqui e casaco de esqui.

"Eu tenho sapatos de neve no carro", diz Benton.

Seus olhos estão fixos nos dela, e o vento ergue seus cabelos, que estão mais longos que da última vez em que a viu e com um toque avermelhado, como se tivesse sido tocado pelo fogo. O frio tinge de cor suas bochechas, e ele sempre achou que olhar nos olhos dela deve ser parecido com olhar para o núcleo de um reator nuclear ou dentro de um vulcão ativo, ou ver o que Ícaro viu quando voou em direção ao Sol. Os olhos dela mudam com a luz e com seu humor volátil. Nesse momento, são verdes e brilhantes. Os de Kay são azuis. Os de Kay são igualmente intensos, mas de outra maneira. As tonalidades variáveis são mais sutis e podem ser suaves como uma névoa ou duras como metal. Nesse momento, Benton sente mais falta dela do que poderia imaginar. Nesse momento, Lucy trouxe sua mágoa de volta com uma renovada crueldade.

"Pensei que iríamos andar e conversar", diz ele a Lucy, caminhando em direção ao estacionamento e declarando suas inegociáveis intenções. "Nós precisamos fazer isso primeiro. Por isso vou encontrar você na Maroon

Bells, lá em cima, onde eles alugam trenós, onde a estrada está fechada. Você agüenta bem a altitude? O ar é rarefeito."

"Eu sei que o ar é rarefeito", diz ela pelas suas costas enquanto ele se afasta.

49

Dos dois lados do vale há montanhas cobertas de neve, as sombras do final da tarde estão baixas e alongadas, e nos cumes à direita está nevando. Não dá para esquiar ou caminhar na neve depois das três e trinta, pois a escuridão chega cedo às Rochosas e no momento a estrada está congelada e o ar está mordendo.

"A gente devia ter voltado antes", diz Benton, espetando um bastão de esqui à frente de seus sapatos de neve. "Nós dois somos perigosos juntos. Nunca sabemos o momento de desistir."

Não concordando em retornar depois do quarto indicador de avalanche onde Benton havia sugerido que parassem, eles continuaram andando firme colina acima em direção ao lago Maroon, apenas para retornar menos de um quilômetro antes que pudessem avistá-lo. Agora, mal conseguirão chegar aos automóveis antes que esteja escuro demais para enxergar, e os dois estão com frio e com fome. Mesmo Lucy está exausta. Não admite isso, porém Benton pode perceber que a altitude a está afetando: ela reduziu consideravelmente o ritmo e tem dificuldade para falar.

Por alguns minutos os sapatos deles arranham a crosta da neve que cobre a estrada Maroon Creek, e os únicos sons audíveis são os da neve vítrea e sulcada sendo esmagada e perfurada por seus sapatos e bastões. A respiração dos dois faz bastante vapor, mas é silenciosa, e só ocasionalmente Lucy inala e exala uma golfada de ar. Quanto mais falaram de Henri, mais eles andaram, e chegaram longe demais para o bem de todos.

"Desculpe", diz Benton, a armação de alumínio dos sapatos retinindo no gelo. "Eu deveria ter retornado antes. Não tenho mais água nem barras de proteína."

"Eu vou conseguir", comenta Lucy, que sob circunstâncias normais poderia acompanhá-lo muito bem, até superá-lo. "São esses aviõezinhos. Eu não comi nada. Tinha corrido e andado de bicicleta. Andei fazendo muita coisa. Não achei que isso iria me atrapalhar."

"Sempre que venho aqui eu me esqueço", comenta Benton, olhando ao redor para a tempestade de neve à direita que desce cada vez mais sobre os picos brancos, movendo-se lentamente na direção deles, como uma névoa. Deve estar a menos de dois quilômetros e uns trezentos metros acima deles, se tanto. Ele espera que consigam chegar aos carros antes que a neve comece a cair. A estrada é fácil de seguir e não há outro caminho a não ser para baixo. Eles não vão morrer.

"Não vou me esquecer disso", diz Lucy, respirando com dificuldade. "Da próxima vez vou comer. E talvez não saia andando pela neve assim que chegar aqui."

"Desculpe", diz ele outra vez. "Às vezes esqueço que você tem limitações. É fácil esquecer isso."

"Parece que eu ando bastante limitada ultimamente."

"Se tivesse me perguntado, eu teria dito que isso iria acontecer." Ele põe o bastão à frente e dá mais um passo. "Mas você não teria acreditado em mim."

"Eu presto atenção ao que você diz."

"Eu não disse que você não presta atenção. Disse que você não acredita. Nesse caso, não teria acreditado."

"Talvez não. A que distância estamos? Em que indicador estamos?"

"Odeio ter que dizer isso, mas apenas no terceiro. Temos alguns quilômetros à frente", responde Benton, olhando para cima e avistando a tempestade grossa e enevoada. Já está mais baixa do que há poucos minutos, a metade superior da montanha foi engolfada por ela e o vento aumentou. "Tem sido assim desde que cheguei aqui", diz ele. "Neva quase todos os dias, geralmente no fim da tarde, entre doze e quinze centímetros. Quando a gente se torna o alvo, é difícil ser objetivo. Como guerreiros, tendemos a objetivar os que nos perseguem da mesma forma como eles objetivam suas vítimas. É diferente quando somos os objetivados, quando somos as vítimas, e para Henri você é o objeto. Por mais que odeie a palavra, você é a vítima. Ela objetivou você antes mesmo de conhecê-la. Você a fascinou e ela quis possuí-la. De um jeito diferente, Pogue também objetivou você. Mas por suas próprias razões, diferentes das razões da Henri. Ele não queria dormir com você, nem viver sua vida ou ser você. Só quer que você se machuque."

"Acredita mesmo que ele está atrás de mim e não da Henri?"

"Sim, acredito. Você é a vítima escolhida. É o objeto." As palavras dele são pontuadas por espetadas dos bastões de esqui e ruídos dos sapatos na neve. "Você se importa se descansarmos um minuto?" Benton não precisa de descanso, mas tem certeza de que ela precisa.

Eles param e inclinam-se para a frente em seus sapatos de neve, apoiados nos bastões, respirando em grandes nuvens brancas de ar e observando a tempestade de neve sufocar as montanhas à direita a menos de dois quilômetros e chegando agora à altitude em que se encontram.

"Não dou mais que meia hora", diz Benton, tirando os óculos escuros e guardando-os num bolso de seu casaco de esqui.

"Encrenca à vista", comenta Lucy. "Meio que simbólico."

"Uma das boas coisas de vir aqui ou ir para o oceano. A natureza põe as coisas em perspectiva e tem pouco a dizer", responde ele, enquanto observa a tempestade cinzenta e enevoada encobrir as montanhas, sabendo que dentro das nuvens está nevando pesado e logo estará acontecendo o mesmo onde eles estão. "Encrenca à vista. Temo que tenha razão. Ele vai fazer alguma outra coisa se não for detido."

"Espero que ele tente fazer comigo."

"Não espere muito por isso, Lucy."

"Mesmo assim, vou continuar esperando", diz ela, e começa a andar novamente. "A melhor coisa que ele poderia fazer é tentar o mesmo comigo. Vai ser a última coisa que vai tentar."

"Henri é bem capaz de cuidar de si mesma", observa Benton, enquanto dá grandes e seguros passos, plantando um sapato depois do outro na neve encrostada.

"Não tanto quanto eu. Nem de perto. Ela contou o que fazia no campo de treinamento?"

"Acho que não."

"Nós somos bem violentos com o estilo de combate simulado Gavin de Becker", continua ela. "Nenhum dos alunos é informado com detalhes sobre o que vai acontecer, porque na vida real a gente nunca sabe o que esperar. Por isso, depois do terceiro ataque canino eles ficam um pouco surpresos. Os cães chegam e atacam, só que dessa vez não estão com focinheiras. Claro que Henri estava com roupas de proteção acolchoada, mas pirou de vez quando percebeu que os cães não estavam de focinheira. Gritou, começou a correr, foi derrubada. Estava chorando e semi-enlouquecida quando disse que ia desistir."

"Que pena não ter desistido. Lá está o segundo indicador." Ele ergue um bastão, apontando um indicador de avalanche com um grande número 2 pintado.

"Mas ela superou aquilo", continua Lucy, seguindo os rastros feitos anteriormente, por ser mais fácil. "Também superou as balas de borracha. Mas não gostou muito dos combates simulados."

"É preciso ser louco para gostar daquilo."

"Pois conheci alguns loucos que gostavam. Talvez eu seja um deles. Eles machucam à beça, mas é um barato. Por que você lamenta que ela não tenha desistido? Acha que deveria? Quer dizer, bem, eu sei que deveria demiti-la."

"Demiti-la por ser atacada na sua casa?"

"Eu sei. Não posso demiti-la. Ela me processaria."

"É verdade", concorda ele. "Acho que ela deveria se demitir. Claro que deveria." Ele olha para Lucy enquanto avança. "Quando você a recrutou na Polícia de Los Angeles, sua visão estava tão encoberta quanto aquelas montanhas ali." Ele aponta para a tempestade. "Talvez ela até fosse uma boa policial, mas não é talhada para o seu nível de operação, e espero que desista antes que aconteça alguma coisa realmente ruim."

"Certo", concorda Lucy com tristeza em meio a uma baforada de respiração condensada. "Alguma coisa realmente ruim."

"Ninguém morreu."

"Até agora", responde Lucy. "Puxa, isso está me cansando. Você faz isso todos os dias?"

"Quase todos os dias. Quando dá tempo."

"É mais fácil correr uma meia maratona."

"Só se você correr onde existe oxigênio no ar", diz Benton. "Lá está o indicador número um. O um e o dois são próximos um do outro, você vai gostar de saber."

"Pogue não tem antecedentes criminais. É apenas um fracassado. É difícil acreditar", diz Lucy. "Um fracassado que trabalhou para a minha tia. Por quê? Por que eu? Talvez na verdade ele esteja atrás dela. Talvez culpe tia Kay pelo problema de saúde dele, e Deus sabe lá mais por que outra coisa."

"Não", discorda Benton. "Ele culpa você."

"Por quê? Isso é loucura."

"É, mais ou menos, é loucura. Você se encaixa no pensamento delirante dele, é só o que posso dizer, Lucy. Pogue está punindo você. Provavelmente estava punindo você quando foi atrás da Henri. Não podemos saber o que se passa numa cabeça como a dele. Pogue tem uma lógica própria, totalmente diferente da nossa. Posso dizer que é um psicótico, não psicopata, movido por impulso, não calculista. Um delirante com pensamento mágico. É mais ou menos tudo o que posso dizer. Aí vem", interrompe ele, e minúsculos flocos de neve começam subitamente a voltear em torno dos dois.

Lucy baixa seus óculos de neve quando lufadas de vento começam a balançar os álamos estampados em tons de cinza-escuro contra as montanhas brancas. A neve cai rapidamente e é seca e miúda, e o vento cruzado empurra os dois para os lados enquanto avançam uma bota atrás da outra, abrindo caminho ao longo da estrada gelada.

50

Fora, a neve faz pilhas altas nos galhos do abeto negro e nas forquilhas dos álamos. De sua janela no terceiro andar, Lucy escuta o ruído áspero de botas de esqui sobre a calçada congelada abaixo. O St. Regis é um amplo hotel de tijolos vermelhos que lembra um dragão agachado na base das Montanhas Ajax. A esta hora o teleférico ainda não despertou, mas as pessoas já acordaram. As montanhas bloqueiam o sol e a aurora é uma sombra azulada sem nenhum som, a não ser os passos ruidosos e frios dos esquiadores a caminho das encostas e dos ônibus.

Depois daquela caminhada maluca pela estrada Maroon Creek na tarde de ontem, Benton e Lucy entraram cada um em seu veículo e seguiram caminhos separados. Benton não queria que ela viesse a Aspen, e certamente nunca pretendeu que Henri, que mal conhecia, acabasse vindo para cá, mas assim é a vida. A vida tem as próprias estranhezas, surpresas e chateações. Henri está aqui. Agora Lucy também está aqui. Benton disse que Lucy não poderia ficar com ele, o que era compreensível. Ele não quer que Lucy prejudique os progressos que pode estar fazendo com Henri, por menores que sejam, se é que fez algum progresso com ela. Mas hoje Lucy vai encontrar Henri quando for melhor para Henri. Duas semanas se passaram e Lucy não consegue mais agüentar, não suporta a culpa e as perguntas sem respostas. Seja quem for Henri, Lucy precisa ver por si mesma.

Enquanto as montanhas clareiam, tudo o que Benton

fez e disse fica mais claro. Primeiro exauriu Lucy no ar rarefeito, onde era difícil para ela falar muito ou cedo demais ou dar vazão à sua fúria derivada do medo. Depois, por todas as razões práticas, mandou que fosse para a cama. Lucy não é criança, mesmo que Benton parecesse tratá-la como tal ontem, e sabe que ele se preocupa com ela. Sempre soube. Benton sempre foi generoso, mesmo nos momentos em que ela o odiava.

Lucy remexe uma sacola de lona em busca de um par de calça elástica de esqui, um suéter, roupas de baixo de seda e meias, e deposita tudo sobre a cama perto de sua pistola Glock nove milímetros com visor de trítio e carregadores que comportam dezessete balas, a arma que escolhe quando pensa em proteção pessoal dentro de casa, quando quer uma arma para contatos próximos, com poder de fogo, não com poder de demolição, porque não gostaria de usar uma bala de calibre .40 ou .45 ou um fuzil de alto poder de fogo dentro de um quarto de hotel. Ela ainda não pensou no que vai dizer a Henri ou como vai se sentir quando encontrá-la.

Não espere nada de bom, pensa. Não espere que ela fique feliz em ver você ou que seja simpática ou delicada. Lucy senta na cama, tira o moletom e despe a camiseta pela cabeça. Pára em frente a um espelho de corpo inteiro, examinando-se e certificando-se de que não está permitindo que a idade e a gravidade se aproveitem dela. Isso não está acontecendo, nem deveria, pois ainda nem fez trinta anos.

Seu corpo é esguio e musculoso, porém não masculinizado, e ela realmente não pode se queixar de seu físico, mas tem uma estranha sensação sempre que estuda o próprio reflexo no espelho. Nesses momentos seu corpo se torna um estranho, diferente do lado de fora do que ela é por dentro. Não mais nem menos atraente, apenas diferente da maneira como ela se sente. E passa pela sua cabeça que não importa quantas vezes ela faça amor, nunca saberá como seu corpo é sentido, como seu toque é sentido pelo amante. Ela gostaria de saber, mas fica contente por não saber.

Você está bem, pensa, afastando-se do espelho. O suficiente para se dar bem, pensa ao entrar no chuveiro. Sua aparência não vai fazer diferença hoje, nem um pouco. Você não vai tocar em ninguém hoje, diz para si mesma quando abre a torneira. Nem amanhã. Nem no dia seguinte. Meu Deus, o que eu vou fazer?, diz em voz alta quando a água quente jorra contra o mármore e espirra na porta de vidro e atinge sua pele com força. O que foi que eu fiz, Rudy? O que foi que eu fiz? Por favor não desista de mim. Prometo que vou mudar. Lucy tem chorado secretamente embaixo de chuveiros durante mais da metade da sua vida. Era uma adolescente quando entrou para o FBI, tinha empregos de verão e trabalhava como estagiária por causa da influência da tia, e jamais imaginaria que poderia morar em Quantico e disparar armas de fogo e correr em pistas de obstáculos com agentes que não entravam em pânico nem choravam, ou ao menos ela nunca os via em pânico ou chorando. Lucy imaginava que nunca fizessem isso. Naquela época acreditava em muitos mitos porque era jovem e ingênua e maravilhada, e agora pode estar mais sábia, porém sua programação anterior a distorceu de tal forma que não pode mais ser reparada. Se chorar, e ela raramente faz isso, chora sozinha. Quando se sente magoada, esconde isso de todos.

Lucy já está quase vestida quando toma consciência do silêncio. Praguejando para si mesma e num súbito frenesi, enfia a mão no bolso do casaco de esqui e encontra o telefone celular. A bateria acabou. Ontem à noite ela estava cansada e infeliz demais para se lembrar do telefone e esqueceu-o no bolso, coisa que não costuma fazer, não mesmo. Rudy não sabe onde ela está hospedada. Nem sua tia. Nenhum deles sabe o nome que está usando, portanto não a teriam localizado mesmo se tiverem tentado o St. Regis. Somente Benton sabe onde ela está, e o fato de ela ter tirado Rudy da jogada dessa forma é impensável e pouco profissional, e ele vai estar furioso. Não era absolutamente o momento de afastá-lo ainda mais. E se ele desistir? Ela não confia em ninguém mais com quem trabalha da forma como confia nele. Localizado o carregador, Lucy o conecta ao telefone, liga o aparelho e tem onze mensagens, a maioria deixada antes das seis da manhã. Fuso Horário do Leste, a maioria deixada por Rudy.

"Achei que você tinha sumido do mapa", diz Rudy no instante em que atende. "Estou tentando falar com você há três horas. O que está fazendo? Desde quando não atende o telefone? Não me diga que não está funcionando. Eu não acredito. Esse telefone funciona em qualquer lugar, e estou tentando pelo rádio também. Você não foi louca de desligar o aparelho, foi?"

"Calma, Rudy", diz. "Minha bateria descarregou. Nem o telefone nem o rádio funcionam sem bateria. Desculpe."

"Você não levou um carregador?"

"Eu já pedi desculpas, Rudy."

"Bem, conseguimos alguma informação. Seria bom se voltasse para cá o mais depressa possível."

"O que está acontecendo?" Lucy senta no chão perto da tomada em que o telefone está conectado.

"Infelizmente, você não foi a única a receber um presentinho dele. Uma pobre senhora recebeu uma das bombas químicas de Pogue, só que não teve tanta sorte."

"Meu Deus", diz Lucy, fechando os olhos.

"A garçonete de uma espelunca de Hollywood bem em frente a um posto Shell adivinhe onde? Eles vendem refrigerante em copos grandes com o Gato. A vítima ficou bastante queimada, mas vai sobreviver. Parece que ele tem freqüentado o lugar em que ela trabalha, o Other Way Lounge. Já ouviu falar?"

"Não", responde ela de forma quase inaudível, pensando na mulher queimada. "Meu Deus", murmura.

"Nós estamos esquadrinhando a área. Estou com algumas pessoas em campo. Não os recrutas. Eles não são minhas facas mais afiadas, não esses."

"Meu Deus", é só o que ela consegue dizer a respeito. "Será que alguma coisa ainda pode dar certo?"

"Até que as coisas estão melhorando. Duas outras coisas. Sua tia diz que Pogue pode estar usando uma peruca. Uma peruca longa e crespa. Uma peruca de cabelo humano, tingida. Imagino que o DNA mitocondrial vai ser bem engraçado, certo? Provavelmente da mesma piranha que vendeu os cabelos a alguma fábrica de perucas para comprar crack."

"E só agora você me diz isso? Uma peruca?"

"Edgar Allan Pogue tem cabelos ruivos. Sua tia viu cabelos ruivos na cama da casa dele, na casa onde ele estava ficando. Uma peruca poderia explicar o cabelo comprido e tingido recuperado da roupa de cama da Gilly Paulsson e do quarto, e também a fita de vedação na bomba química que deixou na sua caixa de correio. Uma peruca explicaria um monte de coisas, de acordo com sua tia. Estamos também procurando o carro dele. A senhora que morreu na casa onde estava ficando, a senhora Arnette, tinha um Buick 1991 branco, e ninguém sabe o que aconteceu com o carro depois que ela morreu. A família nunca pensou a respeito. Parece que nunca pensaram nela também. Achamos que Pogue pode estar com o Buick. Ainda está registrado no nome da senhora Arnette. Seria bom você voltar para cá o mais depressa possível. Mas acho que não é uma boa você ficar na sua casa."

"Não se preocupe", diz ela. "Eu nunca mais vou ficar naquela casa."

51

Edgar Allan Pogue fecha os olhos. Está em seu Buick num estacionamento perto da A1A, escutando o que as pessoas chamam hoje em dia de rock adulto. Mantém os olhos fechados e tenta não tossir. Sempre que tosse, seus pulmões queimam e ele se sente zonzo e com frio. Não sabe onde foi parar o fim de semana, mas deu tudo certo. A estação de rock adulto diz que é horário de pico, manhã de segunda-feira. Ele tosse, e seus olhos se enchem de lágrimas quando tenta respirar fundo.

Pogue pegou um resfriado. Tem certeza de que o pegou da garçonete de cabelos ruivos do Other Way Lounge, quando chegou perto da mesa no momento em que estava saindo, na noite de sexta-feira. Ela se aproximou, limpando o nariz num lenço de papel, e chegou perto demais porque queria ter certeza de que ele iria pagar. Como sempre, Pogue precisou afastar a cadeira da mesa e se levantar antes que ela tivesse certeza. Na verdade, ele queria outro Bleeding Sunset, e teria feito o pedido, mas a garçonete de cabelos ruivos não podia ser incomodada. Nenhum dos dois podia ser incomodado. Então ele comprou uma Laranja Grande, e era isso que ela merecia.

O sol entra pelo pára-brisa e aquece o rosto de Pogue, sentado atrás do volante, o banco empurrado para trás, os olhos fechados. Ele espera que o sol cure seu resfriado. A mãe dele sempre dizia que a luz do sol tem vitaminas e pode curar quase tudo, que é a razão de as pessoas se mudarem para a Flórida quando ficam mais velhas. Foi o que ela disse. Algum dia, Edgar Allan Pogue, você vai se mudar para a Flórida. Se ao menos você tivesse um bom emprego, Edgar Allan. Duvido que tenha dinheiro para morar na Flórida, do jeito como as coisas vão indo.

A mãe reclamava com ele por causa de dinheiro. Deixava-o desesperado com isso. Depois morreu e deixou o suficiente para ele se mudar para a Flórida algum dia se quisesse, e logo em seguida Pogue se aposentou e começou a receber um cheque pelo correio a cada duas semanas, e o último cheque deve estar na sua caixa de correio, porque ele não está em Richmomd para pegá-lo. Mas ainda tem um pouco de dinheiro, mesmo sem os cheques. Por enquanto, tem o suficiente. Ainda pode pagar por seus dispendiosos charutos, então é o suficiente, e, se a mãe dele estivesse aqui, estaria resmungando por estar fumando resfriado, mas ele vai fumar. Pogue pensa na vacina contra gripe que deixou de tomar, tudo porque ouviu falar que seu antigo prédio estava sendo demolido e que a Grande Sereia tinha aberto um escritório em Hollywood. Na Flórida.

A Virgínia contratou um novo legista-chefe, e a próxima coisa que Pogue soube foi que iam botar o velho prédio abaixo para que a cidade construísse um estacionamento, e Lucy estava na Flórida, e, se Scarpetta não tivesse abandonado Pogue e saído de Richmond, não haveria necessidade de um novo chefe e, portanto, o velho prédio estaria ótimo porque tudo teria ficado igual, e ele não teria se atrasado e teria tomado sua vacina contra gripe. Demolir seu velho prédio não estava certo nem era justo, e ninguém se preocupou em perguntar o que ele achava a respeito. Era o prédio dele. Ele ainda recebe o cheque de pagamento a cada duas semanas, ainda tem a chave da porta dos fundos e ainda trabalha na Divisão de Anatomia, geralmente à noite.

Pogue trabalhava lá quanto queria, até ouvir falar que o prédio iria ser posto abaixo. Era o único a usar o prédio. Ninguém mais dava a mínima, e agora subitamente tinha que tirar suas coisas de lá. Todas aquelas pessoas que guardava lá embaixo em pequenas caixas desgastadas tiveram de ser removidas tarde da noite, quando ninguém poderia vê-lo fazendo aquilo. Que provação, subir e descer as escadas, entrar e sair do estacionamento, os pulmões ardendo e cinzas vazando por toda parte. Uma das caixas escorregou da pilha durante o transporte e espalhou o conteúdo no estacionamento, e foi muito difícil recolher cinzas que pareciam mais leves que o ar e espalhavam-se por toda parte. Que provação terrível. Não foi justo, e, quando se deu conta, um mês havia se passado e ele estava atrasado para tomar a vacina contra gripe, e não havia mais vacinas. Pogue tosse, seu peito arde e os olhos lacrimejam, e ele continua imóvel sob o sol, absorvendo as vitaminas e pensando na Grande Sereia.

Pogue fica irritado e deprimido quando pensa na Grande Sereia. Ela não sabe nada sobre ele e nunca disse um oi para ele, e agora ele está com os pulmões inflamados por causa dela. É por causa dela que não tem nada. Ela tem uma mansão e automóveis que custam mais do que qualquer casa em que ele já morou, mas nem pensou em pedir desculpas no dia em que aconteceu aquilo. Aliás, ela riu. Achou engraçado quando ele pulou e ganiu como um cachorrinho quando saiu da sala de embalsamamento e ela passou empurrando uma maca. Ela estava em pé num degrau da maca e passou por ele, rindo, e a tia dela estava perto de um tanque aberto, conversando com Dave sobre alguma coisa que estava acontecendo na Assembléia Geral, algum problema.

Scarpetta nunca descia, a não ser que houvesse um problema. Nesse dia em particular, e foi nesta mesma época do ano, época do Natal, ela trouxe a mimada e sabichona Lucy, e ele já sabia sobre a sobrinha de Scarpetta. Todo mundo lá sabia. Sabia que era da Flórida. Morava na Flórida, em Miami, com a irmã de Scarpetta. Pogue não conhece todos os detalhes, mas sabe o suficiente, e já sabia o suficiente na época para perceber que Lucy podia se esbaldar com vitaminas e não ter ninguém resmungando e reclamando porque jamais ganharia bem a ponto de morar na Flórida.

Ela já morava lá, tinha nascido lá e não fizera nada para merecer aquilo, e ainda por cima riu de Pogue. Passou na maca e quase o atropelou quando ele estava passando, empurrando um botijão vazio de cinqüenta galões de formaldeído num carrinho de mão, e por causa de Lucy ele teve que parar abruptamente e o carrinho virou e o botijão caiu e rolou enquanto Lucy passava com a empilhadeira, como um garoto levado empurrando um carrinho de compras numa loja de doces, só que ela não era um garoto, era uma adolescente, uma garota levada de dezessete anos, bonita e orgulhosa, e Pogue lembrava exatamente a idade dela. Ele sabe o dia do aniversário dela. Durante quatro anos enviou cartões anônimos cumprimentando-a pelo aniversário, aos cuidados de Scarpetta no INC, no velho endereço no número 9 da rua norte 14, mesmo depois de o prédio ter sido abandonado. Pogue duvida que Lucy tenha chegado a recebê-los.

Naquele dia, naquele dia fatídico, Scarpetta estava perto do tanque aberto, usando um avental de laboratório sobre um conjunto escuro muito elegante, pois tinha um encontro com um legislador, disse a Dave, e ia expor qual era o problema. Ia falar com o legislador sobre a proposta de um projeto maluco, mas Pogue não consegue mais lembrar o que era porque naquela época o projeto não tinha importância nenhuma. Ele respira sob o sol e o ar chia em seus pulmões inflamados. Scarpetta era uma mulher muito atraente quando se vestia com elegância, como naquela manhã, e Pogue sempre sofria quando olhava para ela e ela não estava olhando para ele, e sentia uma pontada profunda que não conseguia definir quando a observava à distância. Ele também sentia alguma coisa por Lucy, mas era diferente. Percebia a intensidade do que Scarpetta sentia por ela, e aquilo o fazia sentir alguma coisa por Lucy. Mas era diferente.

O botijão vazio fez um tremendo barulho ao rolar pelo piso, e Pogue correu para pegá-lo enquanto rolava em direção a Lucy na maca, e nunca era possível esvaziar um botijão de metal de cinqüenta galões até a última gota de formaldeído, e o que sobrara no fundo estava derramando e espirrando enquanto o barril rolava. Várias gotas atingiram seu rosto quando ele agarrou o botijão, e uma gota entrou em sua boca e ele inalou a substância. Pouco depois estava cuspindo e vomitando no banheiro e ninguém foi ver como ele estava. Scarpetta não foi. Lucy certamente não foi. Ele podia ouvir Lucy pela porta do banheiro fechada. Ela estava passeando na maca outra vez, rindo. Ninguém soube que a vida de Pogue havia sido arruinada naquele exato momento, arruinada para sempre.

Você está bem? Você está bem, Edgar Allan?, perguntou Scarpetta pela porta fechada, mas não entrou.

Pogue repassou o que ela disse, repassou tantas vezes que nem sabe mais ao certo se era a voz dela, se consegue se lembrar direito, exatamente.

Você está bem, Edgar Allan?

Sim, senhora. Só estou me lavando.

Quando Pogue finalmente saiu do banheiro, a maca de Lucy estava abandonada no meio do andar e ela tinha ido embora, e Scarpetta tinha ido embora. Dave tinha ido embora. Apenas Pogue estava lá, e iria morrer por causa de uma única gota de formaldeído que conseguia sentir explodindo e queimando em seus pulmões como fagulhas em brasa, e ninguém estava lá, a não ser ele.

"A senhora vê, eu sei de tudo isso", explicou mais tarde para a sra. Arnette à medida que enfileirava seis garrafas de fluido lilás de embalsamamento sobre o carrinho ao lado da mesa de aço inoxidável em que ela estava. "Às vezes a gente precisa sofrer para poder sentir o sofrimento dos outros", disse ele à sra. Arnette, enquanto cortava pedaços de corda de um rolo sobre o carrinho. "Eu sei que se lembra de quanto tempo passava com a senhora sempre que conversávamos sobre a sua papelada e sua intenção e o que aconteceria se a senhora fosse para a Escola de Medicina ou para a Universidade da Virgínia. A senhora disse que adora Charlottesville, e eu prometi que iria para Charlottesville, já que adora tanto Charlottesville. Ouvi a senhora falar durante horas em sua casa, não foi? Vinha sempre que me chamava, primeiro por causa da papelada, depois porque a senhora precisava de alguém com quem conversar e tinha medo de que sua família a interditasse."

"Eles não podem fazer isso", disse para a senhora. "Esses papéis são documentos legais. São seus últimos desejos, senhora Arnette. Se quiser que seu corpo seja doado à ciência e depois cremado por mim, sua família não vai poder fazer nada a respeito."

Pogue dedilha seis cartuchos de latão e chumbo calibre .38 no fundo do bolso enquanto toma sol dentro do Buick branco e se lembra de ter se sentido mais poderoso do que nunca em sua vida quando estava com a sra. Arnette. Ele era Deus quando estava com ela. Ele era a lei quando estava com ela.

"Eu sou uma mulher infeliz e nada mais funciona, Edgar Allan", disse ela da última vez em que se encontraram. "Meu médico mora do outro lado da cerca, mas não quer mais me examinar, Edgar Allan. Nunca fique tão velho assim."

"Não vou ficar", prometeu Pogue.

"As pessoas do outro lado da cerca são estranhas", disse com uma risada maldosa, uma risada que sugeria alguma coisa. "A mulher dele é uma coisa tão ordinária, aquela mulher. Você a conhece?"

"Não, senhora. Creio que não."

"Nem queira conhecer." Ela abanou a cabeça e seus olhos insinuaram alguma coisa. "Nem queira conhecer."

"Pode deixar, senhora Arnette. Que coisa terrível o seu médico não querer ser incomodado. Ele não deveria fazer uma coisa dessas."

"Gente como ele acaba sofrendo o que merece", disse a sra. Arnette de seu travesseiro, na cama no quarto de trás da casa. "Acredite na minha palavra, Edgar Allan, as pessoas sempre pagam pelo que fazem. Nós nos conhecemos há muitos anos, e ele não quer ser incomodado. Não conte com ele para me despachar."

"Como assim?", perguntou Pogue, e ela parecia tão pequena e frágil na cama, coberta com muitas camadas de lençóis e mantas porque dizia estar sempre com frio.

"Bem, acho que, quando a senhora se for, alguém vai ter que assinar seu atestado de óbito, não?"

Sim, sem dúvida. O médico da pessoa é que assina o atestado de óbito. Uma coisa que Pogue sabia era como funcionava a morte.

"Ele vai estar muito ocupado. Guarde minhas palavras. E daí? Deus vai me devolver?" Ela riu asperamente, uma risada que não era engraçada. "Ele faria isso, sabe? Eu e Deus não nos damos bem."

"Eu posso entender muito bem isso", assegurou Pogue. "Mas não se preocupe", acrescentou, sabendo perfeitamente que naquele momento ele era Deus. Deus não era Deus. Pogue era Deus. "Se aquele médico do outro lado da sua cerca não assinar seu atestado de óbito, senhora Arnette, pode deixar que vou cuidar disso."

"Como?"

"Existem maneiras."

"Você é o rapaz mais adorável que já conheci", disse ela do travesseiro. "Que sorte sua mãe teve."

"Ela não pensava assim."

"Então era uma mulher má."

"Eu mesmo vou assinar seu atestado", prometeu Pogue. "Vejo esses atestados todos os dias, e metade deles é assinada por médicos que não estão nem aí."

"Ninguém liga, Edgar Allan."

"Posso forjar uma assinatura se for preciso. Não perca nem um minuto se preocupando com isso."

"Você é um amor. O que deseja de mim? Está no meu testamento, sabe, que eles não podem vender esta casa. Peguei todo mundo de jeito. Você pode morar na minha casa, só não deixe que eles saibam, e pode ficar com o meu carro, claro que eu não dirijo há tanto tempo que a bateria deve estar arriada. A hora está chegando, eu e você sabemos. O que você quer? Pode falar. Gostaria de ter um filho como você."

"Suas revistas", respondeu. Essas revistas de Hollywood.

"Oh, Deus. Essas coisas na minha mesinha de café? Já contei sobre as vezes que fiquei no Hotel Beverly Hills e de todas aquelas estrelas de cinema que vi no Polo Lounge e perto dos bangalôs?"

"Conte outra vez. Eu adoro Hollywood mais do qualquer outra coisa."

"Pelo menos o patife do meu marido me levou a Beverly Hills, diga-se a .seu favor, e passamos bons momentos lá. Eu adoro cinema, Edgar Allan. Espero que você vá ao cinema. Não existe nada melhor que um bom filme."

"Sim, senhora. Nada melhor. Um dia ainda vou conhecer Hollywood."

"É, você devia. Se não fosse tão velha e imprestável, eu levaria você a Hollywood. Oh, como seria bom."

"A senhora não é velha e imprestável, senhora Arnette. Gostaria de conhecer minha mãe? Vou trazê-la aqui algum dia."

"Vamos tomar um pouco de gim-tônica com ela e comer aquelas quiches de salsichinha que eu faço.

"Ela está numa caixa", disse Pogue à sra. Arnette.

"Que coisa estranha de se dizer."

"Ela faleceu, mas eu a guardei numa caixa."

"Ah! As cinzas dela, você quer dizer."

"Sim, senhora. Eu jamais me separaria delas."

"Que encanto. Ninguém daria nada pelas minhas cinzas, tenho certeza. Sabe o que eu quero que seja feito com as minhas cinzas, Edgar Allan?"

"Não, senhora."

"Espalhe-as bem ali do outro lado daquela maldita cerca. Ela deu sua risada áspera. Queria ver o doutor Paulsson pôr aquilo no cachimbo para fumar! Ele não pode ser perturbado, mas eu vou fertilizar a grama dele."

"Ah, não, senhora. Eu não poderia lhe faltar o respeito dessa maneira."

"Faça isso, garanto que vai valer a pena para você. Vá até o quarto e pegue a minha bolsa."

Ela fez um cheque de quinhentos dólares, dinheiro adiantado para cuidar das suas cinzas. Depois de trocar o cheque, Pogue comprou uma rosa para ela e limpou as mãos com o lenço e foi muito doce com a sra. Arnette, falando e limpando as mãos.

"Por que está limpando as mãos desse jeito, Edgar Allan?", perguntou ela da cama. "Precisamos tirar o plástico dessa linda rosa e colocá-la num vaso. Mas por que está pondo na gaveta?", perguntou.

"Para que a senhora possa guardá-la para sempre", respondeu ele. "Agora gostaria que se virasse por um minuto."

"O quê?"

"Faça isso", insistiu ele. "A senhora vai ver."

Ele a ajudou a se virar, e ela não pesava quase nada, depois se sentou sobre suas costas e enfiou o lenço em sua boca para que ficasse em silêncio.

"A senhora fala demais", disse. "Não é mais hora de falar", recomendou.

"A senhora nunca deveria ter falado tanto", continuou dizendo enquanto segurava as mãos dela na cama, e pôde sentir quando balançava a cabeça e lutava fracamente embaixo do seu peso enquanto se asfixiava. Quando ela ficou imóvel, ele soltou suas mãos e delicadamente pegou o lenço branco de sua boca e se sentou em cima dela, imóvel daquele jeito, garantindo que ficasse quieta e não respirasse enquanto falava com ela da mesma forma como falou com a garota, a filha do médico, a linda garotinha cujo pai fazia aquelas coisas naquela casa. Coisas que Pogue jamais deveria ter visto.

Pogue dá um pulo e se sobressalta quando algo pontudo raspa em sua janela. Os olhos se abrem e ele tosse de modo seco, estrangulado. Um grande negro sorridente está do outro lado da janela do carro, arranhando o vidro com o anel e segurando uma caixa grande de M&M.

"Cinco dólares", diz o homem em voz alta através do vidro. "É para a minha igreja."

Pogue engata a marcha e sai de ré com o Buick branco.

52

O consultório do dr. Stanley Philpott no Fan fica numa casa de tijolos brancos na Main Street. Ele é clínico geral e foi muito delicado quando Scarpetta entrou em contato pelo telefone na noite de ontem perguntando se poderia falar sobre Edgar Allan Pogue.

"Você sabe que não posso fazer isso", disse a princípio.

"A polícia pode conseguir um mandado", respondeu. "Isso o deixaria mais tranqüilo?"

"Não muito."

"Preciso falar com o senhor sobre ele. Posso ir ao seu consultório amanhã logo pela manhã?", perguntou. "Creio que a polícia vai falar com o senhor sobre ele de um jeito ou de outro."

O dr. Philpott não quer falar com a polícia. Não quer os carros deles perto de seu consultório e não quer que a polícia apareça em sua sala de espera e assuste os pacientes. Homem de aparência gentil, com cabelos brancos e brilhantes e uma postura elegante, mostra-se bem-educado quando sua secretária recebe Scarpetta pela porta de trás e a conduz até a minúscula cozinha onde ele a espera.

"Já ouvi você falar diversas vezes", diz o dr. Philpott, servindo café de uma cafeteira sobre o balcão. "Uma vez na Academia de Medicina de Richmond, outra vez no Commonwealth Club. Mas você não teria razão para se lembrar de mim. Como quer o café?"

"Puro, por favor. Obrigada", responde ela de uma mesa perto de uma janela que dá para um caminho revestido de pedras. A luz que atravessa as nuvens brilha nos cabelos grossos e bem penteados do médico e no avental branco engomado. O estetoscópio está pendurado e esquecido ao redor do pescoço, as mãos são grandes e firmes. "Lembro que contou algumas histórias muito interessantes", continua, pensativo. "Todas muito sinceras. Recordo-me de ter pensado que você era uma mulher corajosa. Naquela época poucas mulheres eram convidadas para o Commonwealth Club. Até hoje, aliás. Sabe que na verdade passou pela minha cabeça que eu talvez pudesse me candidatar como médico-legista. Tal foi a inspiração que me causou."

"Ainda é tempo", comenta ela com um sorriso. "Pelo que sei, eles estão com falta de médicos, uma falta de mais de cem médicos, o que é um problema significativo, já que são eles que assinam a maior parte dos óbitos e comparecem ao local e decidem se um caso precisa ou não ser encaminhado para autópsia, especialmente no interior. Quando eu trabalhava aqui, tínhamos cerca de quinhentos médicos no estado trabalhando como legistas voluntários. Os soldados, como eu os chamava. Não sei o que teria feito sem eles."

"Poucos médicos trabalham como voluntários atualmente", diz o dr. Philpott, aninhando a caneca de café entre as mãos. "Principalmente os mais jovens. Tenho a impressão de que o mundo se tornou um lugar muito egoísta."

"Tento não pensar nisso, para não ficar deprimida."

"Talvez seja uma boa filosofia. Mas em que posso ajudar exatamente?" Seus olhos azul-claros ficam um pouco tristes. "Sei que não está aqui para me dar boas notícias. O que Edgar Allan andou fazendo?"

"Assassinato, ao que parece. Tentativa de assassinato. Fabricação de bombas. Ferimentos mal-intencionados", responde Scarpetta. "A garota de catorze anos que morreu algumas semanas atrás, não longe daqui. O senhor deve ter ouvido falar nos noticiários." Ela não quer ser mais específica.

"Meu Deus", diz o médico, abanando a cabeça, olhando para o café. "Meu Deus."

"Há quanto tempo ele é seu paciente, doutor Philpott?"

"Desde sempre", responde. "Desde que era garoto. Eu atendia a mãe dele também."

"Ela ainda está viva?"

"Morreu, há dez anos. Uma mulher bastante dominadora, uma mulher difícil. Edgar Allan é filho único."

"E quanto ao pai dele?"

"Um alcoólico que se suicidou há bastante tempo. Talvez há uns vinte anos. Mas devo logo dizer que não conheço Edgar Allan muito bem. Ele vem de tempos em tempos para cuidar de problemas rotineiros, sobretudo gripe e para vacinas contra pneumonia pneumocócica. As vacinas ele toma religiosamente, sempre em setembro."

"Inclusive em setembro passado?", pergunta Scarpetta.

"Na verdade, não. Consultei a ficha médica dele pouco antes de você chegar. Ele veio no dia 14 de outubro e tomou uma vacina contra pneumonia, não contra gripe. Acho que eu estava sem vacina antigripal. Você sabe que elas andaram em falta. As minhas acabaram. Então ele só tomou a vacina contra pneumonia e foi embora."

"O que o senhor se lembra dessa ocasião?"

"Ele entrou, me cumprimentou. Perguntei como iam os pulmões. Ele tem um caso de fibrose pulmonar intersticial bastante significativo, resultado de exposição crônica a fluido de embalsamamento. Parece que já trabalhou numa funerária."

"Não exatamente", observa ela. "Ele trabalhou para mim."

"Ora, quem diria", diz o médico, surpreso. "Isso eu não sabia. Fico imaginando por que ele... Bem, ele disse que tinha trabalhado numa funerária, era diretor assistente ou coisa parecida."

"Não é verdade. Ele trabalhava na Divisão de Anatomia, estava lá quando eu assumi a chefia no final dos anos 80. Depois se aposentou por doença, em 1997, logo após nos mudarmos para o novo prédio na rua 4 leste. Que história ele inventou sobre o modo como contraiu a doença no pulmão? Exposição crônica?"

"Ele disse que um dia foi respingado e inalou formaldeído. Está na ficha dele. A história era um tanto grotesca. Edgar Allan é um pouco estranho, tenho que admitir. Eu sempre soube disso. De acordo com ele, estava trabalhando na funerária, embalsamando um corpo, e se esqueceu de tapar a boca do cadáver, isso é a história dele, e o fluido de embalsamamento começou a jorrar pela boca porque o fluxo estava rápido demais, ou algo grotesco do gênero, e uma mangueira estourou. Às vezes ele era bastante dramático. Bem, mas por que estou contando tudo isso? Se ele trabalhava para você, você deve saber mais do que eu, e realmente não preciso ficar repetindo as fantasias dele."

"Eu nunca tinha ouvido essa história antes", diz Scarpetta. "Só me lembro da parte da exposição crônica e que tinha fibrose, ou devo dizer que ainda tem fibrose pulmonar."

"Quanto a isso não há dúvida. Edgar Allan tem cicatrizes no tecido intersticial e danos significativos confirmados pela biópsia no tecido pulmonar. Ele não está fingindo."

"Estamos tentando encontrá-lo", diz Scarpetta. "O senhor pode dizer algo que possa nos indicar onde procurar?"

"Sem querer cair em obviedades, já indagaram as pessoas que trabalharam com ele?"

"A polícia está verificando tudo isso, mas não tenho muita esperança. Quando trabalhava comigo, ele era um solitário", responde Scarpetta. "Sei que a receita dele para prednisona tem de ser renovada daqui a alguns dias. Ele também faz isso religiosamente?"

"Pela minha experiência, ele passa por fases diferentes com os medicamentos. Toma os remédios regularmente durante um ano, depois pode parar de tomar por meses por estar ganhando peso."

"Ele é obeso?"

"Da última vez que o vi, estava acima do peso."

"Que altura ele tem e quanto pesa?"

"Deve ter um metro e setenta e três. Quando o examinei em outubro, parecia estar pesando uns noventa quilos e eu disse que isso forçava sua respiração, sem falar do coração. Andei receitando alguns corticosteróides por causa do problema de peso, e ele às vezes fica muito paranóico quando está tomando remédio."

"E o senhor chegou a pensar em psicose por esteróide?"

"Sempre penso nisso, com qualquer um. Qualquer um que já tenha lidado com psicose por esteróide pensa nisso. Mas nunca defini se Edgar Allan fica perturbado quando toma remédios ou se é normalmente perturbado. Como ele fez isso, se não se importa de responder? Como matou Paulsson, a tal garota?"

"Já ouviu falar de Burke e Hare? Começo do século XIX na Escócia, dois homens que matavam pessoas para vender os corpos para dissecação médica? Na época havia falta de cadáveres para dissecação, e na verdade alguns estudantes de medicina só conseguiam aprender anatomia roubando covas recentes e obtendo corpos de maneiras ilícitas."

"Roubo de corpos", diz o dr. Philpott. "Conheço um pouco do assunto, mas não consigo me lembrar de casos assim no presente. Ressurreicionistas, acredito que assim eram chamados na época os que roubavam túmulos para obter corpos para dissecação."

"Hoje não se matam mais pessoas para vender os corpos. Mas esses roubos ainda acontecem. São difíceis de detectar, por isso não sabemos exatamente com que freqüência ocorrem."

"Sufocação, arsênico ou o quê?"

"Em patologia forense, chamamos de homicídio por asfixia mecânica. O *modus operandi* de Burke, diz a lenda, era escolher alguém fraco, geralmente pessoas de idade, crianças, alguém doente, sentar-se em cima do peito da vítima e cobrir a boca e o nariz."

"Foi isso o que aconteceu com a pobre garota?", pergunta o dr. Philpott, o rosto contraído de desgosto. "Foi isso que ele fez com a garota Paulsson?"

"O senhor sabe que às vezes um diagnóstico é feito com base na falta de um diagnóstico. Um processo de eliminação", responde Scarpetta. "A garota não apresentou marcas a não ser hematomas recentes, como se alguém tivesse sentado sobre seu peito, ela com as mãos presas. Ela teve um sangramento nasal." Scarpetta não quer dizer mais sobre o assunto. "É óbvio que isso é totalmente confidencial."

"Não faço idéia de onde ele pode estar", diz o dr. Philpott com tristeza. "Se aparecer aqui por alguma razão, ligo para você imediatamente."

"Vou dar o número do telefone de Peter Marino." Ela começa a anotar.

"Na verdade eu não sei muita coisa sobre Edgar Allan. Nunca gostei dele, para ser franco. É um tipo estranho, me assusta um pouco, e enquanto a mãe dele viveu ela sempre o trazia para as consultas. Estou falando de quando ele já era homem feito, até ela morrer."

"De que ela morreu?"

"Isso também me preocupa, agora que estamos falando do assunto", observa o dr. Philpott, o rosto consternado. "Ela era obesa e se cuidava muito mal. Durante um inverno, pegou uma gripe e morreu em casa. Não houve nada suspeito a respeito do fato na época. Mas agora eu tenho dúvidas."

"Posso ver a ficha médica dele? E a dela, se o senhor ainda tiver?", pergunta Scarpetta.

"Bem, a ficha da mãe não está tão facilmente acessível, já que ela morreu há muito tempo. Mas você pode ver a dele. Pode fazer isso aqui mesmo. Está na minha mesa." O dr. Philpott se levanta da cadeira e sai da cozinha, movendo-se mais devagar e parecendo mais cansado do que antes.

Scarpetta olha pela janela e avista um gaio azul roubando comida de um comedouro pendurado no galho desfolhado de um carvalho. O gaio é uma lufada de agressividade azul, e as sementes voam enquanto assalta o comedouro, antes de se afastar agitando suas penas azuis e desaparecer. Edgar Allan Pogue ainda pode se safar. As impressões digitais não provam nada, e a causa e o tipo de morte serão discutidos. Não dá para saber quantas pessoas ele matou, pensa Scarpetta, e agora tem de se preocupar com o que fazia quando trabalhava com ela. O que Pogue fazia lá embaixo, no subsolo? Ela o vê lá, de jaleco. Era pálido e magro na época, e ela se lembra do seu rosto claro olhando-a, lançando olhares tímidos quando ela saía daquele terrível elevador de serviço e aparecia para falar com Dave, que não gostava muito de Edgar Allan e provavelmente não tem idéia de onde ele possa estar.

Scarpetta passava o mínimo de tempo possível na Divisão de Anatomia. Era um lugar deprimente. A verba era tão curta, e as faculdades de medicina que precisavam de cadáveres pagavam tão pouco, que não havia dinheiro para permitir aos mortos um mínimo de dignidade. E o crematório estava sempre quebrado. Havia tacos de beisebol encostados num canto porque, quando os restos mortais eram removidos do forno, alguns pedaços de osso precisavam ser pulverizados para caber nas urnas baratas fornecidas pelo estado. Um triturador custava caro demais, e um taco de beisebol fazia bem o trabalho de reduzir pedaços de osso a um tamanho manejável, a pó. Scarpetta não queria ser lembrada do que acontecia lá embaixo, e só visitava aquela seção quando necessário, evitando o crematório, evitando olhar para os bastões de beisebol. Ela sabia dos tacos de beisebol e se mantinha afastada, fingindo que não estavam ali.

Eu deveria ter comprado um triturador, pensa enquanto olha para o comedouro vazio. Deveria ter comprado um triturador com meu próprio dinheiro. Nunca deveria ter permitido tacos de beisebol. Agora eu não permitiria isso.

"Aqui está", diz o dr. Philpott ao voltar para a cozinha com uma volumosa pasta com o nome Edgar Allan Pogue impresso. "Agora preciso voltar aos meus pacientes. Mas virei ver se precisa de alguma coisa."

A verdade é que ela não tinha muito contato com a Divisão de Anatomia. É patologista forense, advogada, não diretora de funerária ou embalsamadora. Sempre achou que aquelas pessoas mortas não tinham nada a dizer, pois não havia mistério em torno de suas mortes. Se é possível morrer em paz, era o que aquelas pessoas faziam. Sua missão era com gente que não morre em paz. Sua missão era com os que morrem de forma violenta, de forma súbita e suspeita, e ela não queria falar com as pessoas nos tanques, por isso evitava a parte subterrânea do mundo dela na época. Evitava os que trabalhavam ali e evitava os que estavam mortos ali. Não queria passar a conviver com Dave ou com Edgar Allan. Não, não queria. Não queria ver corpos cor-de-rosa presos por ganchos sendo erguidos por polias e correntes. Não, não queria.

Eu deveria ter prestado mais atenção, pensa, e seu estômago está irritado por causa do café. Não fiz tanto quanto poderia ter feito. Ela examina lentamente a ficha médica de Pogue. Eu deveria ter comprado um triturador, pensa, e procura o endereço que Pogue deu ao dr. Philpott. De acordo com sua ficha, Pogue morava em Ginter Park, na zona norte da cidade, até 1996, depois o endereço mudou para uma caixa postal. Em nenhum lugar da ficha é mencionado onde morou depois de 1996, e ela fica imaginando se foi nessa época que se mudou para a casa atrás da cerca da casa dos Paulsson, a casa da sra. Arnette. Talvez ele a tenha matado também, para ficar morando na casa.

Um chapim pousa no comedouro do lado de fora da janela e Scarpetta o observa, as mãos imóveis sobre o prontuário médico de Pogue. A luz do sol que banha o lado esquerdo de seu rosto é morna mas não quente, uma tepidez invernal tocando nela enquanto observa o pequeno pássaro bicar as sementes, os olhos brilhantes, a cauda agitada. Scarpetta sabe o que alguns falam sobre ela. Durante toda a sua carreira ela fugiu de comentários que pessoas ignorantes fazem sobre médicos cujos pacientes estão mortos. Ela é mórbida. É esquisita e não consegue se dar bem com os vivos. Patologistas forenses são anti-sociais e esquisitos, têm sangue-frio e são totalmente imunes à compaixão. Escolhem essa subespecialidade da medicina porque são médicos fracassados, pais fracassados, mães fracassadas, amantes fracassados, seres humanos fracassados.

Por causa das coisas que as pessoas ignorantes diziam, ela evitava o lado mais sombrio de sua profissão, não queria entrar naquele lado sombrio, mas poderia ter entrado. Ela compreende Edgar Allan Pogue. Não sente o mesmo que ele, mas sabe o que ele sente. Pode ver seu rosto pálido lançando olhares furtivos para ela, e então se lembra do dia em que levou Lucy até o local onde trabalhava, porque estava passando os feriados do final do ano com ela. Lucy adorava ir ao escritório com ela, e naquela ocasião Scarpetta tinha assuntos a tratar com Dave, por isso Lucy a acompanhou até o subsolo, até a Divisão de Anatomia, e era uma garota levada, irreverente e brincalhona. Era Lucy. Algo havia acontecido naquele dia enquanto Lucy estava naquele local, durante o pouco tempo em que ficou lá. O que teria sido?

O chapim bica as sementes e olha diretamente para Scarpetta através da vidraça. Ela ergue a caneca de café e o pássaro sai voando. A pálida luz do sol brilha sobre a caneca branca, uma caneca branca com o brasão da Escola de Medicina da Virgínia. Scarpetta se levanta da mesa da cozinha do dr. Philpott e disca o número do telefone celular de Marino.

"Oi", atende ele.

"Ele não vai voltar para Richmond", diz. "É esperto o bastante para saber que estamos procurando por ele aqui. E a Flórida é um bom lugar para pessoas com problemas respiratórios."

"Então é melhor eu ir até lá. E você?"

"Só tenho mais uma coisa a fazer antes de cortar o vínculo com esta cidade", responde ela.

"Você precisa da minha ajuda?"

"Não, obrigada."

53

Os trabalhadores estão fazendo uma pausa para o almoço, sentados em lajes de concreto ou em bancos de grandes máquinas amarelas, comendo. Capacetes e rostos marcados pelas intempéries observam Scarpetta andando pela lama espessa e vermelha, segurando o casaco escuro e comprido como se fosse uma saia longa.

Ela não vê o mestre-de-obras que encontrou no outro dia e ninguém mais que pareça ser o encarregado, e os trabalhadores a observam e ninguém se aproxima para saber o que deseja. Vários homens em trajes escuros e empoeirados estão reunidos ao redor de uma escavadeira, comendo sanduíches e tomando refrigerantes, sem tirar os olhos de Scarpetta enquanto ela escolhe um caminho em meio à lama, segurando o casaco.

"Estou procurando o supervisor", diz ela, aproximando-se deles. "Preciso entrar no prédio."

Scarpetta examina o que sobrou de seu antigo escritório. Metade da área da frente já veio abaixo, mas a parte traseira ainda está intacta.

"De jeito nenhum", responde um dos homens com a boca cheia. "Ninguém entra aí." Volta a mastigar e olha para Scarpetta como se ela fosse uma doida.

"A parte de trás do prédio parece firme", retruca ela. "Quando eu era legista-chefe, este era o meu escritório. Eu vim aqui no outro dia, quando o senhor Whitby morreu."

"A senhora não pode entrar ali", diz o mesmo homem,

dando uma olhada para os companheiros que ouvem a conversa a seu redor. Seu olhar diz que aquela mulher é doida.

"Onde está o mestre-de-obras?", pergunta ela. "Eu quero falar com ele."

O homem retira um telefone celular do cinto e liga para o mestre-de-obras. "Ei, Joe", diz. "É o Bobby. Lembra-se da moça que veio aqui no outro dia? A moça com o policial grandão de Los Angeles? É, é, isso mesmo. Ela está aqui querendo falar com você. Certo." Termina a ligação e olha para ela. "Ele foi comprar cigarros e volta em um minuto", informa. "Mas por que a senhora quer entrar aí? Acho que não tem nada que interesse lá dentro."

"Nada a não ser fantasmas", diz outro homem, e seus companheiros dão risada.

"Quando foi exatamente que vocês começaram a demolir isto aqui?", pergunta.

"Mais ou menos um mês atrás. Pouco antes do Dia de Ação de Graças. Depois tivemos que parar por uma semana por causa das nevascas."

Os trabalhadores falam entre si, discutindo de forma bem-humorada sobre quando exatamente a bola de demolição acertou o prédio pela primeira vez, e Scarpetta observa um homem chegar pela lateral do edifício. Está usando calça cáqui de trabalho, jaqueta verde-escura e botas, o capacete enfiado embaixo de um braço, e vem caminhando pela lama na direção deles, fumando.

"Este é o Joe", informa o trabalhador chamado Bobby. "Mas ele não vai deixar a senhora entrar aí. Nem queira entrar lá, dona. Não é seguro, por um monte de razões."

"Quando começaram a demolir este prédio, vocês desligaram a energia ou já estava desligada?", pergunta Scarpetta.

"A gente nunca teria começado com a energia ligada."

"Mas tinha sido desligada havia pouco tempo", diz outro homem. "Lembra como estava antes de a gente começar? As pessoas tinham que passar por ali. E tinha luzes ligadas, não tinha?"

"Não faço idéia."

"Boa tarde", o mestre-de-obras Joe se dirige a Scarpetta. "Em que posso ajudar?"

"Eu preciso entrar no prédio. Pela porta de trás, aquela perto da sacada", explica ela.

"De jeito nenhum", responde ele com firmeza, abanando a cabeça e olhando para o edifício.

"Posso falar com você um minuto?", pergunta Scarpetta, afastando-se dos outros trabalhadores.

"Droga, não, eu não vou deixar a senhora entrar lá. Por que razão quer fazer isso?", pergunta Joe, agora que estão a uns bons três metros dos outros e dispõem de um pouco de privacidade. "Não é seguro. Por que quer fazer isso?"

"Escute", diz ela, mudando de posição na lama e não mais segurando a barra do casaco. "Eu ajudei a examinar o senhor Whitby. Nós encontramos uns estranhos sinais no corpo dele, basta dizer isso."

"A senhora está brincando comigo."

Scarpetta sabia que aquilo prenderia a atenção dele, e continua: "Tem uma coisa que preciso verificar dentro do prédio. A construção está mesmo perigosa ou você está preocupado em ser processado, Joe?".

Joe olha para o prédio e coça a cabeça, depois passa os dedos pelos cabelos. "Bom, ele não vai cair em cima da gente, não aquela parte de trás. Mas eu não entraria pela frente."

"Eu não quero entrar pela frente", assegura ela. "A parte de trás está perfeita. Podemos entrar por aquela porta traseira perto da sacada e sair pela escada à direita, no fim do corredor. Podemos descer a escada mais um andar para baixo, até o piso inferior. É lá que eu preciso ir."

"Eu conheço essa escada. Já estive lá. A senhora quer chegar até o primeiro andar por ela? Minha nossa. Essa é demais."

"Há quanto tempo a energia foi desligada?"

"Antes de a gente começar, com certeza."

"Então você entrou logo que chegou aqui?", pergunta ela.

"Mas tinha luz. Isso deve ter sido no verão, na primeira vez em que tive que percorrer o lugar. Agora vai estar escuro como breu. Que sinais? Não estou entendendo. Acha que aconteceu alguma coisa com Whitby além de ter sido atropelado por um trator? Quer dizer, a mulher dele está fazendo o maior auê, acusando as pessoas disso e daquilo. Uma grande bobagem. Eu estava aqui. Não aconteceu nada a não ser o fato de ele estar no lugar errado na hora errada e ter que mexer no motor de arranque."

"Eu preciso dar uma olhada", insiste ela. "Você pode vir comigo. Eu agradeceria se viesse. Só preciso dar uma olhada. Imagino que a porta de trás esteja trancada. E eu não tenho a chave."

"Bem, não é isso que vai impedir a gente de entrar." Joe olha para o prédio, depois para os seus homens. "Ei, Bobby!", grita. "Você pode furar o trinco da porta de trás? Faça isso agora." Depois se dirige a Scarpetta: "Tudo bem. Eu levo a senhora até lá dentro, mas a gente não vai chegar perto da parte da frente nem ficar lá mais de um minuto".

54

Luzes dançam nas paredes de concreto e sobre degraus pintados de bege, e os pés deles fazem um som arrastado enquanto caminham até o local onde Edgar Allan Pogue trabalhava quando Scarpetta era chefe. Não há janelas nos dois primeiros níveis do prédio porque o andar pelo qual entraram era onde ficava o necrotério, e não deve haver janelas em necrotérios, como normalmente não há, assim como não há janelas no subsolo. A escuridão na escadaria é total e o ar é cortante, úmido e poeirento.

"Quando me mostraram este lugar, não me trouxeram aqui embaixo", diz Joe enquanto desce os degraus à frente dela, a lanterna oscilando a cada passo. "Só dei uma passada lá por cima. Achei que isso aqui era um porão. Eles não me trouxeram até aqui." Ele parece inquieto.

"Deviam ter trazido", responde Scarpetta, e a poeira faz cócegas em sua garganta e irrita sua pele. "Tem dois andares aqui embaixo, de mais ou menos seis metros por seis e três metros de altura. Você não ia querer passar o trator e correr o risco de cair nesse espaço."

"Essa história me deixou furioso", comenta ele, e parece mesmo furioso. "Eles deviam pelo menos ter me mostrado fotos. Seis por seis. Droga! Isso realmente me deixa uma vara. Este é o último degrau. Cuidado." Ele faz uma varredura com a lanterna.

"Nós devemos estar num corredor. Vire à esquerda."

"Parece que é a única direção que podemos tomar." Ele começa a se mover novamente, devagar. "Por que diabo

eles não falaram nada sobre esses tanques com a gente?"
Joe simplesmente não se conforma.

"Não sei. Depende de quem mostrou o lugar para
você."

"Foi um cara, que diabo, como era o nome dele? Só
lembro que era da Administração de Serviços Gerais e não
gostava nada de ficar aqui. Não sei nem se sabia muita coisa sobre o prédio."

"É bem possível que não soubesse", diz Scarpetta,
olhando para o piso de lajota imundo que reflete opaca-
mente a luz. "Eles só queriam demolir tudo. O sujeito da
sG provavelmente nem sabia sobre estes tanques. Talvez
nunca tenha estado na Divisão de Anatomia. Pouca gente
vem aqui embaixo. Eles estão bem ali." Ela aponta a lanterna para a frente e o facho de luz invade a densa escuridão de uma enorme sala vazia e ilumina fracamente as
tampas retangulares de ferro escuro dos tanques no chão.
"Bem, as tampas estão no lugar. Não sei se isso é bom ou não",
diz ela. "Mas o risco de contaminação biológica aqui embaixo é grande. Tenha bastante cuidado com o que estiver
lidando quando começar a demolir esta parte do prédio."

"Ah, não se preocupe. Puxa, eu não acredito", diz o
mestre-de-obras, zangado e nervoso enquanto ilumina o
ambiente com a lanterna.

Scarpetta afasta-se dos tanques e volta à área da Divisão de Anatomia situada no outro lado do grande salão,
passando pela saleta onde costumavam ser feitas os em-
balsamamentos, e ilumina o ambiente com a lanterna. Uma
mesa de aço presa com canos grossos no chão reflete a
luz, revelando gabinetes com pias de aço. Encostados a
uma parede daquela sala se encontram um carrinho de
mão enferrujado e uma mortalha de plástico embolada. À
esquerda da sala há um nicho, e ela imagina o crematório
construído em lajes de concreto antes de avistá-lo. Depois
sua lanterna ilumina a grande porta de ferro escuro na parede e ela se lembra de ter divisado labaredas pela fresta

daquela porta, lembra-se das bandejas de ferro oxidadas onde eram colocados os cadáveres, que depois eram retiradas quando não continham nada mais que cinzas e pedaços de ossos calcários, e pensa nos tacos de beisebol usados para pulverizar os pedaços de osso. E sente-se envergonhada ao pensar naqueles tacos.

A luz da lanterna movimenta-se no chão, que ainda está branco de poeira e de pequenos pedaços de ossos que parecem giz, e Scarpetta sente a granulação sob os sapatos ao caminhar. Joe não veio com ela. Está esperando além do nicho e a ajuda à distância, iluminando o chão e os cantos com a lanterna, e a sombra dela, de casaco e chapéu, é enorme e negra na parede de concreto. Depois a lanterna ilumina o olho. Foi pintado com spray em preto sobre bege em cima do concreto, um grande olho aberto com cílios.

"Que diabo é isto?", pergunta Joe. Ele está vendo o olho na parede, mesmo que ela não consiga vê-lo olhando. "Meu Deus. O que é isto?"

Scarpetta não responde, a luz de sua lanterna continua se movendo. Os tacos de beisebol sumiram dos cantos onde ficavam encostados quando era ela a chefe, mas ainda restam muitas cinzas e pedaços de osso em grande quantidade, avalia Scarpetta. Sua lanterna encontra uma lata de spray de tinta preta e duas garrafas de tinta de retoque, ambas vazias. Ela guarda as garrafas num saco plástico e a lata de spray num saco separado. Depois encontra algumas velhas caixas de charuto com restos de cinzas e avista tocos de charutos no chão e um saco de papel pardo amassado. Suas mãos enluvadas entram no facho de luz e pegam o saco. O papel estala ao ser aberto e ela percebe que o saco não esteve ali por oito anos, nem mesmo por um ano.

Scarpetta sente um vago cheiro de charuto quando abre o saco, porém acha que não é cheiro de charuto fumado o que sente, mas sim de tabaco de charuto não queimado, e dirige a luz da lanterna para dentro do saco e vê pedaços de tabaco e um recibo. Joe a está observando e fixou sua lanterna no saco em suas mãos. Scarpetta examina o recibo e experimenta uma sensação de irrealidade ao constatar que data de 14 de setembro passado, quando Edgar Allan Pogue, e ela tem certeza de que foi Pogue, gastou mais de cem dólares numa tabacaria naquela rua, no James Center, na compra de dez charutos Romeo y Julieta.

55

O James Center não é o tipo de lugar que Marino costumava freqüentar quando era policial em Richmond, e nunca comprou seus Marlboro naquela luxuosa tabacaria nem em qualquer outra.

Também nunca comprou charutos, nenhuma marca de charutos, porque mesmo um charuto barato custa muito dinheiro para ser fumado uma única vez, e além disso ele não teria baforado, teria tragado. Agora que quase não fuma mais, pode admitir a verdade. Ele teria tragado fumaça de charuto. O átrio é todo em vidro, luzes e plantas, e o som de água corrente das fontes e cascatas segue Marino enquanto ele caminha rapidamente em direção à loja em que Edgar Allan Pogue comprou charutos menos de três meses antes de ter assassinado a pequena Gilly.

Ainda não é meio-dia e as lojas não estão muito movimentadas. Algumas pessoas em elegantes trajes executivos tomam café e se movem como se tivessem lugares para ir e vivessem vidas importantes, e Marino não agüenta gente como aquela do James Center. Ele conhece o tipo. Cresceu conhecendo, não pessoalmente, mas sabendo como é. Eram pessoas que não conheciam nem nunca tentaram conhecer o tipo de Marino. Ele anda depressa e está bravo, e quando um homem vestindo um fino terno preto risca de giz passa sem nem mesmo enxergá-lo, Marino pensa: Você não sabe merda nenhuma. Gente como você não sabe merda nenhuma.

Dentro da tabacaria o ar é penetrante e adocicado,

uma sinfonia de aromas de tabaco que o envolve num sentimento saudoso que ele não entende e imediatamente culpa seus hábitos de fumante. Ele sente falta de fumar. Está triste e chateado porque sente falta dos cigarros, e seu coração dói, e ele se sente tocado em algum lugar no fundo da alma porque sabe que nunca mais vai poder fumar, não como costumava, simplesmente não pode mais fazer isso. Estava enganando a si mesmo ao pensar que poderia fumar um ou dois cigarros de vez em quando. Que mito pensar que havia essa esperança. Não há esperança. Nunca houve esperança. Se existe algo sem esperança é esse insaciável desejo por tabaco, seu desesperado amor pelo tabaco, não há esperança, e Marino de repente se sente esmagado de pesar porque nunca mais vai acender um cigarro e tragar profundamente e ter aquela sensação de puro prazer, a libertação das dores de cada minuto da vida. Ele acorda com aquela dor, adormece com a dor, sente a dor nos sonhos e quando está acordado. Ao olhar para o relógio, pensa em Scarpetta, imaginando se o vôo dela atrasou. Tantos vôos atrasam nos dias de hoje.

O médico de Marino disse que, se continuasse a fumar, acabaria carregando um tanque de oxigênio por toda parte, como o papo de um pelicano, quando chegasse aos sessenta anos. No final iria morrer sufocado em busca de ar como a pobre garota Gilly, lutando para respirar com aquele monstro sentado em cima dela imobilizando suas mãos, e ela debaixo dele em pânico, cada célula de seus pulmões clamando por ar enquanto sua boca tentava gritar chamando mamãe e papai, apenas gritar, pensa Marino. Gilly não conseguiu produzir nenhum som, e o que ela fez para merecer uma morte como aquela? Nada, essa é a verdade, pensa Marino enquanto observa os pacotes de cigarro nas prateleiras de madeira escura dentro da atmosfera perfumada daquela tabacaria de homens ricos. Scarpetta estaria tomando o avião neste momento, imagina, olhando para as caixas de charutos Romeo y Julieta. Se não estiver atrasada, já pode estar no avião, voando para o oeste, para Denver, e Marino sente um vazio no coração, e em algum lugar fora dos limites de sua própria alma ele sente vergonha e depois fica muito chateado.

"Se precisar de alguma ajuda, me diga", avisa um homem com um suéter cinzento com gola em V e calça de veludo cotelê atrás do balcão. A cor de suas roupas e os cabelos acinzentados fazem Marino se lembrar de cigarro. O homem trabalha numa tabacaria cheia de cigarros e se tornou da cor de fumaça. Provavelmente volta para casa no final do dia e pode fumar quanto quiser, enquanto Marino volta sozinho para casa ou para um hotel e não pode nem acender um cigarro, quanto mais dar uma tragada. Agora ele vê a verdade. Sabe a verdade. Ele não pode fumar. Estava se enganando ao achar que poderia fumar, e fica pesaroso e envergonhado.

Enfia a mão no bolso do casaco e tira o recibo que Scarpetta encontrou no chão coberto de pó de osso da Divisão de Anatomia do velho edifício. O recibo está dentro de um saco de plástico transparente, e Marino o põe sobre o balcão.

"Há quanto tempo você trabalha aqui?", pergunta ao homem que parece fumaça atrás do balcão.

"Vai fazer doze anos", responde o homem, sorrindo, mas com uma expressão nos olhos cinzentos cor de fumaça. Marino reconhece o medo naquela expressão, mas não faz nada para tranqüilizá-lo.

"Então você conhece Edgar Allan Pogue. Ele esteve aqui no dia 14 de setembro deste ano e comprou estes charutos."

O homem franze o cenho e inclina-se sobre o balcão para examinar o recibo dentro do saco plástico para preservar provas. "Este recibo é nosso", diz.

"Sem brincadeiras, Sherlock. Um gordinho baixinho de cabelos ruivos", diz Marino, não fazendo nada para acalmar o medo do homem. "Perto dos trinta anos. Trabalhava no velho necrotério ali." Ele aponta em direção à rua 14. "Provavelmente se comportou de forma esquisita quando esteve aqui."

O homem continua lançando olhares para o boné de beisebol da LAPD de Marino. Está pálido e inquieto. "Nós não vendemos charutos cubanos."

"O quê?", pergunta Marino com uma carranca.

"Se for essa a questão. Ele pode ter pedido, mas nós não vendemos."

"Ele veio aqui procurando charutos cubanos?"

"Ele estava determinado, mais ainda da última vez em que esteve na loja", afirma o homem, nervoso. "Nós não vendemos charutos cubanos nem nenhum outro artigo ilegal."

"Não estou acusando você e não sou da ATF, nem da FDA, nem do Ministério da Saúde, nem sou o Coelho de Páscoa", diz Marino. "E para mim tanto faz se você vende charutos cubanos ou merda por baixo do balcão."

"Eu não faço isso. Juro que não."

"Eu só quero o Pogue. Fale comigo."

"Eu me lembro dele", admite o homem, e agora o rosto está cor de fumaça. "Sim, ele queria charutos cubanos. Cohibas, não os dominicanos, que nós vendemos, mas cubanos. Eu disse que não vendemos charutos cubanos. É ilegal. Você não é daqui, não é? Você não fala como se fosse daqui."

"Claro que não sou daqui", responde Marino. "O que mais Pogue falou? E quando foi isso, quando foi a última vez que esteve aqui?"

O homem olha para o recibo sobre o balcão. "Provavelmente esse dia. Acho que esteve aqui pela última vez em outubro. Ele vinha aqui mais ou menos uma vez por mês. Um homem muito estranho. Muito estranho."

"Em outubro? Certo. E o que mais ele dizia quando vinha aqui?"

"Ele queria charutos cubanos, dizia que pagaria o que fosse necessário por eles, e eu dizia que nós não vendemos cubanos. Ele sabia disso. Já tinha me perguntado antes, das outras vezes, mas não com tanta insistência, não como da última vez que veio aqui. Estranho, aquele homem. Ele já tinha me perguntado antes e estava perguntando de novo, mas muito insistentemente. Acho que disse que o tabaco cubano era melhor para os pulmões, uma bobagem qualquer como essa. A gente pode fumar quantos cubanos quiser que eles não fazem mal, na verdade fazem bem. São puros e melhores para os pulmões e na realidade funcionam como remédio, alguma coisa boba como essa."

"E o que você disse para ele? Não minta para mim. Eu não estou nem aí se você vendeu charutos cubanos para ele. Só preciso encontrar esse cara. Se Pogue acha que essa merda faz bem para os pulmões, ele vai comprar em outro lugar."

"Ele estava cismado com isso, pelo menos da última vez em que esteve aqui, estava convencido. Não me pergunte por quê", diz o homem, olhando para o recibo. "Existem muitos charutos bons. Por que têm de ser cubanos, eu não entendo, mas ele queria. Me lembrou uma pessoa doente, desesperada por alguma erva mágica ou marijuana, ou gente com artrite que quer injeções de outra pessoa ou coisa assim. Parecia claramente algum tipo de superstição. Muito estranho. Falei para ele ir a outra loja, disse para não me pedir mais charutos cubanos."

"Que loja?"

"Bom, na verdade é um restaurante. Ouvi dizer que eles vendem coisas e sabem onde encontrar coisas. No bar. Qualquer coisa que você quiser, acho. Foi o que ouvi falar. Eu nunca fui lá. Não tenho nada a ver com isso."

"Onde?"

"Na Slip", responde ele. "A poucos quarteirões daqui."

"Você conhece algum lugar no sul da Flórida que venda charutos cubanos? Talvez você tenha recomendado algum lugar no sul da Flórida."

"Não", discorda o homem, abanando a cabeça cinzenta. "Eu não tenho nada a ver com isso. Pergunte para eles, na Slip. Provavelmente eles sabem."

"Certo. Então vamos à pergunta mais importante." Marino guarda o saco plástico no bolso do casaco. "Você falou com Pogue sobre esse lugar na Slip, onde talvez pudesse encontrar os charutos cubanos que queria?"

"Eu disse que tem gente que compra charutos no bar de lá", responde o homem.

"Qual o nome desse lugar na Slip?"

"Stripes. O nome do bar é Stripes, descendo a rua Cary. Eu não queria que ele voltasse mais aqui. Ele era muito estranho. Sempre achei que era estranho. Ele vinha aqui fazia anos, a intervalos de poucos meses. Nunca disse muita coisa", comenta o homem. "Mas, da última vez em que esteve aqui, talvez em outubro, estava mais estranho do que o normal. Estava com um taco de beisebol. Perguntei por quê, mas ele não respondeu. Ele não costumava ser tão insistente em querer charutos cubanos, mas dessa vez estava obcecado. Cohibas, ficava dizendo. Ele queria Cohibas."

"O taco era vermelho, branco e azul?", pergunta Marino, pensando em Scarpetta e nos trituradores e pó de osso e tudo o mais que ela havia dito quando estava saindo do consultório do dr. Philpott.

"Talvez", responde o homem com uma expressão estranha. "Mas, afinal, o que significa essa história toda?"

56

Nos bosques ao redor das casas da cidade as sombras são frias e profundas e contornam álamos cinzentos manchados de branco. As árvores estão nuas porém são densas no bosque. Para atravessá-las, Lucy e Henri precisam se desviar e afastar galhos e brotos adormecidos pelo inverno para abrir caminho. Seus sapatos de neve não impedem que a neve chegue até os joelhos a cada passo, e até onde a vista alcança a suave superfície branca não está marcada por rastros humanos.

"Isso é uma loucura", comenta Henri, respirando com dificuldade e soltando nuvens de vapor. "Por que estamos fazendo isso?"

"Porque precisamos sair e fazer alguma coisa", responde Lucy, enfiando o pé na neve que chega quase à sua coxa. "Uau! Olha só isso. Inacreditável. É lindo."

"Acho que você não deveria ter vindo aqui", diz Henri, parando e olhando para ela sob as sombras profundas que pintam a neve de azul. "Eu já passei por isso e para mim já chega. Vou voltar para Los Angeles."

"A vida é sua."

"Eu sei que não está falando a sério. Quando você diz essas irreverências o seu nariz cresce."

"Vamos só um pouco mais adiante", diz Lucy, avançando e tomando cuidado para que nenhum galho ou árvore jovens rebatam no rosto de Henri, embora talvez ela merecesse. "Tem uma velha árvore caída, tenho certeza. Eu vi do caminho quando estava subindo para encontrar você, e podemos limpar a neve e sentar um pouco."

"Nós vamos congelar", diz Henri, dando uma passada funda e soprando uma nuvem de respiração congelada.

"Você não está com frio, está?"

"Não."

"Então, se ficarmos com frio, levantamos e voltamos para casa."

Henri não responde. Sua resistência está consideravelmente mais baixa do que era antes de pegar a gripe e depois de ser atacada. Em Los Angeles, onde Lucy a viu pela primeira vez, ela estava numa forma física estupenda: não era grande, mas era muito forte. Podia fazer barra erguendo o peso do corpo até dez vezes sem assistência, quando a maioria das mulheres não consegue erguer um terço do próprio peso nem uma vez. Conseguia correr mais de um quilômetro e meio em sete minutos. Agora teria sorte se conseguisse caminhar um quilômetro e meio. Em menos de um mês, Henri havia perdido a forma física e continuava perdendo a cada dia, porque perdera outra coisa, que era muito mais importante que sua condição física. Havia perdido a sua missão. Ela não tem mais uma missão. Lucy se pergunta se Henri algum dia teve uma missão ou se era apenas vaidade; os fogos da vaidade são quentes e vorazes, mas logo se apagam.

"É logo ali em cima", diz Lucy. "Já estou enxergando. Está vendo aquele tronco enorme? Tem um pequeno riacho congelado depois dele, e a academia é naquela direção." Ela aponta com um bastão de esqui. "O cenário perfeito seria terminar no ginásio e depois na sauna."

"Não consigo respirar", diz Henri. "Desde que peguei aquela gripe, parece que meus pulmões se reduziram à metade do que eram."

"Você teve uma pneumonia", Lucy a faz recordar. "Mas talvez não se lembre. Você tomou antibióticos durante uma semana. Ainda estava tomando quando aconteceu aquilo."

"É. Quando aconteceu aquilo. Tudo gira em torno daquilo. Aquilo." Henri continua enfatizando a palavra "aquilo". "Imagino que agora falamos em eufemismos." Ela pisa

433

onde Lucy pisou porque está lenta e suando. "Meus pulmões doem."

"O que gostaria que a gente dissesse?" Lucy chega até a árvore caída, que já foi uma grande árvore mas agora é apenas uma carcaça, como se tivesse sobrado de um grande navio, e começa a tirar a neve de cima. "Como você chamaria o que aconteceu?"

"Eu chamaria de quase ser morta."

"Sente-se aqui." Lucy senta-se e bate numa área limpa do tronco ao seu lado. "É gostoso sentar." Sua respiração congelada ergue-se como vapor e seu rosto está tão frio que mal consegue senti-lo. "Quase ser morta em oposição a quase ser assassinada?"

"Mesma coisa." Henri hesita em pé ao lado do tronco, olhando ao redor para o bosque nevado e as sombras em perspectiva. Através dos galhos escuros e gelados, as luzes das casas e da academia de ginástica são de um amarelo amanteigado, e fumaça sobe das chaminés.

"Eu não diria que é a mesma coisa", retruca Lucy, olhando para ela, percebendo o quanto emagreceu e tomando consciência de algo em seu olhar que não havia notado no começo. "Quase ser morta é uma forma distanciada de falar. Acho que estou procurando sentimentos, emoções reais."

"É melhor não procurar nada." Henri senta-se relutante no tronco, mantendo distância de Lucy.

"Você não o procurou, foi ele que encontrou você", diz Lucy, olhando à frente para o bosque, os braços apoiados nos joelhos.

"Então eu estava sendo perseguida. Metade de Hollywood é perseguida. Acho que isso me torna sócia do clube", responde ela, e parece muito contente em ser um membro do clube de caça a estrelas de cinema.

"Eu também achava isso até pouco tempo atrás." As mãos enluvadas de Lucy descem até a neve entre seus pés e recolhem um punhado de pó, que ela examina. "Parece que você deu uma entrevista dizendo que eu a tinha contratado. Você nunca me contou isso."

"Que entrevista?"

"*The Hollywood Reporter* cita você."

"Eu já fui citada dizendo um monte de coisas de que nunca falei", responde, indignada.

"Não se trata do que você disse. Trata-se de uma entrevista. Acredito que você tenha dado. O nome da minha empresa está na matéria. Não que a existência da AUD seja uma incógnita profunda e sombria, mas o fato de ter deslocado meu quartel-general para a Flórida é. Isso eu mantive muito em segredo, principalmente por causa do campo de treinamento. Mas acabou saindo na imprensa, e, quando sai uma vez, acaba saindo outras vezes."

"Parece que você não entende de rumores e matérias de papo furado", rebate Henri, e Lucy não olha para ela. "Se trabalhasse no cinema, você saberia. Você entenderia."

"Desculpe, mas eu entendo muito bem. De alguma forma Edgar Allan Pogue descobriu que minha tia supostamente trabalha para mim no meu novo escritório em Hollywood, na Flórida. Adivinha o que ele fez?" Ela se inclina e recolhe mais neve. "Foi até Hollywood. Para me encontrar."

"Ele não estava atrás de você", diz Henri, e seu tom de voz é frio como a neve. Lucy não consegue sentir a neve por causa das luvas, mas sente a frieza de Henri.

"Acho que estava, sim. É difícil dizer quem estava dirigindo aquelas Ferrari, sabe? A gente tem que chegar perto para ver, e elas são fáceis de seguir. Rudy tem razão a esse respeito. Muito fáceis. Pogue de alguma forma me seguiu. Talvez tenha feito as perguntas certas e localizado o campo e seguido a Ferrari até minha casa. Talvez a Ferrari preta. Não sei." Ela deixa a neve cair através dos dedos cobertos pela luva preta e recolhe um pouco mais, recusando-se a olhar para Henri. "Mas ele encontrou minha Ferrari preta. Arranhou o carro todo, por isso sabemos que encontrou aquele carro quando você o pegou sem permissão. Depois de eu ter dito para nunca fazer isso, aliás. Talvez tenha encontrado minha casa nessa noite. Não sei. Mas ele não estava atrás de você."

"Você é muito egoísta", diz Henri.

"Sabe de uma coisa, Henri?" Lucy deixa a neve cair da mão aberta. "Nós fizemos uma longa pesquisa no seu passado antes de recrutar você. Talvez não exista um artigo escrito sobre você que não tenhamos lido. Infelizmente, estamos nos falando muito pouco. Gostaria que você parasse com esse papo furado de estrela. Gostaria que parasse com essa história de eu-fui-perseguida-por-isso-devo-ser-muito-importante. Isso é muito chato."

"Eu vou voltar." Henri se levanta do tronco e quase perde o equilíbrio. "Estou realmente cansada."

"Ele queria matar você para se vingar de algo que aconteceu quando eu era menina", diz Lucy. "Supondo que um doido como Pogue tenha alguma lógica. Na verdade nem me lembro dele. Provavelmente ele também não se lembra de você, Henri. Às vezes todos nós somos apenas os meios para algum fim, acho."

"Eu gostaria de não tê-la conhecido. Você arruinou a minha vida."

Lágrimas brotam nos olhos de Lucy, e ela continua sentada no tronco como se estivesse congelada. Recolhe um pouco mais de neve, joga para cima e os flocos flutuam pelas sombras.

"De todo modo, eu sempre gostei de homens", diz Henri, entrando na trilha que as duas fizeram ao caminhar até o tronco com sapatos de neve pouco tempo atrás. "Não sei por que fui aceitar tudo isso. Talvez estivesse curiosa para saber como era. Acho que muita gente iria achar você muito empolgante por um tempo. Não que experimentar seja incomum no mundo de onde venho. Não que isso importe. Nada disso importa."

"Onde você arrumou esses machucados?", pergunta Lucy, enquanto Henri dá passadas exageradamente largas em direção ao bosque, estendendo seus bastões de neve e respirando com dificuldade. "Eu sei que se lembra. Você se lembra exatamente como aconteceu."

"Ah. Os machucados que você fotografou, Superpolicial?", diz Henri, sem fôlego, cravando um bastão de esqui fundo na neve.

"Eu sei que se lembra." Lucy olha para ela do tronco, os olhos marejados de lágrimas, porém conseguindo manter a voz firme.

"Ele sentou em cima de mim." Henry crava o outro bastão na neve e ergue um pé. "Aquele doido de cabelo crespo e comprido. No começo achei que era a moça da piscina, achei que era ela. Eu o tinha visto perto da piscina uns dias antes, quando estava doente no quarto de cima, só que pensei que fosse uma mulher gorda com cabelos crespos, limpando a piscina."

"Ele estava limpando a piscina?"

"Estava. Então pensei que fosse uma outra limpadora de piscina, talvez uma substituta ou algo assim, uma segunda pessoa limpando a piscina. E aí vem a parte engraçada." Ela se vira para olhar Lucy, e o rosto de Henri não parece o rosto dela. Parece diferente. "Aquela bêbada de merda da sua vizinha estava tirando fotos, como sempre faz de tudo que acontece na sua casa."

"Ainda bem que você me passou essa informação", diz Lucy. "Tenho certeza de que não mencionou isso para o Benton depois de todo esse tempo, todo esse tempo que ele passou tentando ajudar você. Muito legal da sua parte notificar a gente de que pode haver fotos."

"É tudo de que me lembro. Ele sentou em cima de mim. Eu não queria contar." Henri mal consegue respirar enquanto caminha, depois pára e se vira, o rosto está pálido e cruel nas sombras. "Achei aquilo constrangedor, sabe?" Ela respira. "Pensar num gordo feio e pirado aparecendo na cama da gente. Não para dar uma trepada. Você sabe. Mas para sentar em cima da gente." Ela se vira e continua andando.

"Obrigada pela informação, Henri. Você é uma investigadora e tanto."

"Não sou mais. Eu me demito. Estou pegando o avião de volta", diz ela sem fôlego. "Para Los Angeles. Eu me demito."

Lucy continua sentada no tronco, remexendo na neve e olhando para suas luvas pretas. "Você não pode se demitir", diz. "Porque já está demitida."

Henri não escuta o que ela diz.

"Você está demitida", diz Lucy do tronco.

Henri dá mais um passo, espetando seus bastões e atravessando o bosque.

57

Dentro da Loja Guns & Pawn, na U.S. 1, Edgar Allan Pogue anda para cima e para baixo pelos corredores enquanto seus dedos acariciam os cartuchos de cobre e chumbo no bolso direito das calças. Ele tira um coldre de cada vez da prateleira para ler a embalagem, depois pendura cuidadosamente o coldre de volta. Hoje ele não precisa de um coldre. Que dia é hoje? Ele não tem certeza. Os dias têm passado sem nada de especial, a não ser vagas memórias de mudanças de luminosidade enquanto ele suava em sua espreguiçadeira, fitando o grande olho que o observava da parede.

A cada dois minutos ele tem um acesso de tosse seca e profunda que o deixa exausto e com o peito chiando e ainda mais perturbado. Seu nariz está escorrendo, as juntas doem e ele sabe o que tudo isso significa. O dr. Philpott estava sem vacinas contra gripe. Não guardou uma vacina para Pogue. Entre todas as pessoas que deveriam ter uma dose reservada, ele seria uma delas, mas o dr. Philpott nem pensou nisso. O dr. Philpott disse que sentia muito mas não tinha mais nenhuma vacina, e ninguém na cidade teria, até onde sabia, e era isso. Tente daqui a uma semana ou duas, mas é pouco provável, disse o dr. Philpott.

Será que eu encontro na Flórida?, perguntou Pogue.

Duvido, respondeu o dr. Philpott, ocupado e mal escutando Pogue. Duvido que você encontre vacina contra gripe em qualquer lugar a não ser que tenha sorte, e, se tiver essa sorte, devia jogar na loteria. Houve um grave racionamento nacional este ano. Eles simplesmente não fabricaram o suficiente, e estima-se que levem três ou quatro meses para produzir mais, então para este ano foi só isso. Na verdade, você pode ser vacinado contra uma cepa de gripe e pegar outra. A melhor coisa é evitar pessoas doentes e cuidar bem de si mesmo. Não tome aviões e evite academias de ginástica. Você pode se expor muito em academias.

Sim, senhor, respondeu Pogue, embora nunca tivesse tomado um avião na vida e não entrasse numa academia desde o ensino médio.

Edgar Allan Pogue tosse tão forte que seus olhos se enchem de água diante da prateleira de acessórios para armas, fascinado por todas aquelas escovinhas, garrafas e estojos. Mas ele não vai limpar armas hoje, e por isso continua andando pelo corredor, observando todo mundo na loja. Poucos minutos mais tarde, ele é o único cliente, e avista um homem grande de preto no balcão, substituindo uma pistola no mostruário.

"Posso ajudar?", pergunta o homem, que tem mais ou menos cinqüenta anos de idade, a cabeça raspada, e pela aparência seria bem capaz de machucar alguém.

"Ouvi dizer que vocês vendem charutos", responde Pogue, abafando uma tossida.

"Hum." O homem o encara de forma desafiadora, depois seu olhar vai até a peruca de Pogue, volta para os olhos de Pogue, e alguma coisa naquele homem chama a atenção de Pogue. "É mesmo? E onde você ouviu isso?"

"Eu ouvi dizer", diz Pogue, e alguma coisa chama sua atenção, e ele começa a tossir, os olhos lacrimejando.

"Acho que seria melhor você não fumar", diz o homem do outro lado do mostruário de vidro. Ele tem um boné de beisebol preto espetado no cinto atrás da calça tática, mas Pogue não sabe dizer de que time.

"Isso sou eu quem decide", responde Pogue, tentando normalizar a respiração. "Eu gostaria de comprar Cohibas. Compro meia dúzia e pago vinte cada um."

"Que raio de arma é um Cohiba?", pergunta o homem, com uma expressão séria.

"Está bem, então eu pago vinte e cinco."

"Não faço idéia do que está falando."

"Trinta", diz Pogue. "É o máximo que posso pagar. E é melhor que sejam cubanos mesmo. Eu sei reconhecer. E gostaria de ver um Smith and Wesson .38. Aquele revólver ali." Ele aponta uma arma no mostruário. "Eu quero ver. Quero ver os Cohibas e o .38."

"Já ouvi", diz o homem, olhando por cima dele como se estivesse vendo outra coisa, e seu tom de voz muda, sua expressão muda, e algo nele chama a atenção de Pogue, continua chamando a atenção.

Pogue se volta como se alguma coisa pudesse estar atrás dele, mas não há nada, nada além de dois corredores cheios de armas e equipamentos e acessórios e roupas de camuflagem e caixas de munição. Ele dedilha os cartuchos .38 no bolso, imaginando como será atirar no homem grande de preto, chegando à conclusão de que provavelmente será muito bom, mas, quando volta a olhar para o mostruário de vidro, o homem está apontando uma pistola direto para os olhos de Pogue.

"Como tem passado, Edgar Allan Pogue?", diz o homem. "Eu sou Marino."

58

Scarpetta vê Benton descendo o caminho limpo com uma pá que leva de sua casa à estrada recém-aberta e pára sob árvores verde-escuras perfumadas à espera dele. Ela não vê Benton desde que ele chegou a Aspen. Ele deixou de ligar com freqüência depois que Henri se instalou, pois não tinha muito a dizer quando se falavam pelo telefone. Ela entende. Aprendeu a entender e não acha nada difícil entender, não mais.

Ele a beija, e seus lábios têm gosto de sal.

"O que você andou comendo?", pergunta ela, dando um abraço apertado e beijando-o novamente sob a neve, embaixo dos pesados galhos das sempre-vivas.

"Amendoim. Você poderia ser um cão de caça com esse seu nariz", comenta ele, olhando nos olhos dela e enlaçando-a com um braço.

"Eu disse que senti gosto de alguma coisa, não cheiro." Scarpetta sorri, andando ao seu lado pelo caminho aberto em direção à casa.

"Eu estava pensando em charutos", observa Benton, puxando-a para mais perto, os dois tentando caminhar juntos como se as quatro pernas fossem duas. "Lembra quando eu fumava charuto?"

"Aquilo não tinha um gosto bom", comenta ela. "Cheirava bem, mas não tinha um gosto bom."

"Olhe quem está falando. Naquela época você fumava cigarros."

"Então eu também não tinha gosto bom."

"Eu não falei isso. Não falei, mesmo."

Os dois estão abraçados e andam em direção à casa iluminada na metade do caminho até o bosque.

"Foi muito esperto de sua parte, Kay. Aquela história com os charutos", diz Benton, enfiando a mão num bolso do casaco de esquiador em busca das chaves. "Se não deixei isso claro ainda, quero que saiba quanto foi esperto da sua parte."

"Da minha parte, não", retruca ela, imaginando o que Benton sente depois de todo esse tempo e verificando seus próprios sentimentos a respeito. "Foi o Marino."

"Eu gostaria de tê-lo visto comprando charutos cubanos naquela tabacaria chique em Richmond."

"Eles não vendem essa coisa ilegal lá, os tais charutos cubanos. A propósito, que burrice, não? Tratar charutos cubanos como se fossem maconha neste país", comenta Scarpetta. "Alguém na tabacaria deu uma pista para ele. Aí a pista foi se desdobrando e chegou direto àquela loja de armas em Hollywood. Você conhece o Marino. Ele é uma coisa."

"Que seja", diz Benton, mas não está particularmente interessado nos detalhes. Scarpetta acha que sabe no que ele está interessado, mas não sabe ao certo o que deseja fazer a respeito.

"O mérito é do Marino, não meu. Só estou dizendo isso. Ele foi minucioso. Seria bom ele ter um pouco de reconhecimento neste momento. Estou com fome. O que você cozinhou para mim?"

"Eu tenho uma grelha. Gosto de fazer grelhados na neve no pátio de baixo, perto da banheira quente."

"Você e essa banheira quente. No frio e no escuro usando nada a não ser uma arma."

"Eu sei. E continuo sem usar nunca aquela maldita banheira quente." Ele pára em frente à porta e abre a fechadura.

Os dois batem os pés para limpar a neve, e não há muita neve para tirar pois o caminho foi limpo, mas, por força do hábito e talvez um pouco de acanhamento, eles limpam os pés antes de entrar. Benton fecha a porta, abraça e beija Scarpetta longamente, e ela não sente mais o gosto de sal, sente apenas a língua quente e forte e o rosto dele bem barbeado.

"Você está deixando o cabelo crescer", diz ela no meio do beijo, passando os dedos pelos seus cabelos.

"Eu andei ocupado. Ocupado demais para ir ao barbeiro", responde ele, abraçando-a.

"Ocupado com outra mulher", disse ela, ajudando-o a tirar o casaco enquanto ele também a ajudava a tirar o seu, os dois se beijando, se tocando. "É, eu ouvi falar."

"Ouviu?"

"Ouvi. Mas não corte o cabelo."

Scarpetta encosta-se à porta da frente e não se incomoda com o ar frio que penetra pelo batente. Ela mal nota, segurando-o pelo braço e olhando para ele, para seus desarrumados cabelos cinzentos, e o que existe em seus olhos. Benton toca no rosto dela, encarando-a, e o que ela vê em seus olhos fica ao mesmo tempo mais profundo e brilhante, e por um instante Scarpetta não consegue dizer se ele está triste ou feliz.

"Entre", diz ele com aquele brilho no olhar, pegando a mão dela e afastando-a da porta, que está subitamente mais quente. "Vou pegar algo para você beber. Ou comer. Você deve estar cansada e com fome."

"Não tão cansada assim", responde Scarpetta.

SÉRIE POLICIAL

Réquiem caribenho
Brigitte Aubert

Bellini e a esfinge
Bellini e o demônio
Bellini e os espíritos
Tony Bellotto

O pecado dos pais
O ladrão que estudava
Espinosa
Punhalada no escuro
O ladrão que pintava como
Mondrian
Uma longa fila de homens
mortos
Bilhete para o cemitério
O ladrão que achava que era
Bogart
Quando nosso boteco fecha as
portas
O ladrão no armário
Lawrence Block

O destino bate à sua porta
Indenização em dobro
A história de Mildred Pierce
James Cain

Post-mortem
Corpo de delito
Restos mortais
Desumano e degradante
Lavoura de corpos
Cemitério de indigentes
Causa mortis
Contágio criminoso
Foco inicial
Alerta negro
A última delegacia
Mosca-varejeira
Vestígio
Patricia Cornwell

Edições perigosas
Impressões e provas
A promessa do livreiro
Assinaturas e assassinatos
John Dunning

Máscaras
Passado perfeito
Ventos de Quaresma
Leonardo Padura Fuentes

Tão pura, tão boa
Correntezas
Frances Fyfield

O silêncio da chuva
Achados e perdidos
Vento sudoeste
Uma janela em Copacabana
Perseguido
Berenice procura
Espinosa sem saída
Na multidão
Luiz Alfredo Garcia-Roza

Neutralidade suspeita
A noite do professor
Transferência mortal
Um lugar entre os vivos
O manipulador
Jean-Pierre Gattégno

Continental Op
Maldição em família
Dashiell Hammett

O talentoso Ripley
Ripley subterrâneo
O jogo de Ripley
Ripley debaixo d'água
O garoto que seguiu Ripley
Patricia Highsmith

Sala dos homicídios
Morte no seminário
Uma certa justiça
Pecado original
A torre negra
Morte de um perito
O enigma de Sally
O farol
Mente assassina
P. D. James

Música fúnebre
Morag Joss

*Sexta-feira o rabino acordou
  tarde
Sábado o rabino passou fome
Domingo o rabino ficou em
  casa
Segunda-feira o rabino viajou
O dia em que o rabino foi
  embora*
Harry Kemelman

*Um drink antes da guerra
Apelo às trevas
Sagrado
Gone, baby, gone
Sobre meninos e lobos
Paciente 67
Dança da chuva
Coronado*
Dennis Lehane

*Morte em terra estrangeira
Morte no Teatro La Fenice
Vestido para morrer
Morte e julgamento*
Donna Leon

A tragédia Blackwell
Ross Macdonald

É sempre noite
Léo Malet

*Assassinos sem rosto
Os cães de Riga
A leoa branca
O homem que sorria*
Henning Mankell

*Os mares do Sul
O labirinto grego
O quinteto de Buenos Aires
O homem da minha vida
A Rosa de Alexandria
Milênio
O balneário*
Manuel Vázquez Montalbán

O diabo vestia azul
Walter Mosley

*Informações sobre a vítima
Vida pregressa*
Joaquim Nogueira

*Revolução difícil
Preto no branco
No inferno*
George Pelecanos

Morte nos búzios
Reginaldo Prandi

Questão de sangue
Ian Rankin

*A morte também freqüenta o
  Paraíso
Colóquio mortal*
Lev Raphael

O clube filosófico dominical
Alexander McCall Smith

*Serpente
A confraria do medo
A caixa vermelha
Cozinheiros demais
Milionários demais
Mulheres demais
Ser canalha
Aranhas de ouro
Clientes demais
A voz do morto*
Rex Stout

*Fuja logo e demore para voltar
O homem do avesso
O homem dos círculos azuis*
Fred Vargas

*A noiva estava de preto
Casei-me com um morto
A dama fantasma*
Cornell Woolrich

1ª EDIÇÃO [2008] 1 reimpressão

ESTA OBRA FOI COMPOSTA PELO GRUPO DE CRIAÇÃO EM GARAMOND
E IMPRESSA PELA GEOGRÁFICA EM OFSETE SOBRE PAPEL PAPERFECT
DA SUZANO PAPEL E CELULOSE PARA A EDITORA SCHWARCZ
EM JUNHO DE 2008